20-BDP-438

在基督里长进

Growing in Christ

王国显

在基督里长进 (简体版)

作者：王国显

出版发行：美国使者协会大陆文字事工

21 Ambassador Dr.
Paradise, PA 17562, USA
电话：717-687-0506
北美免费电话：888-999-7959
网址：www.afcinc.org/mclit
电子邮箱：mclit@afcinc.org

印刷：2013 年 6 月
国际编号：978-1-882324-90-3

Growing in Christ (Simplified Script Version)
Author: Kwok Hin Wong
Publisher/Distributor: AFC Inc. MC Literature Ministry

21 Ambassador Dr.
Paradise, PA 17562, US
Phone: 717-687-0506
Toll-Free: 888-999-7959
(in North America Only）
Website: www.afcinc.org/mclit
E-mail: mclit@afcinc.org

Printed: June, 2013
ISBN: 978-1-882324-90-3

~目录~

作者的说明

"你们却要在我们主救主耶稣基督的恩典和知识上有长进 。"（彼得后书 3：18）

神给他儿女们的恩典，不是仅仅得救，而是要他们"丰丰富富的，得以进入我们主救主耶稣基督永远的国。"（彼得后书 1：11）

这些年来，在主的恩眷下在教会中学习事奉主，心里一直有一个很重的负担，深觉对于一些初信主的人，没有一些合宜的文字来供应他们，帮助他们，有些人因为各种特别的缘因，又不能常有机会参加聚会，慢慢就把对主的信心丢掉了。这叫我深刻的领会到在教会中事奉主，不能单满足于有人得救就算，还得要带领得救了的人在基督里长成。

我曾把要为初信的人预备一些基本真道的文字的这个意思和一些年长的弟兄们交通，希望他们能在这方面有一些供应，可是他们反过来劝勉我接着这个负担来作这个工。我实在是不敢，因为自己在主里还是幼嫩得很。大约过了两年，里面对这个负担越来越重，我只好顺服主，不再看自己的无有，只仰望主的信实和主的丰富。也感谢主安排一位在主里多有恩典的弟兄给我指导和提醒，使本书能以写成。

开始时，我尽量用浅白的文字来写，叫看的人没有难处，但人究竟是受限制的，不能按原意写成，切愿圣灵的工作来补完人所不能的缺欠，也求主使用本书，使看的人得着主的恩典。"叫主的荣耀，从我们这首先在基督里有盼望的人，可以得着称赞。"（以弗所书1：12）

第一章
为什么要信耶稣

读经:

"世人都犯了罪,亏缺了神的荣耀。"

(罗马书 3:23)

"除他(耶稣)以外,别无拯救,因为在天下人间,没有赐下别的名,我们可以靠着得救。"

(使徒行传 4:13)

"为什么要信耶稣呢?"这是每一位信主的人必须要清楚明白的一个问题,这个问题如果不弄清楚,那么,信耶稣就一定信得糊涂,信得不准确;我们常常遇见一些"信主"的青年教友,谈起为什么要信主,总是说不出所以然来。因此,一个初信主的人,一定要信得清楚,信得对,要有一个准确的开始,不然的话,那结果是不堪设想,一生作一个糊涂的教友还不打紧,误了自己的永生问题就严重了,因为这是无可补救的。

一、一些不准确的相信

许多"信耶稣"的朋友,他们信主的动机的确是有点偏歪的。有一些人,他们觉得人生一定要有宗教的信仰，不然，人的精神便没有寄托，生活便感觉空虚。因此，他们在许多的宗教中，要拣选一个使他满意的宗教，来寄托他的精神。他们看上了基督教，他们觉得基督教是一个实践的宗教，基督教的理论优越，基督教的精神值得同情，耶稣基督的人格和理想很使人佩服，所以他们就是这样的作了"基督徒"。我们不否认主耶稣的言行伟大，但是主耶稣不止这一些，如果只看见耶稣不过是一位人的模范，那么，他还是不认识主耶稣，这样的"基督徒"只可以说是钦佩耶稣，还不能说是相信耶稣。其实，在世界上，古往今来，也有不少人是值得钦佩的，为什么一定要钦佩耶稣呢？许多的事物如文学，音乐，艺术……也可以寄托精神，为什么一定要利用基督教来寄托精神呢？所以寻找精神寄托，或者寻找人生的理想而"信"耶稣，这是不正确的信法。

有一些人，出生在基督徒的家庭里，从小就受了作基督徒的环境影响，自然而然就成了一个"基督徒"。你问他为什么要作基督徒，他们会很神气的告诉你说："我是第三代(或者是第四代)基督徒。"说清楚一点，这样的"基督徒"是没有相信耶稣的。

有一些人，因为生病，得不到医药上的医治，在没有盼望的时候，就来"信"耶稣，希望病得医治。主耶稣在地上的时候，治好了许多人不能医治的疾病，他实在是一位大医生，就是现在，许多难治的病也因着他答应人的祷告而得了医治。但是若为了疾病得医治而"信"耶稣，这一种"相信"是不大符合标准的。因为主耶稣虽有医治的能力，但他不一定医治，他主要的工作是救人脱离罪和死，却不是治病，假如主不医治他的病，他就不要信耶稣了。所以，这种动机是不正确的。

还有一些人，为了从教会里得到生活的救济，为了要和基督徒结婚，或者为了要得到教会的帮助，解决职业的问题，或者因为作了"基督徒"可以得到一些方便和好处……这样的"相信"耶稣，都是假的，都是骗人误己的。教会不是救济机构，也不是职业介绍所。存这样的心信耶稣的人，他们终竟是失望的，也信不成耶稣。

二、真实的相信

那么，要怎样才是真实的相信耶稣呢？我想，这个问题正是我们所要问的"为什么要信耶稣？"的问题。谈到了这一点，每一个人必须认识。

1、在宇宙中有一位神

在宇宙中有一位神，许多人都没有好好的去认识这一个事实，也不肯去认识这个事实。虽然人不愿意，也不肯承认有神，但神决不会因为人的不承认而变成没有了，有神是一个事实，人肯承认固然有神，人不肯承认也是有神，因为有神是一个改变不了的事实。《罗马

3

书>1：19~20："神的事情，人所能知道的，原显明在人心里，因为神已经给他们显明，自从造天地以来，神的永能和神性是明明可知的，虽是眼不能见，但借着所造之物，就可以晓得，叫人无可推诿。"因为人的罪，叫人不能用肉眼看见神，但神明明说，眼睛虽不能看见他，但他是创造宇宙万物的神，我们却可以透过他所造的事物而知道有神。比方说，我们看见一张椅子，就可以知道有一位制造椅子的木匠；我们看见一部汽车，就可以知道有汽车设计的人和制造汽车的人。我们决不会相信没有经过人的制造，无缘无故的就会有一张椅子跑出来，也不会相信没有经过设计和制造，就平白的出现了一部汽车。同样的道理，我们看见了自然界中有规律的现象，四季运转的确定，宇宙的奇妙，动植物(连人也包括在内)在地上的出现，这一切的事物，岂不是处处告诉我们说在宇宙中有一位创造的神吗?我们怎能说没有神呢?有神，这是一个事实，是人不能推翻的一个事实。

2、世人都是罪人

神的话也明明的说："世人都犯了罪，亏缺了神的荣耀。"这是何等严重的一个事实！但是世上的人很不容易接受这一个定罪，如同不肯承认有神一样。有些人虽然不肯承认这一位创造的主，但却为自己造出了许许多多的神，把纸张所写，用金，银，木头和泥土所造出来的古人的像，物像或字句当作神来叩拜，不承认有神和敬拜假神的事对神是何等大的罪过哩！如同一个儿子不承认自己的父亲反倒污辱他一样，这一个严重的罪行，谁能推诿呢？还有，人因为故意不认识神，不信神，远离神，就生出许多的罪过来，《圣经》上明明的说："……他们存邪僻的心，行那些不合理的事，装满了各样不义、邪恶、贪婪、恶毒、满心是嫉妒、凶杀、争竞、诡诈、毒恨，又是谗毁的、背后说人的、怨恨神的、侮慢人的、狂傲的、自夸的、捏造恶事的、违背父母的，无知的，背约的，无亲情的，不怜悯人的，他们虽知道神判定行这样事的人是当死的，然而他们不但自己去行，还喜欢别人去行。"(罗马书 1:28~32)这一段的话，把人犯罪的事实清楚的显明了出来，也许有人说："这些的确是不好的事，但却人人都有的，不必看得太认真。"是的，如果没有神，这些事的确可以不必要那么认真，这就是一些不愿意有神的人心中的意念，如同作贼的人不愿意有警察一样。但事实不如人的想像，神已经明明的宣告了，神已经判定了这些是罪，犯这些罪的人都是罪人，在神的圣洁公义的审判中，谁能说自己不是罪人呢？在神的明察下，谁能抹煞掉自己的罪行，而说自己是清白无罪呢？人可以欺骗人，但却不能欺骗神和欺骗自己，神说我们是罪人，我们也没有办法不承认说："我实在是一个罪人。"

在这里，还有一个比较深入的问题，我们也要认识清楚。人犯罪是一个事实，但是人为什么会犯罪呢？有人说人犯罪是因为环境造成的，我们承认环境可以导致人去犯罪，如同雷管可以导致爆炸一样，假如一枚炸弹本身没有爆炸的能力，怎么样的雷管也不能导致它爆炸。人的天性就是犯罪的天性，爱好犯罪，以犯罪为自己的喜乐，用犯罪的方法来达到自己的满足。有一天我在公共汽车上，看见一个小学生，哭哭啼啼的被人看管着，我听见那售票员说："这小孩常常坐车不买票，我在车厢前头售票，他跑到车厢的后头去，等到我走到后头的时候，他又跑上前头去，我注意了他好多次，今天可不能放过他了，年纪这样小就作这样的坏事。"

也许有人以为这小孩有点智慧，但我要清楚的告诉你，这是诡诈，也是欺骗。我想他的父母不会教他诡诈，也没有教他欺骗，我也相信学校的教师们也不会如此教他，但是他不用人教就会诡诈，会欺骗，这里叫我们看见一个事实来了，人的天性就是犯罪的。人什么东西都要学，不单要学，还得花时间和精神去学，才能学得来。但是有一样不用学就会的，那就是犯罪，不用人教就会撒谎，因为人本身就有撒谎的天性，不用人教就会贪心，因为人本身就有了贪心，有用人教就会作污秽淫乱的事，因为人的里面都满了污秽和淫乱。人犯罪的主因是人自己的本身，环境不过是一根导火线，如果人本身不会犯罪，什么环境也不能使他犯罪。

我们犯罪的事实，和我们犯罪的天性，都在一起指证我们是一个罪人，没有冤枉我们，因为我们实在是一个如假包换的罪人，我们真实的名字是罪人。神造人的时候，是照着他的荣耀的形象造的，但人背逆神，远离神，不要神，结果堕落到一个地步，成了罪人，何等的可悲！你和我都成了罪人当中的一个，全世界古往今来的人都是罪人。没有一个例外，没有一个像神，亏欠了神的荣耀，谁能在神面前夸口说："我不是罪人。"呢？没有，一个也没有，我们都是罪人。"我是在罪孽里生的，在我母亲怀胎的时候，就有了罪。"(诗篇51:5)。"世人都犯了罪。"(罗马书 3:23)"因一人的悖逆，众人成为罪人。"(罗马书 5:19)这个事实是人在神面前无法推诿的。

3、罪的工价就是死

世人既然都是罪人，罪人的遭遇和结局就摆在我们面前了，神要审判罪，神要定罪人的罪，罪人要落到应得的刑罚里。神也向罪人宣告了："罪的工价就是死。"(罗马书 6:23)。我们都是罪人，罪一在人里面，死就临到了人，因为死是从罪来的。(参看罗马书 5:12)。我们这些活着的人，实际上已经是活在死亡的情形里，如同从树上折下来的树枝，一个短时期内，从外表来看，好像还是活着的，青绿的，但是死已经在它里面了，慢慢的就要枯乾了。人活在世上，只有叹息，没有安息，对人生感觉虚空，常常落在莫名的愁苦中，不管是男女老少，贫穷的或是富有的，有学问的或是没有学问的，都无可避免的遇见这个虚空愁烦的苦恼，这就是死的现象显在生活着的人中间。事情不停在这里，等到有一天，肉身的死亡也来到了，人就死去了，叫许多的亲人忧伤哭泣，但也没有办法可以叫要死的人不死。为什么要有死呢？没有死不是很好吗？但有什么办法哩！因为"罪的工价就是死。"是罪人的结果，是人的罪所招来的咒诅，能埋怨谁呢？只能埋怨人自己。死一来到，叫人感到绝望可怕，又叫另外一些人心碎哀痛，但是这个可怕的事情总有一天要临到每一个人，也没有一个例外。但是事情没有停在这里，就是说肉身的死亡并不是人的了结，<希伯来书>9:27 说："按着定命，人人都有一死，死后且有审判。"看见了么？"死后且有审判。"人的罪把人追得多苦，不单是叫人现今没有安息，叫人死，还叫人死后仍须落在神的审判里，审判以后就进入永远的灭亡里，就是第二次的死，在火湖(地狱)永永远远的受痛苦。(启示录 2:12~15)这才是罪人的了结，可怕的了结，完全绝望的了结。

人是罪人是一个事实，罪叫人死是一个事实，第一次的死是一个事实，第二次永远的死也是一个事实。不管人在今生有什么财富，学问，名誉和地位，只要他是一个罪人，他的罪没有得到解决，他的前途就是死亡，是绝望，是永远的灭亡。

4、神的救恩

人的罪必须解决，若得不着解决，那就已经注定是灭亡了。罪人又没有办法叫自己不犯罪，甚至叫自己少犯罪也不行，罪人除了等死，等审判，等灭亡之外，还有什么方法可想呢？审判人的神果真喜悦罪人灭亡吗？不，决不！神将他自己的心向着人敞开说："我指着我的永生起誓，我断不喜悦恶人死亡，惟喜悦恶人转离所行的道而活。"(以西结书 33:11)神不单是向人有这样的心愿，而且他也实在的作了一件空前绝后的大事来解决人的罪。赦免人的过犯，拯救人脱离永远的灭亡。神看见人罪中走投无路，他大大的动了怜惜的心。他差遣他的独生儿子耶稣基督到世上来，成为一个人的样子，好代替我们去接受罪的刑罚。神的儿子耶稣在十字架上被钉死，我们的罪便在他的身上得解决，因为神把该受的刑罚，执行在主耶稣身上，我们就不必再受刑罚。神的儿子替我们死，这是何等大的事！神为着我们竟牺牲了自己的独生子，这又是何等的爱！"神爱世人，甚至将他的独生子赐给他们，叫一切信他的不致灭亡，反得永生。"(约翰福音 3:16)主耶稣如果不在十字架上替我们死，我们这些罪人都得死在罪恶过犯当中，现在主耶稣已经死了，我们都得了释放。主耶稣不单是死了，而且埋葬了，我们的罪在主耶稣身上受了神的刑罚，神的公义满足了，神向人的爱也显明了。因此，主耶稣在坟墓里停留了三天，他就复活了，他为我们受死，但是经过了死他却胜过了死。罪把死带进来，主耶稣,借着死解决了罪，也解决了死。罪人的问题都在主耶稣身上解决了，他死是替我们死，复活是叫我们得生，这就是神的救法。没有神的救法，我们永远是罪人。神的救法借着耶稣作成功了，我们就可以脱离永远的灭亡。"他被挂在木头上，亲身担当了我们的罪。"(彼得前书 2:24)我们注意"担当了"这三个字，明显的指出这一个代替已经作过了，是的，神的救法已经成功了。我们今天要说："主耶稣担当我们的忧患，背负我们的痛苦，……因他受的刑罚我们得平安；因他受的鞭伤我们得医治。……神使我们众人的罪孽都归在他身上。"(以赛亚书 53:4~6)主耶稣是神给我们的救法，主耶稣是罪人的救主。

三、剩下的一个十分重要的问题

我们是罪人，罪叫我们灭亡，神差遣主耶稣作了我们的救主，神的救法已经完成了，现在剩下来的问题就是罪人怎样得着这一个救法，这是一个很重要的问题。神的话告诉我们，罪人"不致灭亡，反得永生。"的关键在于人的"信"。神的救法已经作好了，已经没有问题了，人一相信就马上可以得着，人不相信就无法得到，因为神的救恩只是给那些肯相信接受的人。

许多人明白主耶稣的拯救，也知道他的一切作为，但是却没有相信，好像一个饥饿的人坐在一桌丰盛的筵席上，却不伸手去拿东西吃一样。他知道桌子上的美味可以吃，他也明白吃过东西以后就不饥饿，可是他不拿来吃，他只好一直饥饿的下去，直到饿死。"知道"不能使我们得着神的拯救；"明白"也不能使我们的罪得赦免，唯有诚诚实实的相信主耶稣作救主，我们才能得着这一个极大的救恩，因为神的应许是这样说："信他的人不被定罪，不信的人罪已经定了，因为他不信神独生子的名。"(约翰福音 3:18)

被罪压害，人人要来，
救主在此等待；
他要救你，安你心怀，
只要你肯信他。
不过信他，不过信他，
现在要来信，
他能救你，他能救你，
现在要救你。

颂主圣歌 142 首

11

第二章
为什么一定要信耶稣

读经:

"因为只有一位神,在神和人中间,只有一位中保,乃是降世为人的基督耶稣。他舍自己作万人的赎价。"
(提摩太前书 2:5~6)

"耶稣被交给人,是为我们的犯,复活是为叫我们称义。"(罗马书 4:25)

许多人心里常常有这样的一个问题,"我知道自己是不够好的,信耶稣可以解决人的罪。但是,除了耶稣以外,是否还有别的方法可以解决人的罪呢?为什么非要信耶稣不可?"关于这一个问题,我们也要花一点时间来认识,使我们心里对这问题更明白。我们可以先看这样的一个比方,霍乱病是很容易使人致命的,为着要避免霍乱的传染,大家都该接受霍乱的预防注射,这是预防传染的一个唯一有效的方法。但是有一个人出来说:"预防霍乱的传染不必要接受防疫注射,只要每天吃饱饭,身体健康,就不会有霍乱了。"如果有人真的相信这个话,不去接受免疫注射,等到真的霍乱流行起来，染上霍乱，就死了。他为什么死呢？不错，他死在疫症里，但是说清楚一点，他实在是死在虚假的预防方法里。神明明的说："在神和人中间，只有一位中保，就是降世为人的基督耶稣。"神既说"只有一位"，那就是说除了这一个唯一的方法以外，再没有别的方法，如果有人说有，那就是虚假的，终竟叫人死的方法。我们敢这样说，并不是没有根据的，我们先来看一看。

一、罪人不能为解决自己的罪作什么

神宣告说世人都是罪人，我们也承认，也实在的经历着我们是罪人，这是一个已经显明了的事实。罪人能解决自己的罪吗？也许有人说，只要好好修养自己，检点自己，努力的弃恶转善，恒久不断的实行下去，就可以不犯罪了。这样的想法只不过是一点道理，不会成为事实的，不要说叫我们不犯罪，就是少犯一点罪也办不到，因为我们的天生是犯罪的，不犯罪就不舒服，犯了罪就舒服，要叫一个罪人不犯罪比登上青天还要难。在中国的北方，有一些水井的水是苦的，叫苦水井，那些水不能食用，洗东西也不乾净，人若是到苦水井那里打水，从早晨打到日落，也不会打出一点甜水来，不管人怎样的努力打，也改变不了水的味道。人犯罪的天性如同这些苦水，质地是坏透了的，犯罪是很自然的表现。有不少人曾努力去压制自己不犯罪，甚至克苦己身的去修行，但是他们是失望了，他们也许能禁止犯罪的行

14

为，可是却没有办法在心思里禁绝犯罪的意念。退一万步来说，人果真能克制自己到一个地步不再犯罪，以后不再积累罪过了，但是以前已经犯了罪又如何去清理呢？何况"我们……所有的义都像污秽的衣服。"(以赛亚书 64:6)苦水里拿不出甜水，被罪恶败坏透了的天性也挤不出良善来，人没有办法凭着自己来解决罪。

一个受了重伤的人，他没有办法救他自己，不要说救自己，连动弹也不行，只好躺着，等别人来给他施行拯救。我们就是像这一个受了重伤的人，罪把我们打得遍体鳞伤，我们没有办法靠自己来救自己，我们只好等候神给我们拯救。

二、人的方法也不能解决人的罪

人本身并不是不知道罪的可怕，人实在是知道的。我们可以从人类的历史上看见人寻找各种各样的方法来解决罪，要脱离罪所带来的死，秦始皇要找长生不死的药物就是个好例子。现今人都知道逃避死是不可能了，但是对于罪的问题还是要寻找解决，道德的力量，法律的制裁，教育的推行，这些都是人对付罪的方法。我们承认这些方法有它们一定的作用，但是对罪的解决上，起不了多大的影响。

现今在社会上的一个严重的问题，无论在哪一个国家都是一样，青年和儿童的犯罪案件日增，若是有机会去参观一下儿童感化院这样的地方，我们心里的正常反应一定是这样："为什么这么多小孩子犯罪？""为什么年纪这样小的人也犯罪？"我们会叹息，但这是现实。还有这样带着讥刺的现象，法律越严密，教育越普及的地方，犯罪的情形越严重，犯罪的方法越巧妙。人的方法连防止犯罪也显得无能为力，哪里谈得上解决罪的问题？人在社会上所犯的罪不过是在人的律法定罪的范围内，若是在神的圣洁公义的审判中，哪一个人能凭着人的方法而不被定罪呢？

三、宗教也不是办法

这里特别的把宗教提出来，因为一般人的错觉，以为宗教就是替人解决人的罪在死后的报应，约束人在生前的生活行为。在约束人的生活方面，宗教也许能有一点点的成就。但也不过是一点点而已，微不足道。至于解决罪的审判和刑罚，就完全没有用处，因为宗教本身也是人的办法之一，不过在外表披上了一件好像与"神"有关系的外衣，其实与神是完全无关，说得更清楚一点，宗教可说是人的道德观念通过神化的形式表现出来而已。许多宗教徒不是对罪的认识模糊，一面敬神拜佛，一面继续犯罪，就是对罪的解决毫无把握，只是尽力修行，盼望虚渺的来生。中国人的习惯，在人死后就请法师来做法事，超度亡魂，以为这样作就可以解决人的罪，使死了的人超生。假如去请问那些法师，究竟这样作有没有把握除掉人因罪而引来的刑罚？如果他们不埋没良心来回答，他们的答案一定是："权且这样作，使活着的人得安慰。"(这一点请参看龚天民先生著的《答妙贞十问》第六篇念经拜忏，亡魂能得超度？中国基督徒文字布道中心出版。)话又说回来，做法事只不过是有钱人的玩意，穷人是不必想的。照他们的看法，阴间就有许多的饿鬼，等有钱人作法事来布施。这是什么道理？如果这些真是事实，那些所谓"神"的东西就成了有钱人放心犯罪的护符，使穷人永远受苦的执行者，阳间的钱可以买通阴间的官，这事实的本身就已经是不公义了，不公义的事怎能使罪的问题得解决？不可能的，只能使人贿赂良心，自己欺骗自己。

　　不管是哪一个宗教，要解决人的罪都显得虚渺，也无能为力。我们可以留意一下，有哪一个宗教的教主能够逃脱"罪的工价就是死。"的这个事实呢？没有，一个也没有，回教的教主穆罕默得的坟墓在麦庇纳城(Medina)，他尸体还是在里头，每年都有不少的朝圣者去朝拜；佛教的释迦牟尼，虽然没有坟墓留下来，但是佛教徒都接受了自己的罪的结果，这样，他们所创立的宗教还能为人解决罪和死吗？不可能，根本没有这个可能。宗教也不是解决罪的办法。再说清楚一点，连基督教也不能救人脱离罪和死，人如果接受基督教而没有接受耶稣作救主，人还是死在罪恶过犯中。

四、罪的问题不清理，人的前途定规是灭亡。

有一些事情，在人力不能应付的情形下，只好随其自然，逆来顺受，不一定会有什么了不起的事，因此，有人以为人既然毫无办法解决罪的问题，只好不理会它就是了。许多的事情我们不理会它，它也不一定会理会我们，但是罪的问题可不是开玩笑的，你不去理它，它却要理你，它好像债主追债户一样，追得很紧。债户还可以找地方逃避债主，而我们却没有办法逃避罪的追赶，总有一天要追上人。你没有办法摆脱它，因为它就在人的里面，也显在人的身上。人的影子怎样随着人，罪跟着人比影子跟着人还要紧，还要贴。影子在黑暗地方显不出来，但罪在黑暗里还是不离开人，不单跟人跟到死亡的那日，还一直跟人到神的审判台前，非要得到解决，它就不肯罢休。人的罪若不得清理，要留到神来审判的日子，那是何等严重的事情！人活着的时候没有把罪清理，他的名字就没有记在生命册上，在神公义的审判那一天，"若有人的名字没有记在生命册上，他被扔在火湖里。"(启示录 20:15)就是永远的灭亡，这就是人的前途。人所能用的一切办法都没有效果，也没有办法清理罪，前途定规是灭亡了。在人这一方面来说，完全绝望了，除非神给人拯救。人所剩下的唯一希望就是神的救法。

五、神的救法

　　我们在这里再看一看人犯罪堕落的历史。在<创世记>第 3 章里，我们很清楚的看见，人类的始祖背逆神犯罪以后，他们头一个动作就是用无花果树的叶子来编成裙子，遮掩他们因犯罪而来的丑恶和羞耻。但是没有用处，叶子枯乾，脆了，碎了，丑恶羞耻还是遮掩不了，犯罪的后果还是挽回不了。他们只好躲避神，不敢见神，但是躲不了。人不要见神，神却来找人，不见神也不行，带着罪的人怎样能见神呢？他们会利用无花果树的叶子，这是人的聪明，也是人的办法，可惜这样的聪明和办法不生果效，人的努力归于徒然。从起初，人就想用自己的办法，到现在人还是想用自己的办法，但是这个方法从起初到现在都是归于途然。无花果叶的裙子用不来，只好带着罪人的本相去见神。人的办法用尽，罪人只能等候审判。是的，神审判了人，也定了人的罪，同时神也给人作了一件事，这事暗示神为绝望的人预备救法。神告诉人无花果树的叶子没用处，他用皮子作衣服给人穿，人在神面前犯罪而致赤身露体的问题就解决了，这就是神的方法。

　　皮子作衣服才能解决罪的结果，因为得着皮子，必定要杀掉牲口，叫它流了血，这就是死。神是用死来解决罪，因为"罪的工价就是死"。而神又是一位"万不以有罪为无罪，必追讨他的罪。"的神。(出埃及记 34:7)

不死，罪就没有了结，罪要了结，就必定要死。人的办法不能解决罪，原因就是在这里，因为人实在不能付出这样的一个代价。神既是这样一位绝对公义圣洁的神，他的公义不允许他对罪的处理马虎随便，他非要追讨罪不可，不然他的公义就受到损害。现在牲畜牺牲了，被杀了，死了，罪的刑罚既然落到它的身上，就没有落在人的身上，是它代替了人去接受刑罚，使人不落在刑罚里，这就是神,借着皮子作衣服所暗示的救法，既不损害神的公义，也满足了人的需要。

现在，问题来了，谁能作人的这一个代替者呢？

六、只有神的儿子耶稣能作成这救法

要作一个替人担罪的代替者，至少要具备这三个条件。

1、必须是人，因为只有人方能代替人。

2、必须是没有罪的人。

3、必须是接受了罪的刑罚而本身不致毁灭的。

我们都是人，第一个条件没有问题，第二个条件呢？就很有问题。我们已经认识了，全世界的人都是罪人，古今的圣贤豪杰也没有例外，连佛祖也是被罪(佛家称罪为无明)所困扰，因此，没有一个人具备有这一个条件。就是退一万步来说，在世人中间果真有这样的没有罪的人，他有了第二个资格，但是他能接受了罪的刑罚而不致毁灭吗？当然不能，古今中外，没有一个不能死的人，每一个人都要死，也没有一个死了的人能再活过来不再死，死了就是永远的死了，毁灭了。这个事实明显的告诉我们，在世人中间没有一个可以替别人担当罪的人。你不能，我也不能，圣贤和宗教主都不能，因为人都是罪人，都是可以毁灭的人，所以只要是人，他就不可能作代替的人。

神要给人拯救，但神在人中间找不到一个可以作代替的人，假如真找不到这样合适的人，人就没有可能从罪和死中脱出来。神既然定意要拯救人，他一定要找出这个人来，不然的话，救法虽然好，但却没有人去完成，到底还是空的。因此，神作了一个极大的舍弃，他看出，除非让他的儿子来作人，就没有办法找得一个能接受了刑罚又不会灭亡的人。神并不是有很多的儿子可以舍弃，他只有一个独生子，但是为了我们得拯救，他也甘心让他的独生子来代替我们受刑。神十分疼爱他的独生子，但一接触到我们的需要，他也愿意他的儿子来牺牲，好像神看我们得拯救比他的儿子更重要。

神的儿子耶稣已经来过了，他作了人中间的一个人，为要作"神的羔羊，背负世人的罪孽。"(约翰福音1:29)他被杀死在十字架上，那是一个极残酷的刑罚，但是主耶稣并不是为了自己犯罪受刑。他是神的儿子，他没有犯罪，他曾公开的站在人的面前向人说"你们中间谁能指认我有罪呢？"(约翰福章 8:46)那位处理耶稣的审判官也公开的向众人宣告说："我查不出他有什么罪来。"(约翰福音 18:38)这一位无罪的耶稣终竟被钉死在十字架上，是"神将我们众人的罪孽都归到他身上。"他是背负了我们的罪死了，又埋葬在坟墓里，他是实实在在的死了，用死来清理人的罪，满足了神的公义。但死不是他的结局，因为他是神的儿子，他死是代替我们受刑罚，刑罚完成了，罪案清理了，第三天，他就从死人中间复活，以复活显明他是神的儿子。他不能被死毁灭，他经过了死，又胜过了死，从死里出来，死只能拘禁罪人，却不能拘禁主耶稣。啊！赞美我们的主耶稣，他以死担当我们的罪刑，又废掉掌死权的魔鬼，永远的拿着死亡和阴间的钥匙，(启示录 1:18)神的公义在他身上得了满足，他复活了。借着主耶稣的死和复活，神给人的救恩完全成功了。神的慈受可以临到世人，你和我都可以不再活在死荫里。赞美神，赞美主耶稣基督，他是我们唯一的救主。

主耶稣死了，又活了，他死是替我们死，他活是给我们永生，整个人类的历史，没有别人能替我们作这一件事，只有主耶稣能。罪是我们犯，刑罚却是他来替我们受。神看我们的罪罚在他身上，如同我们受了罚一样，这是何等奇妙的救法！一个穷学生，打坏了学校的用具。要赔偿，没有钱，不赔偿又不行，怎么办？苦死了，但是有一位教师怜悯他，替他拿钱出来赔偿，难处就过去了。这个学生没有付钱，是别人替他付的，不管是哪一个付钱都好，这个赔偿的事就结束了，过去了。神给我们的救恩就是如此，主耶稣替我们受了刑，神就看我们的罪的工价已经偿付了，主耶稣是我们赎罪的羔羊，唯有他是我们的救主。

让我们同心高的唱说：

> 基督已经为罪献祭，
> 何等奇妙的救主！
> 我们罪价他已全付，
> 何等奇妙的救主！
> 何等奇妙的救主！
> 是耶稣，主耶稣！
> 何等奇妙的救主！
> 是耶稣我主！

颂主圣歌 26 首

第三章
信耶稣得着些什么

读经:

"愿颂赞归与我们主耶稣基督的父神,他在基督里,曾赐给我们天上各样属灵的福气,就如神从创立世界以前,在基督里拣选了我们,使我们在他面前成为圣洁没有瑕疵,又因爱我们,就按着自己意旨所喜悦的,预定我们,借着耶稣基督得儿子的名份。"(以弗所书 1:3~5)

"凡接待他的,就是信他名的人,他就赐给他们权柄,作神的儿女。"(约翰福音 1:12)

.

信主的人,不单是要知道为什么要信耶稣;为什么除了借着耶稣以外,人在神面前没有路走,还要清楚的知道信耶稣的人,从神那里得了一些什么东西。不然的话,他就好像一个在浓雾里走路的人一样,路虽然没有走错,但却是走得提心吊胆,还要受惊吓。

神在主耶稣基督所成就的救恩里,为我们预备了极丰富的恩惠,虽然这些恩典好像是眼看不见,但都是事实。既然是事实,就是可以去经历的。这就显出神的拯救的实在,不是一些虚空的道理,徒然骗人欢喜。因为神是真实的，主耶稣是真实的，他的救恩也是真实的。许多人经历不到救恩的真实，问题不是出在救恩的本身，而出在那些假信的人，他们或抱着向人占便宜的心意，或为了自己的方便，或是糊里糊涂的来信基督教，那当然没有可能得着神的恩典，也不懂得信耶稣的宝贵。真诚信耶稣的人，每一个都能经历神所赐的恩典，这恩典。从前，许多基督徒已经历过了;现在信主的人还是在经历着;将来，还有不少蒙拯救的人继续的经历下去。

究竟信耶稣能得着什么呢？在这里，我们不能都写出来，但是一些主要的，原则的，我们要一样一样的来看一看，求主借着圣灵的帮助使我们能明白领会。

一、罪得赦免

一个罪人来到神的面前，有两件事摆在那里，他必定要从其中选择一个，不是得赦免，就是被定罪，不可能两样都有，也不可能两样都不要。曾经有一个人，听见了神的救恩，心里很挣扎。他想被定罪太可怕，这一样不能要;但是自己的罪又是那样多，要得赦免恐怕是一个奢望，也不敢这样想。有人看出他心里的挣扎，就问他说;"先生，你要选择什么呢？"他说:"我想得赦免，但是怕不够资格，被定罪吗？我也不甘愿。我想我最好两样都不要，就让我作一个吊在半空的人吧！"

那里能有这样的事呢？就是飞机，或者是人造卫星，终究还是要下来的，不可能永远留在天空。人的罪如果得不着赦免，那人一定落在神的定罪里。因此，罪人到神的面前来，最迫切的需要，不是要衣、要食、要祝福，而是要罪得赦免。神也为着解决我们这一个需要，舍弃他的儿子耶稣，在十字架上流血替我们死。神愿意我们罪得赦免，也应许说他要赦免一切信耶稣的人的罪。主耶稣被卖的那一夜，曾和门徒在一块吃喝。末了，他拿起一杯葡萄汁，祝福了，就分给门徒喝，也吩咐门徒要常常这样喝来记念他为罪人死。他说："你们都喝这个，因为这是我立约的血，为多人流出来，使罪得赦。"(马太福音 26:27~28)主耶稣流血既然是为叫我们的罪得赦，我们这些接受他作自己救主的人，罪一定是得了赦免，因为他已经流了血，他的血不会白白流出来;既流出来，我们的罪过就得了赦免。

每一个信主的人都会有这样的经历；在没有信主以前，不会知道什么是平安，也没有尝过享受平安的滋味。环境虽然平静，但人的里面还是背着重担，自己也不明白是什么原因。等到有一天，他认识了自己是一个罪人，也为着自己的罪过忧伤，相信了耶稣，接受他作了自己的救主。啊！很希奇的，那个重担不见，好像有人给你卸去了一样，里面满了平静安稳，满了平安快乐，是从前所没有过的。什么道理呢？这就是赦罪的平安，过去，罪如同一个重担压着我，叫我难过。现在，因着主的流血，我的罪得了赦免，罪担卸下了，我平安了，这是十分真实了。

也许有人会这样想："我的罪太多，又大又重，主赦免别人，也不会赦免我。"这样想就错了，神用自己的独生子作赦罪的代价，我们是什么人呢？我们会比神的儿子贵重吗？神的儿子作了代价，神怎么会不赦免我们的罪呢！一定赦免，神的答应一点不含糊，"我涂抹了你的过犯像厚云消散；我涂抹了你的罪恶如薄云灭没。"(以赛亚书 44:22)又说："你们的罪虽像朱红，必变成雪白，虽红如丹颜，必白如羊毛。"(以赛亚书 1:18)我们看清楚了，不管我们的罪是怎样的利害，怎样的污秽肮脏，神都因为耶稣流了血，就赦免我们。一赦免我们，就叫我们的罪消散，灭没，又叫我们洁净像雪。赞美神，我们的罪虽大，但神的赦免更大。

带着罪来到神面前寻求赦免的人，神必定叫他得赦免，也给他洗净，叫罪的痕迹一点也不留下，因为"他儿子耶稣基督的血，也洗净我们一切的罪。"(约翰壹书 1:7)如果神光赦免罪而不给我们洗净，罪的痕迹依旧存在我们里面，"我们就常常不安，会受魔鬼的控告。感谢神，他不单是赦免，也是洗净。就是说，神不再看我们

的罪；因着他的儿子耶稣，他看我们是洁净到一个地步
如同主耶稣一样，也好像从来没有犯过罪一样。

二、得拯救

罪不单把人领到神的审判下，也把人引进永远的灭
亡里，就是永远不停止的刑罚。这一个刑罚是没有人能
担当得起；因为从时间上来看，是无尽期，地上的法律
判决一个犯人无期徒刑，也不过到那人死的时候为止，
也可以说有终止的一天，但是永远的灭亡是没有终止的
日子，这实在是可怕。从刑罚的内容来看，就更是可怕
的，因为将来罪人永远受刑的地方是火湖，昼夜受痛
苦，直到永永远远。(启示录 20:10,15)"在那里，虫是不
死的，火是不灭的。"(马可福音 9:48)。《圣经》<路加
福音>16:19~24 记载了一个人，他落在阴间的火焰中受
苦，煎熬得他受不了。他远远看见他的祖宗，就切切的
哀求说；"求你打发拉撒路，用指头尖蘸点水来凉凉我
的舌头，因为我在这火焰里极其痛苦。"但是，没有办
法，也没有可能，他一直在那里受煎熬，永远的受痛
苦。我们要指出的，那人所在的地方，还不是火湖，但
已经使人受不了。真真的到了火湖，那情形要难受多少
倍呢！谁能担得起呢？有一位基督徒，他一直劝他母亲
信耶稣，他母亲一直的拒绝，她还说；"如果真有神的
话，我犯的罪我自己担当，我相信受得了，我不要信耶

稣。"其实，她说这样的话，是她根本不明白受刑受苦的是什么一回事，如同许多人也不明白一样。有一天，她不小心，打翻了一锅正浇沸的水，手和脚烫伤了，虽然医生来搽过药，但是疼痛没有减少，痛彻肺腑；终日呻吟也没法安睡。这时，她儿子再来对她说："妈，你说你能忍受地狱的苦，不要信耶稣。你看，现在给开水烫伤一点，你已经受不了；若是全人下地狱，怎么有受得了呢！你还是快点相信耶稣吧！"这个女人尝到了痛苦的滋味，她明白永远的刑罚真不是可以开玩笑的，她不敢再向神硬着心肠了，她终竟信了耶稣。

罪人的结局是永远的刑罚。除非我们能改变罪人的地位和事实，没有人能脱离这个灭亡，也没有方法可以使人得拯救。"神爱世人，甚至将他的独生子赐给他们，叫一切信他的，不至灭亡，反得永生。"(约翰福音3:16)。主耶稣为罪人死，就是要叫罪人不灭亡。他为人受刑罚，要叫人的罪得赦免，不至被定，免去永远的刑罚。因此，《圣经》的话很明确的告诉我们："当信主耶稣，你………必得救。"(使徒行传16:31)。

三、得永生

罪把死带到人间，没有一个人能永远活着不死，连主耶稣接受了我们的罪，也不得不死。死是一个铁一般的事实在人间，人的年日就不能不受限制，所以，历史上曾有许多人寻求不死，结果还是死了。据中国的传说，周朝的时候有一个人，名字叫彭祖，他活到了八百岁，很大的寿数。人都盼望长寿，看长寿是一个福气，但是长寿不等于不死，彭祖还是死了。《圣经》<创世记>5 章也记载人类的祖先，有年高达九百六十九岁，结局也是死了。死的事实不废掉，人活着是没有指望的，因为终竟不过一死，何况这个肉身的死还不是了结哩！人活着没有指望，是等死，等审判，等永刑，这样的人生是何等的没有意义。

有人会问说："信耶稣的人不见得不死啊！你看基督教坟场里那些十字架的石碑底下，不是埋葬着一些信耶稣的人吗？"是的，这话一点也不假，信耶稣的人也是一个一个的死掉，这正好证实了罪是如何利害的败坏人，以致"按着定命，人人都有一死。"信耶稣的人死是一个事实，但是与不信耶稣的人死不一样，这也是一个事实。<约翰福音>6:40 这样说："因为我父的意思，是叫一切见子而信的人得永生，并且在末日我要叫他复活。"这里明显的指出来，信主的人，虽然死了，但是他们的盼望没有停止，等到复活的日子来到，他们都要复活进到永生里。但那些不认识神，犯罪又拒绝救恩的，就是不信主的人，在神眼中是作恶的，结局是定罪，是灭亡。主耶稣说："我实实在在的告诉你们，那

听我话，又信那差我来者的，就有永生，不至于定罪，是已经出死入生了。"(约翰福音 5:24)

永生按着字面来看，就是永远的生命。这一个生命就是神的生命。人本来的生命是爱犯罪的，是短暂的，要灭亡的。神在救恩里头，要把他的生命赏赐给我们，叫我们有他的生命，不再爱犯罪，也不会灭亡。主耶稣从死人中间复活，见证了神的生命胜过了死亡。神把这个生命给了我们，我们也能经过死，也胜过死，像主耶稣一样的复活，并且活到永永远远。死不能再作我们的王，所以许多本来很怕死的人，信了主以后，就顶自然的不再怕死了，因为他们已经有了永生，要灭亡也不可能了。

永生不光是将来的盼望和事实，也是现在的事实。我们一得了这个生命，就有了胜过罪的力量和不犯罪的可能，信主的人所以不会像不信的人一样的犯罪，原因就是有了这一个生命，有了永生的人，他的心思，言语，态度和行为都是朝着永远去的，能存留到永远的。有了永生的人，他们的生活就成了有意义，不再是等死，等审判，等永刑，现在活着是为了永远，有指望，有归宿。

四、得安息

不少人对信耶稣有一个误解，以为信主只是解决将来的事，和现今的事没有关系。这一个认识是不正确的。虽然信耶稣不是为了吃饭和穿衣，但是却实实在在的和现今的生活有极深的关系。<马太福音>11:28 里主耶稣向人邀请说："凡劳苦担重担的人，可以到我这里来，我就使他得安息。"人活着岂不是很需要得着安息吗？但是，人的罪不可能使人得安息；罪如同重担压在人的身上，使人感觉"我们度尽的年岁，好像一声叹息；我们一生的年日是七十岁，若是强壮可到八十岁；但其中所矜夸的，不过是劳苦愁烦，转眼成空，我们便如飞而去。"(诗篇 90:9~10)这是很真确的事实，越有人生经历的人，越觉得人的一生充满愁苦叹息，空虚苦闷不止息的压制着人；盼望安息却得不着安息，愿意平安，却没有平安，常常背着人偷偷的流泪，不知道曾有多少个晚上睡不着觉，人生就是这样的充满苦味，有钱的人也没有例外，他们虽然纵情享乐，但是外表的欢乐，怎能填满心灵的虚空与除掉苦闷呢！多少的富人苦闷到一个地步，结果走上一条自杀的路;财富也不能使人得安息，这就是一个好的证明。不管你是贫穷或富足，是有学问或者是目不识丁的人，罪一直使你活在空虚愁烦里，没有安息和平安，失掉了安息的人比失掉财富的人更凄惨。

人要寻找安息，但是除了到主耶稣这里来，就没有办法得安息。这安息不是外面的环境安逸，而是里面的平静安稳，喜乐和满足。真正的安息，在不平安的环境中还是使人平静泰然的。有一位信主的姊妹，在没有信主以前，她的遭遇很可怜，常常悲叹的过日子，孤苦零丁，后来听见了福音，就信了主。很希奇的，她的愁苦停止了，她的悲哀结束了，不是因为她的环境变好，一点也没有变好，还是老样子，但是她这个人变了，因为她信了主。她自己见证说："我流了三十几年的眼泪，现在因为信了主，，眼泪干了，不知道为什么从前那样喜欢哭，现在却不想哭了，因为主耶稣救了我，安慰了我，我不再愁苦，我满有喜乐平安。"从主那里，她得到了安息。

主耶稣从人的身上把罪担卸去，没有重压了，没有死亡和虚空的压制，人就释放了，安息了。使人失去安息的原因是罪，主耶稣却从根本上解决我们的愁苦。所以，凡肯到他面前来的人，不能不享受安息，因为这是他的应许。

五、成为神的儿女

人还没有堕落以前，人和神是非常亲密，没有间隔。人以神和神所作的为享受；没有捆绑，也没有愁苦，是一种非常和谐，甘甜又美满的光景。但是，好景给破坏了，人的罪破坏了这一切的美好；罪一进来，人堕落了，远离了神，死在罪恶过犯当中。照神的形象所造的人，不单亏缺了神的荣耀，并且成了罪人，里面的天性是犯罪，外面的行动也是犯罪，没有一点像神了；流离浪荡在神的丰富恩典外面，与神隔绝；没有指望，没有神；一生受尽罪的折磨，落在神的震怒里，等候永刑的审判。

神借着耶稣基督所成功的救恩，不单是赦免我们的罪，拯救了我们，给我们永生，又让我们得安息；还有一件很宝贝的，就是他彻底的改变了我们是罪人的地位和事实，结束了流离浪荡的生活，恢复我们与他和好的关系，还承认我们是他的儿女。这是何等奇妙的事呢！我们远离神的时候，心里与神为敌，作神的对头；现今因着主耶稣，我们与神亲近，不再受审，也不再受刑。我们称神作我们的父，他也承认我们是儿女。这一个恩典的抬举太大了！我们所得的地位太高了！这一个事实太荣耀了！地狱之子成了神的儿子。作一个地上君王的儿子已经了不起，神比一切地上的君王和尊贵人更高，更荣耀，我们竟然成了神的儿子。赞美神，感谢主，我们所该得的灭亡他不给我们，我们所不配得的荣耀他已经赏赐了。

我有一位同学，他的小提琴拉得很好，后来他进了音乐学院深造，在名师的指导下，进步很快。有一次，他在国家的首长们面前演奏；他的技巧很受赞赏。音乐会完毕后，那些首长们去给他握手道贺。这事以后，我在一个地方碰见他，和他拉拉手，他突然把手一缩，很神气的说："吓，我这只手不得了的，曾经和元首握过手。"人和世上的伟人沾上一点关系，就踌躇满志，沾沾自喜。我们和神不光是有一点关系，而且是亲人，他是父，我们是子，在基督里我们得了何等的恩典！

我们是神的儿子，神怎样的爱主耶稣，也同样的爱我们，因为我们是用主的血所买来的。他是父，他就负我们的责任；我们是儿子，就享受父所有的丰足；神的一切为我们所有，因为我们"既是儿女，便是后嗣，就是神的后嗣，与基督一同作后嗣…"(罗马书 8:17)后嗣就是承继产业的人。神虽然不一定叫我们在地上富足，但我们却必不至缺乏。他赐给我们够用的力量和恩典，丰丰满满的让我们享受他的安息，喜乐，平安和满足，将来还要承受他的荣耀，权能和一切的丰富，这些虽是将来的事，但却是和我们今天所已经经历了的一样真实。

主耶稣是在丰丰满满的带着神的恩典来。到他那里去的人，不光是可以领受恩典，并且还要恩上加恩。

请问你可曾信主？你有恩可得着，

你可曾得主生命？你有恩可得着，

天父恩何等丰富，你有恩可得着，

他施恩无限无量，你有恩可得着。

还有恩，还有恩，

主恩长久丰富，

主仁爱无限无量，

还有恩可得着。

颂主圣歌 292 首

第四章
你们必须重生

读经:

"耶稣回答说,我实实在在的告诉你,人若不重生,就不能见神的国,尼哥底母说,人已经老了,如何能重生呢?岂能再进母腹生出来么?耶稣说,我实实在在的告诉你,人若不是从水和圣灵生的,就不能进神的国,从肉身生的,就是肉身,从灵生的就是灵。我说,你们必须重生...摩西在旷野怎样举蛇,人子也必照样被举起来,叫一切信他的都得永生。"(约翰福音 3:3~15)

"愿颂赞归与我们主耶稣基督的父神,他曾照自己的大怜悯,藉耶稣基督从死里复活,重生了我们,叫我们有活的指望,可以得着不能朽坏,不能玷污,不能衰残,为你们存留在天上的基业。"(彼得前书 1:3~4)

在神为人预备的救恩中,"重生"是每一个信主的人所必须要有的经历。一个没有重生的教友,是与神没有关系的,不能算是基督徒;在神的眼中,仍然是一个灭亡的人,所以一个基督徒必须是一个重生了的人。上一章里所提到的得永生，就是重生的事实，重生了的人就是得着了永生的人。

一、一些误解

对基督徒来说，重生的历史必须是清清楚楚，不能马虎含糊的。正因为重生是这样要紧的事，魔鬼就在一些人里头，给人一些模糊的认识与观念。许多糊里糊涂的教友，就是在这一件事上被魔鬼欺骗了，不去弄清楚重生的问题。

有一位基督徒，在他受浸的那一天，有人送一本《圣经》给他，《圣经》的封面底写着这样的字句，"XX 弟兄重生记念"。这一句话代表了一些人对重生的认识，他们以为受浸就是重生。他们看一个人有没有重生，就看他有没有受浸，如果你信了主，还没有受浸，他就说你没有重生。有一次，我问一位青年人在什么时候重生，他很爽快的回答说："某年某日某时在某某礼拜堂。"我再问说："为什么你记得这样清楚"?他说："因为那天是复活节，我是在那一天受浸的。"你看多少人把受浸看成是重生，这一个认识把不少人欺骗了。受浸不是重生，也不能使人重生，受浸只是一些已经重生了的人要作的事。这一点我们以后要详细来认识的。总括一句：受浸不是重生，一切的宗教仪式，如坚信，按手，圣餐都不是重生，也不能使人重生。

另一种错误的认识，就是人对自己的生活为人不满意了，发觉自己的品德太不好了，因此，就懊悔从前的过失，又立志重新做人。这一个心意上的改换，他们就说这是重生。如果这样就是重生的话，那么重生的人就不一定要信主，并且一个人一生中间可以重生很多次，因为人一悔改就重生了。是的，一个重生的人一定经过悔改的，但悔改的人不一定限于基督徒。许多不信主的，甚至是反对神的，他们也有懊悔，改过自新的事实。因此，立志重新做好人不是重生，寻找得一个理想或模范来重新确定自己的生活目标也不是重生。

二、重生究竟是什么一回事

按字面来看，重生就是再生一次。主耶稣对那位来找他的尼哥底母所说的重生，也是解作再生一次。这一件事实在不容易叫人明白，人已经生了出来，怎能再生一次呢？主耶稣的意思是这样：不错，我们实在已经从母腹生了出来，一生出来，就有了人的生命，但是有人的生命不够，还要得着神的生命，就是永生，不然的话，人是不能在神面前活的。生命不能造出来；没有人能制造生命。要得着生命，只有一个办法，就是叫有生命的东西生出来。神看我们已经有了人的生命，但人的生命在神眼中没有价值。神要把他的生命给人，使人得永生。因此，我们就得再生一次，让我们得着神的生命。因此，我们对重生就有了一个清楚的认识。母亲生我们，这是第一次的生，也是从肉身出来，我们就有了人的生命和身体，现在神又生我们，是第二次的生，把神的生命生在我们的里头，外面虽然看不见，但却是事实，这是从灵而生的事实。说一句清楚的话，重生就是接受神的生命，接受永生。

三、为什么要重生？

主耶稣说人必须重生，语气是很重的。正因着主用这样重的语气讲到这一件事，我们就得用很严肃的态度来接受这件事。人既然已经有了人的生命，为什么神还要把他的生命给人呢？为什么神不承认人的生命，定要人接受他的生命才行呢？这是我们必须要明白的；不然，我们就会觉得重生不重生是无关重要的。

"人若不重生，就不能见神的国，…人若不是从水和圣灵生的，就不能进神的国。" 主的话是这样清楚；人若是不接受神的生命，凭着人自己的生命，是与神无份无关的。问题就是出在人的生命里。人的生命究竟是怎样的呢？我们可以从人的生活上来认识。什么树就结什么果子，凭着果子就可以认出树来。同样的，什么生命就显出什么生活，凭生活，就可以认出生命来。狗不会活出猫的生活，猫也一定不能活出老虎的生活来。那一种的生命就有那一种的生活。按这个原则，我们来看看人的生命是怎样的生命。

以前，我们曾经提过，人是罪人，不单因为他所犯的罪，主要是因着他有一个犯罪的天性。这一个天性就是人的生命。世上的人，外表的样子不一样、高矮不一样、爱好不一样、在许多的事上的反应也不一样，有人性子急得很；有人却是喜欢慢吞吞的。但是，不管是什么人，都有一样是完全相同的，那就是犯罪。生下来就有贪心；不用教，也不用学就会撒谎；自然而然就显出诡诈和欺骗；色情放纵是与生俱来的；正直的事情不喜欢，淫乱邪恶的事才是满足。从人这些生活就看出，人的生命就是犯罪的生命；爱犯罪是人的生命的特质。虽然在一些人的身上，这个特质显露得多一些，在另外一些人身上显露得少一些；但不管是显露得多也好，少也好，问题不在多或少，而是在人的生命本身就是犯罪的。因此，人要犯罪学坏是很容易，要学好就难得很。明明知道是不好的，不应该去作的，但偏作了出来。反过来说，明明晓得是好的，是对的，也应该作的，但偏是作不来。有这样的一件事，某人在家里正教导自己的儿子，要作一个说话诚实的人，不要撒谎。教训完毕，有人按门铃，他就叫小孩去开门，他吩咐小孩说："若是某某人，他来讨债，你就说爸爸不在家。"你看，人的生命就是这样的；不是不知道不对，但还是作了。犯罪的生命就活出犯罪的生活来，一点都不假，都是事实。神是圣洁的，人是犯罪的，这两样绝不能相合。人若得不着神的生命，一定是与神无份无关的。人带着犯罪的生命到神面前来，只能得着审判和定罪。

水的性质是往下流的。游泳的人若是顺着水游，就不大费力；若是逆着水游，就辛苦得很。人犯罪这样容易，因为人所有的生命是犯罪的；顺着这犯罪生命的水流来犯罪，一点没有难处。若是不要犯罪，要学好，那就是逆着犯罪的生命的水流，人就觉得困难了，也大费力气。我们看清楚了：人若是不接受神的生命，是不能进入神的国。

其次，我们还要看：神为着那些重生了的人所预备的，是"不能朽坏，不能玷污，不能衰残，…存留在天上的基业。"人的生命既是犯罪的，人就是罪人，是能朽坏，已经被罪玷污了的，又是继续的衰残着。从年幼到年老，头发白了，牙齿掉了，眼睛昏花，耳朵聋了，就是这样的衰残到死；死了就到地狱去，怎样也不能上天。看看人的光景，和神所预备的，一点也不相称。神所预备的所以不能朽坏，不能玷污，不能衰残，又存留在天上直到永远，原因就是在神那里没有罪，也没有死。我们这些必死的罪人，若不接受神的永远生命，怎么能活在神的国里呢？没有神生命的人，只配活在地狱的永死里。退一万步来说；就是神容让一个没有重生的人到神那里去，他也没法活得下去。他要赌博，在神那里没有麻雀台，也没有赌具；要食毒品，那里又没有白面和红丸；他要寻找犯罪的快乐，在那里一点也没有。相反地，时刻在神圣洁公义的光中，他那里受得了。所以，人若不接受神的生命来代替人犯罪的生命，人是没法与神有和谐的关系，只能在神的震怒中，永远的灭亡。

还有，人犯罪，注定了人是必死的，也是永远的灭亡。但是，神定规了一些人可以免去灭亡。"死亡和阴间也被扔在火湖里，这火湖就是第二次的死，若有人的名字没有记在生命册上，他就被扔在火湖里。"(启示录20:14~15)。火湖就是俗称的地狱，是"昼夜受痛苦，直到永永远远"的地方。(参看启示录 20:10)。这里清楚给我们看见；那些有名字在生命册上的人，就是那些重生了的人，他们可以免去永远的刑罚。没有第二次生的人，必定有第二次的死，永远的受痛苦。这是罪的结果，是罪人所不能免的。

四、能不能把人的生命改良？

人的生命是这样坏，难道不能改良一下，使他变好吗？这倒是一个很有意思的问题。我们可以很干脆的说："不可能。"如果人的生命可以用改良的方法变好，那么神就不必让主耶稣在十字架上死，主耶稣也不会用那么肯定的语气，或者说是命令的语气："你们必须重生"了。再说，即使有改良的方法可用，那也不外乎以前所提过的，如教育，律法，道德等等，都是起不了作用的。

我小的时候，常常会看到一些耍猴子戏的人，他们把猴子训练得如同人一样的演戏，扮演将军，大臣，皇帝，小姐……等等，从外表来看，可以说很像。但不管怎样像你总不会说他是人，它也实在不是人；没有人的思想，没有人的感情，也不会说人的言语，你要它过人的生活，它就不满足。它宁愿住在树上，也不愿住在房子里；它宁愿选择果子和花生米而不要大鱼大肉和白米饭。虽然它给训练到一个地步，外表可以作出人的动作，但不过是模仿。不管模仿得怎样成功，它的猴子的生命一点也没有改变。猴子的生命就是猴子的生命，绝不可能训练到一个地步，使猴子的生命变成人的生命，这是绝不会有的事。因此，将人犯罪的生命改良成像神一样不犯罪的生命，同样是不可能的。一块腐烂到发臭的肉，质地已经坏透了，肉的组织完全破坏了，无论用怎样的方法，也不能把它改良成为新鲜的肉。

人的生命，无论在本性上，或是质地上，已经是腐臭到不能再改良了。就是要改，也改不出什么结果来，泥土不能改成钻石，人的生命也不能改成神的生命，<耶利米书>13:23 说："古实人(黑人)岂能改变皮肤呢？豹岂能改变斑点呢？若能，你们这习惯行恶的，便能行善了。"换句话说，神已经给人下了结论；人犯罪的生命无法改良，神也不要再去作无结果的改良。因此，神决定把他的生命给我们。主耶稣也重重的说："你们必须重生"。人若是没有神的生命，一切都完了。人必须另外接受一个生命，就是神的生命，人才可以在神面前有路可行。

五、怎样能得着重生？

从道理上来明白重生，好像是一件很不容易的事，但是要得着重生就不是太困难。正如要明白无线电的道理不太容易，但是要享受无线电就没有什么困难，现今只要把按钮一按，音乐就出来了，电视画片也出来了。虽然你对无线电的原理是门外汉，只要你按着说明书的指示去作，你就能得着无线电的好处。

那天晚上，主耶稣看见尼哥底母不大领会重生的事，他就直接告诉他得重生的方法，"摩西在旷野怎样举蛇，人子也要照样被举起来，叫一切信他的，都得永生。"这里提到两件事情，一件是主耶稣要被举起来，就是要被钉死在十字架上。另一件事情就是人要作的，就是相信他。这两件事一合起来，信的人就接受了神的生命，就重生了。主耶稣用<民数记>21 章的一件史实表明这一件事。以色列人在旷野中犯罪得罪了神，神就让毒蛇进到他们中间，咬了许多人。被咬的人一定会死的。摩西去求神，神就吩咐摩西造一条铜蛇，挂在杆子上，又告诉百姓；凡被蛇咬的，只要望一望那铜蛇，他就能活了。主耶稣将自己比作那铜蛇，被挂起来，<申命记>21:23 章"因为被挂的人是在神面前受咒诅的。"咒诅是罪人所该受的，铜蛇也是因人的罪所造出来的。以色列人不犯罪，铜蛇不必挂起来；人若不犯罪，主耶稣也不必要被钉在十字架上。但现在人实在是犯了罪，是罪人，是必死的。为了叫罪人能活过来，主耶稣就被挂在木架上，代替罪人去担当咒诅。主耶稣在十字架上被杀，已经在历史上作过了，现今剩下来的就是人去相信他，当日被蛇咬的人，看见自己的伤口，就认识两件事；第一，我是得罪神的人，第二，我是绝望的人，因为我必要死。我们来到神的面前，也应该有这两个认识。被蛇咬的人唯一得生的方法就是抬头仰望那铜蛇，但是在他们仰望以前，他们一定要相信神这样的救法，相信的人才会看铜蛇；一看就得了医治，就活过来。若果有人在当时不肯相信这救法，他就不肯看铜蛇，结果是一定死的。他们得生或是死亡，完全是决定他们自己相信或是不相信神的方法。我们现今在神面前得生命也是如此。

主耶稣在十字架上所成功的救赎，就是神叫人得永生，接受神的生命的方法。人一相信主耶稣，接受他作自己的拯救，圣灵就将神的生命生在他的里面，他就重生了。人相信主耶稣，就得着了主耶稣，得着主耶稣，就接受了神的生命，因为"人有了神的儿子就有生命，没有神的儿子就没有生命。"(约翰壹书 5:12)。

六、重生了的人

人肯实实在在的承认自己是个罪人，相信主耶稣，立刻就得了重生，接受了神的生命。这不是道理，而是事实。重生了的人，自己确实是多了一个生命，这生命很具体的在管理他的生活，管理他的心思和态度，别人也能从他的身上看出与从前不同来。有些人转变得很显著，前后判若两人，有些人却转变得不太显著，不管是显著或是不太显著，重生了的人一定有新的爱好，新的心思和新的感情。这一个改变不是在人的外体，而是在人的里面，又在人的生活上显出来。从外面来看，本来是黑头发的还是黑头发；本来是五尺七寸高的还是五尺七寸高；黄颜色的皮肤照旧是黄颜色的皮肤；完全是老样子，但是在里面就完全不同了。从前是爱犯罪的，现在不再爱犯罪了，从前心灵受压制的，现在释放了。自己明显的觉得有另外的生命与性情加了进去，代替了本来的生命和性情。

有一位姊妹，没有信主以前是最爱打麻将牌的，能连续打三个通宵也不觉疲倦。打牌如同她的命根，丢下家庭丈夫和儿女都不管，也要去打牌。等到有一天，神怜悯了她，她信了主，重生了，麻将牌就丢掉了。她还说："从前看麻将如同自己的命，现在听见打麻将的声音就讨厌。"她里面有了神的生命，神不喜欢的事情，她也不喜欢了。

又有一位弟兄，本来看见信耶稣的人就憎恶，听见人讲耶稣就漫骂。以后，他信了主，不再骂主耶稣了，也不再讨厌信主的人。从前最讨厌的礼拜堂，现今成了他常到的地方；过去最鄙屑的《圣经》，如今是他最爱读的书。一个人重生了，他的爱好很自然的就改变了，并且是完全相反的改变。重生是一个事实，绝不是一个随便讲讲的道理。

还有一位姊妹，是给人家作家庭工作的。每次给主人买东西，都要揩油，都要私下取去一些钱，向主人报大帐，还以为是天公地道的。后来接受了耶稣作救主，她不再揩油了…不是她没有机会去揩，是她里面好像有一个禁止，叫她不要揩。她自己说："从前揩了油，心里很高兴；现在不同了，不要说真的去揩，就是想到要揩，心里就不舒服，不平安。"重生了的人，神的生命时刻在禁止他犯罪和救他脱离罪的诱惑，是没有神生命的人所没有的。

重生不是道理，而是事实，又是信主的人必须要经历的事。在重生的经历上不清楚的，这个"基督徒"就大有问题。因此，初信的人一开头就得清楚重生，不能马虎含糊。真实信主的人，主必按着他的应许给他生命。

第五章

得 救

读经:

"你们得救是本乎恩,也因着信,这并不是出于自己,乃是神所赐的,也不是出于行为,免得有人自夸。"(以弗所书 2:8~9)

"当信主耶稣,你和你一家都必得救。"(使徒行传 16:31)

信主的人,一开始就得把得救的问题弄清楚。没有一个基督徒可以对自己的得救含糊,因为一开始就含糊,就会一直含糊下去,结果就造成外表是基督徒,实际上仍然是灭亡的人。知道了救恩,却得不着拯救,这是何等可怜的光景。我们不要作糊涂的人,一决心信主,马上就要清楚自己的得救。

一、得救是一个事实

重生是事实,得救也是事实,但是有许多称为信主的人却不知道这一个事实,甚至有些人故意不接触这个问题。有一次,我跟一个青年人谈及得救的问题,他说:"我们的教会从来不注意这一个名词的。"不注意这个名词不要紧，不注意这个事实就很严重了。《圣经》很注意这个事实，也常常用这一个名词来指明这一个事实。要紧的不是名词，而是这一个得救的事实。事实上不接受这名词的人，都是拒绝得救的事实的人。我记得在还没有清楚接受救恩以前，有人问我是否得救了。我心很气，我想我自己是第三代基督徒，又是牧师的儿子，我当然是得救的。后来气平了，自己就不得不承认，对于得救的问题，我是完全不懂。从那时候起，我开始寻求这个问题。神也恩待我，叫我经历了得救的事实。得救实在是一个事实。

什么是得救呢？比方这样说：有一条船在海上遇险，船员在救生艇上漂流了几天，还遇不到援救的船只，船上的人都以为活命的指望没有了，一定要饿死渴死在海上。但是，最后有一条船经过，发现了他们，就把他们救上来，这样，他们就得救了。又比方说，有一个地方火灾，大火把人逃生的路都烧断了，但仍然有人困在火场里，没有逃出来，眼看就要给烧死，在最危急的时候，消防员利用云梯从屋顶上把他救了出来。这样，他就是得救了。从这些比方里，我们得到一个结论：脱离危及生命的危险就是得救。

在神面前，我们都是罪人；所犯的罪都要受神的审判和定罪，也都要灭亡在永远的刑罚里，这是一个极端严重的危险，没有办法能逃避。你和我都已经被围在这个危险里。现在，神给我们一个拯救的方法：借着这个方法，我们可以不被定罪，不受刑罚，完全脱离永远灭亡的危险，这个事实就是我们所要留心的得救。

二、得救的方法

神清楚的告诉我们：照着我们的本相，我们是不配得救的。我们是罪人，神按着公义来定我们的罪是合理合法的，他让我们在永远的灭亡里受刑也是没有什么不义的，因为罪人的结局应当是如此。我们不能说神给我们的定罪和刑罚有什么不公平，神可以这样的对待我们，但是他不这样待我们，他却以我们所不配得的恩典来待我们，叫我们可以得救。神若不以恩典来待我们，我们要得救也不可能。因为"你们得救是本乎恩。"本乎恩就是根据恩典，是神的恩典。

1、本乎恩

恩典是什么呢？这一点我们要明白清楚。按着《圣经》上的话说："作工的得工价不是恩典，乃是该得的。"(罗马书 4:4)就是说出卖时间和劳力所得到的是工钱，是应该得的，是配得的；得着是对的，得不着就不对了。将这句话解开来看，我们就明白，恩典就是得着不应该得的，接受了不配接受的。比方说，我给人作雇工，与雇主订明每天工资是拾块钱，工作一天算一天。

我每天拿工资，我不需要谢谢雇主，因为是我该得的。有一次，我生病不能工作，还住在医院里，不单是没有工钱拿，还要付医院的费用。但是，我的雇主来对我说："你没有作工的日子，我一样给你工资，你的医药费我也替你付。"我听了这些话，我一定谢谢他。因为这些款不是我应该得的，也不是我配得的，我是白白的得了。白白得着的，就是恩典。

我们能得救，不是因为我们向神作过什么，神就以得救来酬谢我们。不是的。如果按着我们所作的，我们没有一个人配得救；不单是不配，反倒要灭亡，神现今不叫我们灭亡，反把永生给我们，因为"神愿意万人得救…"(提摩太前书 2:4)他既然愿意人得救，他就不将人该受的刑罚人，反倒将人所不配得的赦免赐给人。神不要求人付代价来得赦免，其实，人也付不出什么代价来，神白白的把救恩赐给人，人也是白白的在神那里得拯救。这就是恩典。神定意向人显出恩典，人就有了得救的可能。

得救的可能已经有了，拯救的恩典也已经作好了，人要得救就来接受救恩就行了。"你们得救是本乎恩，也因着信。"恩是神的预备，信是人的接受。神要预备的已经作好了，现在只剩下人的相信；一相信，人就得救了。

2、因着信

(1) 信的对象

相信就是人得救的唯一方法，这是神给人定规的。人不能以别的方法代替相信，也不能代替别人去相信。谁相信谁就得救，谁不相信谁就不得救。受浸与坚信，长期参加教会的聚会，甚至作了传道人，作了长老或执事，若果没有相信，他所作的和他所是的都不能使他得救。因为神只是定规了："当信主耶稣，你和你一家都必得救。"除了信以外，没有别的方法可以使人得救。你相信，你就得救。你一家相信，你一家都得救。信是得救唯一的方法。

相信就可以得救，那么相信什么呢？有一次，碰到一位要信主的朋友，我问他说："你相信主耶稣吗？"他回答说："我信有神。"许多人的相信只是信有神，只信有神是不够的，信有神却和神没有正常的关系，这与不信有神是没有什么不同的。"你信神只有一位，你信的不错，鬼魔也信，却是战惊。"(雅各书 2:19)要得救，不单要信有神，还得要信福音，这福音必叫我们得救。

福音是什么呢？<哥林多前书>15:1~4："弟兄们，我如今把先前所传给你们的福音告诉你们知道，这福音你们也领受了，又靠着站立得住，并且你们若不是徒然相信，能以持守我所传给你们的，就必因这福音得救。我当日所领受又传给你们的，第一，就是基督照《圣经》所说，为我们的罪死了，而且埋葬了，又照《圣经》所说，第三天复活了。"神的话清楚给我们指出，主耶稣的死，埋葬和复活的事实就是福音。我们是罪人，我们的过犯叫我们不得不受永死的刑罚。这永刑我们受不了，主耶稣就按着神的心愿来作人，站在罪人的地位上，代替罪人受刑罚，因着他的代死流血，罪人的过犯得以涂抹；罪人的刑罚得以消除。主耶稣替罪人死了，又埋葬了，在坟墓里经过了三天，他复活了。复活证明了他真是神的儿子，他有资格来代替罪人死，也实实在在叫我们得永生。主耶稣单单死在十字架上，还不是福音，因为在历史上也有不少人在十字架上死。主耶稣死了，埋葬了，又复活过来，这才是福音。死了不能复活过来，是常人的死，死了又能活过来的，是神的儿子救罪人的死。赞美感谢主，他替罪人死，罪人得救罪；他从死人中复活，罪人得着神的生命。主耶稣的死和复活才是福音，这福音使罪人得救；这福音又叫远离神的人与神和好。

(2) 怎样信

有好些称为信主的人，他们都说自己是信主的，但是从他们的实际生活来看，很难看出他们是信的来。这种情形很普遍，不是嘴里说信就是真的相信，要实实在的信，才能使信的人得救，不然，就是徒然相信，这样的人，不能得着福音的好处。那么，要怎样信才是真实的相信呢？按着《圣经》所给我们看见的，真实的相信必定是经过：

(i) 悔改

"日期满了，神的国近了。你们当悔改，信福音。"(马可福音 1:15)这是主在地上的年日，向人宣告的话。明显给我们指出来，相信福音以前，人一定要悔改，不悔改，就不会信福音。信福音的人，一定是经过悔改的。

悔改是什么意思呢？照着这个词本身的解释，就是觉悟到从前错了，现在不能再继续错下去，要改正过来。按着《圣经》对这个词的用法，它的解释也有点相似，就是——"改变心意。"又再按着《圣经》上的解释来看，"约翰对那出来要受他浸的众人说，毒蛇的种类，谁指示你们逃避将来的忿怒呢？你们要结出果子来，与悔改的心相称。……众人问他说，我们当作什么呢？约翰回答说，有两件衣裳的，就分给那没有的，有食物的也当这样行。又有税吏来要受浸，问他说，夫子，我们当作什么？约翰说，除了例定的数目，不要多取。又有兵丁问他说，我们当作什么呢？约翰说，不要以强暴待人，也不要讹诈人，自己有钱粮就当知足。"
(路加福音 3:7~14)在约翰的话里，悔改的行为就是认识了
从前的不对，错了，犯罪了，得罪神了，现在回转过
来，不再像从前那样生活了。我从前没有怜悯，我从前
是贪污，勒索，敲诈，欺负人的，现今我明白了，我是
一个罪人，我不能再这样的犯罪下去，我要结束这些犯
罪的生活。这一个心意上的转变，就是悔改。

每一个到主面前来寻求救恩的人，不管他是伏在神
公义的审判的光中，或是给神的大慈爱所吸引，圣灵总
给他一个光照，叫他清楚的知道自己是一个罪人，该
死，该灭亡的，因此，就在神面前悔改。不认识自己是
罪人的，他不会悔改，也不会真的信主。有一位弟兄，
从小就称为信主的，他的为人蛮好，但是看上去，倒不
像一个真真得救有神生命的人。有一次，我和他谈起
来，就谈出问题的症结了。原来这位弟兄承认人都是罪
人，但是一连接到他个人的身上，他很坦白的说："我
不知道自己有什么罪。"问题就在这里；这位弟兄一直
没认识自己是罪人，既然神说世人都是罪人，我当然就
是罪人,啰。没有实实在在的认识自己是罪人，怎么会信
主信得对呢？经过这次谈话不久以后，这位弟兄跑来对
我说："上次和你谈话以后，我心里为那事很沉重，我
谦卑的求神给我光照。神怜悯我，我看见了，我有贪
心，有诡诈，有嫉妒，又有一些不忠实的事，心里又常

有污秽的念头，我又想起我小时候曾经偷过母亲的钱，又常有谎话。我以前看这些为小事，也原谅自己，又看自己比别人活得好，就不觉得自己有罪，现在不得了，神一光照，我才发现我有这么多的罪，又是一个这样坏的人。"这位弟兄认识了自己是一个罪人；他悔改了，那时他才真的信了主。没有悔改的人，就觉得救恩对他是多余的。悔改了的人，他看救恩就十分宝贵了。

有人在悔改的时候，心里很沉重，为罪忧伤难过。有些人悔改的光景却没有那样的激动。不管表现出来的光景是怎样，他们的里面总是自己责备自己，自己定自己的罪。

(ii) 接受

悔改是领人进入神的拯救中的一个过程，光是悔改还不能叫人得救。有些人领人信主，一开头就叫初信的人认罪，把罪"认完了"，就告诉他说："你得救了。"《圣经》上没有这样的道理，神也没有答应说，人认了罪就可以得救。神只告诉我们说：要悔改，信福音。悔改是叫我们认识自己是罪人的本相，然后就真实的信福音。所以，没有悔改是不行，光有悔改又不够，悔改了就必须相信福音，不然，还是没有得救。

许多人把相信这一回事弄得不清楚，以致他们口里虽然说信，但实际上还没有信。在这里，我们要说清楚；知道不等于相信；佩服，同情和赞成也不是相信。不少人很赞成基督教，但是却没有相信主耶稣；许多人也知道神的救恩，事实上也没有相信主。因此，我们必须看清楚，怎样才是实在的相信。

"凡接受(按原意译)他的，就是信他名的人，他就赐他们权柄作神的儿女。"(约翰福音 1:12)这里给我们很清楚的说明，相信就是接受。信福音就是接受福音。人一悔改，承认了自己是罪人，就接受福音，一接受福音，这福音就叫他得救。接受就是把一件事物从别人手上接过来，成为自己所有的。比方说，我肚子饿得很，有人给我面包吃。我知道吃了面包可以使我不再忍受饥饿，但是我却没有接受过来吃，我眼巴巴的看着面包，虽然我知道它能解决我的饥饿，若是我不接过来吃，面包就没有解决我的饥饿。我要是把面包接过来，吃了，这面包就是我的，也解决了我的饥饿。所以，信福音就是把福音接受过来。福音说基督为罪人死了，你心里就说："是的，那罪人就是我。主耶稣死是为着我，他复活也是为着我，他的死和复活都是为着我，我靠着他就得救了。"你这样的接受了福音，这福音就成为你的，直接和你有关系的。你若是只知道基督为罪人死，却没有看见这罪人就是你，你还没有接受福音，福音和你还没有关系。你若看见在十字架上死的主就是为着你，你接受了这一个事实，这一个接受就是相信。

所以，相信福音就是接受福音的事实，承认福音的事实都是为着我的，这样相信福音的人，就必得救。

三、一点疑问

相信福音，承认主耶稣是救主，就可以得救。这不是一件太容易的事吗？不少人都会这样想，应该是相信耶稣以后，再把生活行为改好，这样子得救就合理一些。不错，人的观念都是如此，总要凭借自己的一点好处，来换取得救。但神的话明明说："你们得救，……不是出于自己，是神所赐的，也不是出于行为。……"我们必须要分别清楚；这里不是说，得救的人可以不要好行为。这里是说，得救这一件事并不要把人的行为加上去，完全是神的工作。再说一遍，得救了的人应该有好的行为，但得救却不是靠人的行为。不然，神就不会说，得救是一个恩典了。我们不要让我们的观念和我们的行为绊住了我们，使我们对神的恩典接受不过来。不要以为人得救是容易的事，在接受的人这一面好像是很容易，但是在完成救恩的神那边就很不容易了。神舍弃自己的独生子，主耶稣受苦至死，岂能说是容易的事呢？神出了代价，我们就享用救恩，如同作儿子在家里享受父亲的劳苦一样。得救是恩典，因此，不要我们付代价，事实上我们也付不起，也不要我们靠自己的行为，单单是叫我们享受主耶稣的劳苦。

"你若口里承认耶稣为主，心里信神叫他从死里复活，就必得救。"(罗马书 10:9。)心口一致相信主的人，神的话说，他必要得救，一点不含糊。末了再说，除了信福音，就是相信主耶稣作救主以外，神没有附加任何条件，叫人去履行，然后人才可以得救，一点条件也没有。因为"神爱世人，甚至将他的独生子，赐给他们，叫一切信他的，不至灭亡，反得永生。"(约翰福音 3:16)

第六章
得救的根据和安稳

读经:

"人有了神的儿子就有生命，没有神的儿子就没有生命。我将这些话写给你们信奉神儿子之名的人，要叫你们知道自己有永生。"（约翰壹书 5:12~13）

"这福音是从前藉着众先知，在圣经上所应许的。"（罗马书 1:2）

"我的羊听我的声音，我也认识他们，他们也跟着我。我又赐给他们永生，他们永不灭亡，谁也不能从我父手里把他们夺去。我父把羊赐给我，他比万有都大，谁也不能从我父手里把他们夺去。"（约翰福音 10:27~29）

信主的人不知道自己是否得救，这是很不合理的事。举个例子来说：有一个掉在水里淹得快要死的人，他被别人救了上来，坐在海滩上。他在想："我是不是还在水里呢？我还没有给人救上来吧，因为我的衣服还是水淋淋的。"我们若是看见果真有这样的人，我们都会想，如果这个人不是呆子，就是个神志不清醒的人。

明明已经是得救了，还要怀疑自己是否还在水里。这是糊涂的想法，因为得救是一个事实，不是一个幻想，得救就是得救，不得救就是不得救。得救了的人不知道自己已否得救，是不可能的事。反过来说，得救的人一定要满有把握的知道自己已经得救才是。

我曾经碰见过一些称为信主的人，其中也有传道牧师，他们说："人现在怎敢说自己是得救呢！这只有神知道，非要等到见主的那一天，我们不可能说自己是得救的，现今说自己是得救的人，都是骄傲的。"这些话一听起来，好像有点道理，说自己得救，等于说别人不得救，这不是骄傲是什么？其实，这并不是骄傲或是谦卑的问题，而是一件说明事实的问题。比方说，我是人，我就说我是人，这是把事实说明。我是一个教师，我就说我是一个教师，这也是说明一个事实。总不会有人说："你说你是人，你太骄傲了。你这样说就等于说别人不是人了。"或是说："你说你是教师，就等于说别人都是学生，太骄傲了。"为什么这样说不是骄傲自高呢？因为是说明一个事实。同样的，一个人说明他自己得救的事实，也不能说是骄傲自高，因此，这个问题的焦点就是：

一、能不能知道自己得救？

一个人所作过的事情，他自己是知道的。事情越大，他就知道得越清楚。得救是一件大事，得救的人是应该自己知道的。神的仆人约翰写信给教会，很重的提出了这个问题。"我将这些话写给你们信奉神儿子之名的人，要叫你们知道自己有永生。"神把这个要求托付给约翰，约翰就对信主的人说出来。信主的人是要知道自己有永生，知道自己得救。知道就对了，不知道就不对。神要求人要知道自己得救，一定是人可以知道自己得救，若是不可以知道，神也必不会作这样的要求。比方说，我的父亲知道我懂得英文，他就会要我替他写英文信，他若是知道我根本没有念过英文，他一定不会要我替他写英文信。他知道我能这样作，他才要我给他作。同样的，神看我们是可以知道自己得救的，他才吩咐我们要知道自己得救，神决不会要我们作我们不能的事。我们不能救自己，神就来救我们。我们可以知道自己得救，神就要我们知道自己得救。因此，信主的人应当很有把握的知道自己得救。如果说，得救不可以知道，要说自己得救就是骄傲，这样讲的人就是不相信神的话，不相信神的话，怎样能得救呢？

二、怎样知道自己得救？

初信主的人，因着对真理的认识不清楚，所以对自己是否得救有一点的疑惑。因此，总没有勇气来接受神的话，大胆的承认说自己是得救的，我们也要清楚的来解决这些疑惑。

1、得救不是凭着感觉

得救是一件大事，一般来说；人对大事就希望有大的感觉上的反应。但是，在得救的事上根本就不依靠感觉，许多人要凭感觉来知道得救，结果弄到自己糊涂起来。不错，得救的人会有一些感觉，有人心里很喜乐，很激动；有人心里很安息；也有一些人欢喜到不得了。但是，我们却不凭这些去知道得救，因为这些感觉除了得救以外，还有别的来源。有一次，碰到一位弟兄，看他的样子很苦恼，我问他说："你有什么难处吗？"他说："我不知道自己是否真的得救。"我说："你从前不是说自己是得救的吗？"他说："是的，我从前常有喜乐，所以我知道自己是得救的，但是，最近我失掉了喜乐，所以我就不敢说自己是得救了。"这是凭感觉的结果。很可怜的，有喜乐就得救，没有喜乐就不得救；感觉好，感觉舒服就得救；感觉不好，感觉不安就不得救。这不是神给我们的救恩。要靠感觉，一定使自己在得救的事上迷糊。

2、不是靠恩典的经历表现

得救是一个实际的经历，这经历有许多不同的表现。有人得救的时候，被主的爱感动到一个地步，好像心都溶化了；也有人为罪忧伤到痛哭流涕；也有人多日被罪压得心里沉重，突然得了释放；也有人很平静安稳的进入了救恩。但是，却没有一个表现可以作为典型的，非要如此，就不是得救。记得有一次，一位弟兄问另一弟兄说："你得救的时候，哭了多久？"那个回答说："我没有哭。"这一个就很诧异的说："你没有哭，怎样能得救呢？"又有一位弟兄怀疑自己得救，因为他知道另一位弟兄得救的时候，主的爱大大的充满，而他自己却没有，因此，就想到自己的得救靠不住。不少人看得救是凭着他心中的那一种典型的表现，也要求别人有与他一样的经历表现，这些都是不必要的。

3、得救不是靠认罪

没有一个不经过悔改的人可以得着拯救，但是神也没有要人认了罪才给他拯救。不少信主的人在真理的认识上不够清楚，因此，就产生了一种错觉，以为一定要把罪认清楚了，才可以得救。我曾经碰到一位相当爱主的弟兄，他愁眉苦脸的对我说："我几个晚上没有睡得好，心里苦得要死，我以前以为自己是得救的，最近才知道我实在还没有得救。"我问说："是什么一回事？"他就说："最近我发觉我有几件罪还没有认，没有认清了罪，怎样能得救呢？现在以为认清了，将来又发觉还有，那么，我要等到什么时候才得救？怎教我不苦在心里？"许多人有同样的情形，自己叫自己苦恼。感谢主，他没有给我们一条认罪才能得救的路。与主同钉十字架的一个强盗，他没有认罪，只不过相信主耶稣，求告他的名，主说这强盗要与他一同在乐园里。(路加福音 23:39~43)这强盗没有认罪，但谁敢说他不得救呢？<使徒行传>16 章的禁卒寻求救恩，保罗没有叫他赶快要认罪，只是简单的告诉他："当信主耶稣，你……必得救。"又<使徒行传>10 章的哥尼流，不单是没有认罪的动作，甚至还没有听完彼得讲福音，因为心里已经相信了，圣灵就降到他身上，他得救了。这些都是《圣经》上的经历，他们的得救，都是和认罪无关。

有些弟兄带领人信主，告诉初信的人说："要一件一件的认罪，一直到你心中平安，你就得救了。"这样的带领只有带人入到愁苦不安里，因为人得救的路不是这样走的。<使徒行传>19:1~8，保罗在以弗所遇到十二个人，他们以为自己是蒙恩得救了的，因为他们接受了施浸约翰的悔改之道，也认过了罪，但是保罗说那不行，必须要信在施浸约翰以后来的耶稣，这批人那时才信主，他们才得救。这一个历史的事实更清楚的给我们看见，得救不单靠认罪，就是认了罪的人也不得救，只有相信耶稣的人才得救。

不是说认罪是错，但是要看清楚，在得救这一件事上，认罪是不必要的，是多余的，因为不是神的条件和要求。神的条件只有一样，就是相信接受耶稣作救主。主耶稣在十字架上的死，是担当我们的罪，流血洗净我们的罪，我们一信主，我们就接受了主的担当，也接受了主的洗净，不再有罪了，为什么还要认罪？从哪里找罪来认呢？十字架上的主把我们信主以前的罪一笔勾消，完全涂抹了。因为"耶稣被交给人，是为我们的过犯。"(罗马书 4:25)"因为世人都犯了罪，亏缺了神的荣耀，如今却蒙神的恩典，因基督耶稣的救赎，就白白称义。神设立耶稣作挽回祭，是凭着耶稣的血，借着人的信，要显明神的义。因为他用忍耐的心，宽容人先时所犯的罪，好在今时显明他的义，使人知道他自己为义，也称信耶稣的人为义。"(罗马书 3:23~26)得救的根源，完完全全是主耶稣的工作，不要人的认罪，只要人的相信。

4、得救也不是靠人的行为

叫信的人知道自己得救，最大的难处，恐怕就是人自己要把行为作为一个得救的条件。许多信主的人都有这个困惑，行为还没有改好，怎么能说是得救呢？这一点一定要分别清楚。得救的人应当有好行为，但好行为不是得救的条件。再说清楚一点，罪人不可能有好的行为，只有得救了的人才可能有干净的生活行为。如同人下掉在水里的人，无论怎样，他的身体是不会干的，只有离开了水，他的身体才有可能干过来。

有一首很很好的福音诗歌，叫"照我本相"(颂主圣歌 161)那个作者曾经要靠自己的行为得救，结果除了愁苦控告自己以外，什么也得不着。等到有一天，她被神光照了，知道不是要改好自己才去得救，而是把自己的败坏带到耶稣面前，她就是这样带着本相去见主，她得救了。

让我们温习一遍神的话，"神爱世人，甚至将他的独生子赐给他们，叫一切信他的，不至灭亡，反得永生。"我们应该注意，神的话不是说"叫一切信他的"，还要加上好行为，要熟读《圣经》，要祷告老练，要聚会 X 年以上，要有这个那个……，这一切都齐备了，然后可以得救。没有，神没有说，神只是说"叫一切信他的，不至灭亡，反得永生。"除了信以外，人得救并不要再有什么条件。

在真理上认识清楚了，我们便该积极的认识得救问题的焦点，我们要说；

三、因信得救是根据神的应许

这里有一个很要紧的问题，主耶稣替我们作了救赎的工作，我们就有可能得救了。但是，这一个可能要与我们发生实际的关系，还得要神同时作一件事，就是神来应许我们可以因信耶稣就得着拯救。我们现今信主就得救，完全是因为神依据主耶稣的死和复活给了我们一个应许。神如果不给我们这样的应许，那么，就算耶稣再多次的死，又多次的复活，也和我们没有关系。但如今主耶稣为人的罪死了，又活了，神也指着这个事实应许了我们，"叫一切信他的，不至灭亡，反得永生。"

比方说，我是一个穷光蛋，一个钱也没有。但是，我晓得银行里有很多的钱，银行里有很多的钱是不错，但是和我没有关系，银行的钱一点也没有改变我的环境，我还是一个穷光蛋。等到有一天，我遇到了一个亲戚，他在银行里有很多的存款。他同情我的遭遇，应许送我一笔款，并且马上签给了我一张支票。我把这支票拿到银行去，就拿到了钱，我的环境马上就改变了。我没有得到支票以前，银行里的丰富与我没有关系，我一有了支票，我就能在银行里支取款项。神的应许就如同这支票一样，没有神的应许，我们没有可能得着主耶稣救赎的果效，有了神的应许，主耶稣的救赎就可以成功在我们的身上。我们可以因信主耶稣得救，完全是因着神的应许。因此，我们可以知道自己得救，是因为神给了我们得救的应许。神若不应许，没有一个人可以应许人得救。神既然应许我们相信福音就可以得救，我们按着神定规的条件去履行——就是相信福音，神就负责叫我们得救，也必定使我们得救。

神是圣洁公义又信实的神，他应许了的事，他一定成就。人的话常常改变，今天说好的，明天却可以完全翻转过来；但神就不能这样，不然就不是神。神若应许过，他的圣洁不允许他不作成他的话；他的公义也不允许他改变他的话；他的信实也不允许他的话不兑现，神的圣洁，公义和信实作了他的应许的真实性的保证。因此，神应许了信主耶稣的人可以得救，那么，信主耶稣的人就一定得救。因为"我们纵然失信，他仍是可信的，因为他不能背乎自己。"(提摩太后书 2:13)

四、得救不能失掉

在一次聚会里，我和一个青年人有一点谈话，谈到他自己得救的事上去。他有一点迷糊，因为他的生活表现不挺好，所以，他为自己下了一个这样的结论说："我是一半得救，一半没有得救。"我有一点奇怪，怎样会有这样的情形呢？要就是得救，要就是不得救，绝不能每样一半的。他继续解释说："因为我受了洗"，有时也参加聚会，也有读经祷告，从这些事看，我应该是得救。但是我有时也爱放纵情欲，喜欢玩耍不喜欢读书，欢喜生活安逸有享受，不欢喜工作。从这些事看，我也不能说自己得救，所以就只能是"一半得救，一半不得救。"这青年人的想法完全错了，他不单是把得救的依据放在行为上，并且还在依靠行为来保持他的得救。许多人也有这一个错觉，以为信主以后，若果还有犯罪和不义的事，他所得的得救就会失掉，他会从一个得救的人回复到不得救的地位上。神没有把这样的道理给我们，因为这种道理不能叫人得安息，神不作这样的事情。

　　我们要看准，得救是只一次就可以得着的，得着了就不会失去。如果得救了又失去，失去了又再得着，再得回来又再失去这样的屡得屡失，那就成了多次的得救，并且重生就要成了三生，四生，五生……。这是不对的。得救只有一次，重生也只有一次，得着了就永不能失去。我们看主的话是何等的确定："叫一切信他的，不至灭亡。""我又赐给他们永生，他们永不灭亡。"这个永不灭亡是何等宝贝！若果得救可以失去，信的人就还有灭亡的可能。因为失去得救的人，在他还没有再得救以前就死去，他就灭亡了。但是主说"永不灭亡。"就是连灭亡的可能也没有，神不叫信的人灭亡，谁能使他们灭亡呢，因此，得救了的人，不需要用行为来保守他的得救，因为得救是不能失去的。

我们再看一看主的话，"凡靠着他进到神面前的人，他都能拯救到底。"(希伯来书 7:25)既然他的拯救是到底的，就不会半途而废，不然就不能说是到底了。主耶稣替我们所担当的刑罚是灭亡的刑罚，他担当了就如同我们受了罚一样。神既在耶稣身上追讨了使我们灭亡的罪，这个刑罚已经过去了，神岂能这样不义，再要在我们身上追讨呢？不能再追讨了，因为"如今那些在基督里的人，就不再定罪了。"(罗马书 8:1)既然不再定罪，得救的安稳就有了保证。

还有，在得救的人身上，神把圣灵放在他们里面作一个证据，这证据在信的人里面"一直等到神之民被赎"的日子，(以弗所书 1:13~14)就是到主耶稣再来，信徒与他面对面相见的日子。从神的话看来，人得救了，就永远得救，不会失掉。得救是有保证，也是有把握的。信主的人不单要知道自己得救，也要知道在救恩里的稳固这些都是神恩典的作为。

> 1、照我本相，无善足称，
> 唯你流血，替我受惩，
> 并且召我就你得生；
> 救主耶稣，我来！我来！
>
> 2、照我本相，你肯收留，
> 赐我生命，赦我愆尤，

你既应许，必定成就；

救主耶稣，我来！我来！

颂主圣歌 161 首

第七章
称义和成圣

读经:

"神的义,因信耶稣基督加给一切相信的人,并没有分别,因为世人都犯了罪,亏缺了神的荣耀。如今却蒙神的恩典,因基督耶稣的救赎,就白白的称义。"(罗马书 3:22~24)

"主所爱的弟兄们哪,我们本该常为你们感谢神。因为他从起初拣选了你们,叫你们因信真道,又被圣灵感动成为圣洁,能以得救。"(帖撒罗尼迦后书 2:13)

以前,有一位基督徒发过这样的问题,他说:"我已经重生了,但是不晓得要等到什么时个才能得救?"许多信了主的人,对于在救恩里的一些事实没有认识清楚,心灵上就常常受到搅扰和困惑。得救和重生是不是同一件事呢?称义和重生有没有关系?得救的人就是圣徒吗?这一连串的事实和疑问,我们也要弄清楚,好叫我们心里明白神给我们的恩典是何等的浩大。

得救和重生我们已经看过了,在这里我们先把称义和成圣简略的来看一看。

一、称义是什么？

一句简单的话说，称义就是神不再看信徒是罪人，反过来看他们是义(好)人。人在神面前，本来都是罪人，该受审判和定罪的。神看这些人满身都是罪，整个人都已经给罪腐蚀到坏透了，没有一点完整，也没有一点的好处，是如假包换的罪人。现今这些人信了耶稣，耶稣替他们受了罪的刑罚，他的血也洗净了他们犯罪的痕迹，他们在神面前不再有罪了，神也因着看见他儿子的血，就不称这些人为罪人，也不再定他们的罪，因为他们靠着主耶稣的救赎，都成了没有罪的人了，神就称这些人为义人。从罪人改变成为义人，这一个身份上的改变，就是称义，从前是站在罪人的地位上，现今因着主耶稣就转换过来，站在义人的地位上。

二、成圣是什么？

人是不洁的，从里到外每一处都已经玷污了。但神是圣洁的，并且神也显明了一个严重的事实，"非圣洁没有人能见主。"(希伯来书 12:14)因此，人要能见神，必定先要除去不洁，还要成为圣洁；不单是除去不洁行为，而且是彻底改换了那不洁的性质。从不洁的人改换成一个圣洁的人，简单的说，就是圣人。这是一个很不寻常的事实，也是人本身所不能作得到的事。但是，当人一相信主耶稣，神就使不洁的人成了圣人，因为人一接受主耶稣，不光是洗净了外面的罪行，并且同时接受了神的生命，连同神的性情和性质也接受进来。(参看彼得后书 1:4)人的性质改变了，就成为圣洁，从世界分别出来归于神，也像神，这就是圣洁。举一个比方说：一杯白开水，把一点茶叶加进去，马上它的质地就改变了，与水有分别了，不再是水而成了茶。同样的，主耶稣一加进罪人的里头，罪人就转变成圣人。从<哥林多前书>1:2 里，我们可以看见在哥林多地方上的信徒，他们有许多软弱和失败，但《圣经》还是称他们为圣徒(人)，也说明了神也是看他们是圣人。所以，一个信了主的人就是一个圣人，虽然这话讲出来好像很难为情，怎样也不敢说自己是一个圣人，能与一些古「圣贤」相比，但这却的的确确是神给人的救恩里的一个事实。

三、一个事实，四种光景。

我们看到这里，就可以下一个结论，无论是说得救，重生，称义，或是成圣，都是在说出人在神面前的一切问题，因着神借着主耶稣所成功的救赎完全解决了，是一个事实的四种光景。从罪得赦免，脱离了罪的权势，审判和永刑这一面来说，是得救；从接受神的生命，作一个新造的人这一面来说，是重生；从罪人转变成为义人这一方面来说，是称义；从不洁的人转变成为圣人，将自己分别为圣归于神这一方面来说，是成圣。

这四种光景都是表明一个救恩的事实，如同一本书有长，阔，高的样子。这些长，阔，高都是表明着同一本书的事实。

我们根据什么说，得救，重生，称义，成圣是一个事实的四种光景呢？请看下面的经文。

"当信主耶稣，你……必得救。"（使徒行传16:31）

"摩西在旷野怎样举蛇，人子也必照样被举起来，叫一切信他的都得永生。"（约翰福音3:14`15）

"神设立耶稣作挽回祭，是凭着耶稣的血，借着人的信，要显明神的义。……也称信耶稣的人为义。"（罗马书3:25~26）

"所以我们看定了，人称义是因着信。"（罗马书3:28）

"既知道人称义，不是因行律法，乃是因信耶稣基督，……使我们因信基督称义。"（加拉太书2:16）

"……因为他从起初拣选了你们，叫你们因信真道，又被圣灵感动成为圣洁。"（帖撒罗尼加后书2:13）

"我们凭这旨意，靠耶稣基督只一次献上他的身体，就得以成圣。"（希伯来书 10:10）

"但如今你们奉主耶稣基督的名并藉着我们神的灵，已经洗净，成圣称义了。"（哥林多前书 6:11）

从上面所列出的经文，我们看出人得救，重生，称义和成圣，都是因着人相信主耶稣所作成的救赎而发生的。虽然是四种光景，但得着的条件完全相同。人一相信主就得救，也得重生，又被称义，并且同时成圣。这四种光景是同时成就在信主的人身上，并且没有先后次序的分别。得救的人就是重生的人，重生的人就是称义的人，称义的人就是成圣的人，成圣的人也就是得救的人。

四、一个严厉的批评

许多没有信主的人，常常对基督徒有一些严厉的批评，有些是出于不明白，有些却是出于敌意的。他们说：「人一信了耶稣，就得救，就没有罪，这样岂不是鼓励人去犯罪？犯了罪也得救，也是圣人，这种道理使人很不佩服。」如果有过重生得救经历的人，他们会很清楚说这些话的人是没有经历救恩也是不认识救恩的。我们不是说信了耶稣的人绝对不会再犯罪，也不是说神会纵容信耶稣的人犯罪。但是，对于这类的批评，我们也该有一个清楚的认识。

首先，我们要清楚的，就是救恩在信的人身上的工作，头一样就是叫人恢复罪的感觉，对罪有敏感的反应。没有信主的人，一般来说对罪的感觉是麻木的，其中有些道德观念比较强一点人，虽然对罪有一点反应，但总不会敏感到对罪有恨恶的程度，认识罪的可怕与可憎，经历到罪的败坏人和损害人的生命平安。但信了主的人既然恢复了罪的感觉，就不可能再像从前一样随便的犯罪，以犯罪为喜乐。另一方面，因为圣灵住在得救的人里面，要禁止人有犯罪的意图，也责备人犯罪的事实，才能恢复心灵的平安。因此，神给人的救恩虽然是如此的奇妙又丰富，但却没有一点鼓励人放心犯罪的事实，反倒是随时随地禁止人和罪再发生关系。

还有，神对基督徒犯罪也没有宽容。虽然神不再定他们灭亡的罪，但神还是给他们存留审判和处份，并且犯罪的信徒也得在肉身上承担犯罪的报应和苦果。这也是十分真确的事，关于这一点我们留到以后才专一的来探讨。

不过，我们也必须要承认，的确有不少信主的人，他们实际的生活是配不上他们在救恩中所得的身份和地位，以致招惹了人的非议，也羞辱了主的名。因此，信主的人需要追求在生活上实际的称义和成圣。

五、地位和实际

得救和重生，在人信主的时候，只一次完全成就了，不必再经过多少的时间与追求，但是称义与成圣却有一点分别。信主的时候，人也是只一次就得着了称义和成圣的地位与身份，但是却没有实际生活上的称义与成圣。要达到这个实际的生活，就要继续的追求与学习。信主以前，人在实际的生活上称义与成圣是没有可能的，不管怎样学习与追求，也不会生出果效来。信主以后，地位改变了，性质也改变了，就有了这个可能。

我们在这里先看一个比方。有一个流浪儿，衣不蔽体，憔悴消瘦又肮脏。有一天，一个很有名望的富人遇见了他。这个人样样都富足，只是没有儿子。看见这个小乞丐，带他回家，吩咐人给他理发，洗澡，换衣服，把他打扮得似模似样，因为这富人要认他作儿子。就是这样他就成了这个人的儿子。当晚，这人为这个儿子大摆筵席，欢宴亲友，宣告他收养了一个儿子。这个小孩与他的父亲一同坐席，等到菜肴一摆上来，都是这小孩从来没有吃过的好东西，他等不得了，就显出他的老习惯来，筷子也不用，张开手就拿回来往嘴里塞，一点不理会其余的宾客。也许有人会想，怎么这个小孩一点礼貌规矩都不懂，恐怕不是这人的儿子吧？不，的确是儿子，从收养的时候起，这小孩实在是这有名望的人的儿子，这个儿子的地位已经是不能改变的事实。是儿子，在地位和身份上一点没有疑问，只是生活习惯跟不上，但是他的地位已经确定了，不会因为生活跟不上，就变成不是儿子。现在的问题是在生活习惯上要从新学习和操练，使他的实际生活跟上所得的地位和身份。

我们的光景就像这个流浪儿一样，因着主耶稣，我们已经在地位上称义成圣了，并且这个地位不能再有改变。"因为他一次献祭，便叫那得以成圣的人永远完全。"(希伯来书 10:14)。但是，神又给我们看见，地位已经有了，就当追求实际的生活，这样在人面前就是显明我们是称义和成圣了。我们在神面前是因信称义和成圣，但是人只能从我们的实际生活来认识我们。神也是这样提醒我们，在人面前称义，就得在实际生活上显出来。这就是<雅各书>2:24 所说："这样看来，人称义是因着行为，不是单因着信。"的意思。

"那召你们的既是圣洁的，你们在一切所行的事上也要圣洁。"（彼得前书 1:15）

"亲爱的弟兄啊！我们既有这等应许，就当洁净自己，除去身体灵魂一切的污秽，敬畏神，得以成圣。"（哥林多后书 7:1）

"你们既从罪里得了释放，……你们从前怎样将肢体献给不法作奴仆，以至于不法，现今也要照样将肢体献给义作奴仆，以至于成圣。"（罗马书 6:18~19）

从上面的经文看来，神在救恩中给了我们在他面前的称义和成圣，他也提醒我们要追求称义与成圣的生活，好叫神的心愿在信主的人身上成全。就是"当恐惧战兢，活出你们所得的救恩来(直译)，…使你们无可指摘，诚实无伪，在这弯曲悖谬的的世代，作神无瑕疵的儿女。你们显在这世代中，好像明光照耀，将生命之道表明出来。"(参看腓立比书 2:12~16)等到主耶稣再来的时候，我们就全然的称义成圣，完全的像那爱我们，为我们舍己的主耶稣。他"把教会洗净，成为圣洁，……毫无玷污皱纹等类的病，乃是圣洁没有瑕疵的。"(参看以弗所书 5:26~27)因为主若显现，我们必要像他。"(约翰壹书 3:2)

第八章
追求长进

读经:

"……直等到我们众人在真道上同归于一，认识神的儿子，得以长大成人，满有基督长成的身量，使我们不再作小孩子，中了人的诡计，和欺骗的法术，被一切异教之风摇动，飘来飘去，就随从各样的异端。"（以弗所书 4:13~14）。『你们却要在我们主救主耶稣基督的恩典和知识上有长进。"（彼得后书 3:18）

"我是真葡萄树，我父是栽培的人，凡属我不结果子的枝子，他就剪去，凡结果子的，他就修理乾净，使枝子结果子更多。……我是葡萄树，你们是枝子，常在我里面的，我也常在他里面，这人就多结果子。……你们若常在我里面，我的话也常在你们里面，凡你们所愿意的，祈求就给你们成就。"（约翰福音 15:1~8）

信了主的人都有一个同样的感觉：不以自己已经得救觉得满足，反倒在心灵里向神和属灵的事情有很深的爱慕，这是很正常的现象。大有学问的人也好，不认识字的人也好，男的女的，老的少的，只要他真的接受了神的救恩，毫无例外地就有着要长进的需要。

一、长大是生命的自然现象

接受了主的救恩，也就是接受了神的生命。我们要留意这个事实：一切有生命的东西都有一样相同的现象，就是从小到大的慢慢长起来。会长大就正常，不会长大就不正常。一切有生命的，是动物也好，是植物也好，只要不是死的，是活的，都要长大，不然就一定是出了毛病。比方说，一个妇人生了一个孩子，小阿出生的时候是八磅重，过了一年再称一下，还是八磅，过了十年再称，仍旧是八磅，这实在是不可能的事，也是不会有的事。除非这个小孩不是活的，不然的话他一定是天天长大。因为长大是生命的自然的表现，也是生命本身的自然要求。我们才信主的时候，我们有了神的生命是事实，但是这生命在我们里面是幼小的，我们在神面前如同婴孩一样，因此我们要长大，神也愿意看见我们长大，如同作父母的愿意看见自己的儿女长大一样，我们长大了，神就满意了。谁愿意看见自己的孩子五岁的时候是三尺高，到十五岁的时候只是三尺一寸高，到了二十五岁也仍不过是三尺二寸高呢？他那会感到开心的呢？就是这个作儿子的也必定不快活，因为不会长大的人，是太不正常了。所以，我们若是正常的基督徒，我们必定要长大的。

二、长大是属灵生活上的要求

从另一方面来看，我们得救，也是脱离了魔鬼的权势。在还没在得救以前我们是服在它的权下，任它摆弄，顺从它而活在罪恶过犯当中，背逆神，拒绝神。但是，主的大爱吸引了我们，我们接受了主的拯救，脱离了罪和死，也脱离了魔鬼的掌握，不再作它的奴仆。这一个事实是魔鬼所不能忍受的，它虽然不能再把我们从主的手中夺去，但它却要用它的方法来使我们不能生活在神的恩典中。因此，它用着许多似是而非的道理，甚至冒用了主耶稣的名字来讲话，叫一些信徒受了欺骗迷惑，离开了神的正道，入了魔鬼的罗网，以致失去了神的祝福。

我小的时候，年长的人常常劝告我，到街上去的时候，不要随便的跟别人走，恐怕拐带人的把我拐去，等到我长大了，就不再有人提醒我提防拐带人的，因为我长大了，自己能分别好歹，又能保护自己不会轻易被骗。只有小孩子才常常受骗，被人拐去。同样的，我们的属灵生命若是长大了，不管魔鬼用什么方法，叫我们接触什么道理，甚至冒主的名讲似是而非的话，我们也不会轻易上当受骗，以致失去主的恩典。

因此，我们从神的话里看见，神一再的借着主的使徒们劝勉我们，要"长大成人"，"不要再作小孩子"。不单要在主的恩典上长进，更深的认识主，更清楚的经历主，也要在真理知识上长进，知道神的计划，明白神作工的法则，深识一切属灵的事。

三、属灵的长进是怎样的

人的身量长大可以给肉眼看见，但是属灵生命的长大究竟是怎样一回事呢？根据什么来衡量长进呢？在<提摩太前书>4:13~15 里，保罗提醒提摩太要在他的属灵生活工作中，给人看出他的长进来。那就是说，基督徒的长进，也许自己不会觉得，但是别人却能看得出来。既然是能给人看见的，我们就得留意一个问题，因为属灵的事情，往往是不能单凭外貌来认识的。比方说，人常常说一些对教会工作热心的人是长进的。这句话不能说是错的，但也不能说是完全的对，有些热心教会工作的人实在是长进的，但是有一些却不能说是长进的，因为他们的热心有是出于个人爱活动的天性，有些是别有用心，例如要博取别人称赞，或者是要利用教会来达到个人的企图，因此，就摆出一副「热心」的样子来取得别人的信任。还有一些其他私下的目的，也可以支持一个人的热心。这些情形不单不是长进，反倒是败坏，早晚也会给人看穿的。因此，我们不能凭外貌来衡量长进。

还有，有一些基督徒，他们很愿意长进，但是对长进这个事实没有认识清楚，因此，就模仿那些在属灵上年长的弟兄，学他们的祷告，学他们的态度，学他们的言语。但是，不管学得怎样像，那仍然是模仿，并不是真实的长进。这不是说我们不能学别人，保罗也曾劝信徒要学他，但不是学外表的样子，而是学他向神的心和向人的体恤。只学到弟兄的外面的行动，没有学到弟兄里面的长进，这只不过是模仿，不是真的长进。初信的基督徒要好好的提防这个毛病，不要自己骗自己。

那么，我们怎样来认识长进呢？根据在《圣经》里给我们看到的，"…认识神的儿子，得以长大成人。…"所以基督徒的长进和对主耶稣的认识有极密切的关系，也就是说：认识主耶稣多的人，他的长进就多些；认识主耶稣少的人，他的长进就少些。越认识主耶稣，就越是长进。

提到认识这件事，一般人以为有知识就等于有认识，这话只能适用在物质世界的事物的范围里。对属灵的事情来说，有知识不就等于有认识。好像有一些人，他们有救恩的知识，却没有认识救恩，结果还是死在罪中。《圣经》上所指出的认识，不单是有外表的知识，并且对这外表的知识还有实在的经历。这样的有知识，又有经历，才是真正的属灵的认识。只有知识而没有经历就不是真的认识。

我们转回来看长进是怎样的光景。初信主的人，首先知道了耶稣是救主，也经历了耶稣是救主，这样他认识了主耶稣是救主，这一个认识是每一个基督徒最低限度的认识，不然他就不是基督徒。但是，一个认识了主耶稣是救主的人，经过了五年或者是十年，他对主耶稣的认识仍只限于耶稣是救主他就不是一个长进的人。事实上，基督徒的长进应该是很必然的。一个人信了主，认识了主耶稣是救主，过了一些时候他还知道了主耶稣也是我们的主，他就实实在在的遵行主的旨意，以主耶稣为主，以自己是仆人，这样他长进了，他不单认识他的救主，也认识他是主。又过不久，他知道了主耶稣是人的安息，他就不再背任何忧愁挂虑的重担，一切的苦恼都带到主耶稣面前，也卸下在他面前，是祸是福都以主为依归，这样作享受了安息，他又比过去长进了。又再过一些时，他又知道主耶稣是我们的盼望，他就实在的轻看了世上的好处，不管地上的事物是怎样的变幻，都不使他唏嘘叹息，因为主耶稣是他的指望，主以外的都不可靠，都不是指望；除了主以外，全不再有所等候与爱慕。基督徒的经历就是这样的一步一步进深，这就是长进；从知识到认识。认识了主有多少，他的长进就有多少；先从知识上知道，又再从经历(恩典)上证实；这样一步一步的长进，直到在神面前"长大成人，满有基督长成的身量，不再作小孩子。"

四、怎样使生命长大

生命要长大是顶自然的，能不能长大已经不再是一个问题。我们现在要进一步看的，是怎样使生命正常的长大。我们从有生命的东西来看看，就拿植物来作个比方。从种子发芽到长成结实，这个过程是一定的，用不着我们去担心。我们所要作的，就是一方面排除它生长的障碍，不叫石块压着它使它不见阳光，除去害虫，免去它受伤害。另一方面在它所需要的水份和肥料上作及时的供应，使它不致干瘦枯萎。有了这样的环境，它的生命就正常的生长直到成熟结实。

同样的，属灵生命的长大也是如此。消极方面要除去罪的障碍和伤害，积极方面要供应这生命所需要的。主耶稣曾经和门徒谈论到结果子的事，能结出果子来就是生命长大的证明。他用葡萄树来作比方，要结果子就得有修理干净，除掉那些不需要的和阻碍生长的；一方面又时刻不断的亲近主，与主相连，就有神的话作供应，又借着祷告得供应。我们先简单拢统的把这几件事看一看，以后再详细的分开来专一的看。

1、罪的除去

基督徒对罪需要有一个清楚的认识。在没有信主以前，罪怎样阻挡人不能到神面前去得怜悯，在得救以后，罪也是同样的阻挡人不能在神面前蒙恩典。虽然得救了的人不会因再犯罪而落在永远的灭亡里，但是犯罪却是很利害的破坏了神与人的交通，使人得不着神的供应，以致长大受了阻碍。我们常常看见压在石头底下的草，虽然还是生长着，但却是黄白色的长长一条，植物学上称这种现象为「细白长发」，是一种病态。造成这种情形的原因，就是因为石块把它压住，使它得不着阳光，就产生这种病态。我们又知道有一种致人于死的病，称为血管栓塞，就是在人的血管里有了一些东西，阻塞了血液在人体内的流转，使人身体内缺少氧气而导致人于死。罪对于基督徒的生命长大，如同压在草上面的石块，又如同血管里阻塞血液循环的东西，很严重的损害了属灵生命的长进。

因此，初信的人一开始就要注意罪的问题，不要再犯罪。若是犯了罪，赶快到神面前来认罪，求神赦免，不叫罪长久的停留在我们身上，破坏了我们和神的交通，得不着神给我们的供应。

2、要与神有交通

交通是一件的事实，从字面上来看，就是彼此有往来。我们要生命长进，就得常与神有来往，与他亲近，常在他里面，好使他也常在我们里面，这样就叫我们从他得着供应。枝子连在树上怎样得着供应，我们亲近主也就一样的得着供应，这是很自然的，我们稍微看看怎样与神有交通。

(1) 读经

在交通里与主亲近，主说："他的话就常在我们里面。"交通可以得着神的话，《圣经》就是神的话，要得着神的话就得好好的读《圣经》。我们日间吃饭供应我们身体的需要，同样的，我们要读《圣经》，得着神的话来供应我们属灵的生命。没有人可以不吃东西能长大的，也没有一个基督徒不读神和话可以得着长进，因为神的话可以帮助我们认识神的儿子。

(2) 祷告

亲近神的另一件事，就是祷告。祷告就是面对面的和神谈话，把我们心里所想的，所要的都告诉神。我们向神祷告，神也答应我们的祷告。在祷告和祷告得着答应里，不单是使我们得着供应，并且使我们很好的经历了神的信实与丰富。肯祷告的人，常与主亲近，就多得神的供应，属灵生命有了喂养，自然就长大了。初信主的人，一开始就得好好的学祷告。不祷告的人，无论如何是不会长进的，因为得不着神的供应，生命只好枯萎了。

(3) 聚会

除了读经与祷告以外，神还用着基督徒的聚会来供应人。在聚会里，神使人更深入的得着他的话，又经历与他同在的恩典，神也使他的丰满来供应在聚会里的人。因此，基督徒的生活中不能缺少聚会。追求长进的人定规是爱慕聚会的。

总括的说，追求长进，消极方面是要除去罪的阻碍，使我们与神的交通没有间隔。积极方面是要借着常常读经，祷告和聚会；很自然的就使我们多认识神的儿子，慢慢的长大成人。

五、末了的话

在我们还活在地上的日子，没有一个人能说他已经追求长进到了极峰之处。我们需要不停止的追求，一直到见主的那天。肉身会因着日子的过去而衰老，但属灵的生命却不能衰老的，越长大就越成熟。保罗自己见证说："…外体虽然毁坏，内心却一天新似一天。"(哥林多后书 4:16)在这里切切提醒初信主的弟兄姊妹，得救了就好好的追求长进，不停止的追求，直到神的儿子完全的充满在我们的里头，叫我们也能跟保罗一样说："照着我所切慕，所盼望的，没有一事叫我羞愧，只要凡事放胆，无论是生，是死，总叫基督在我身上照常显大，因我活着就是基督。"(腓立比书 1:20~21)。

第九章
《圣经》是神的话

读经:

"圣经都是神所默示的，于教训，督责，使人归正，教导人学义，都是有益的。"（提摩太后书 3:16）

"第一要紧的，该知道经上所有的预言，没有可随私意解说的。因为预言从来没有出于人意的，乃是人被圣灵感动说出神的话来。"（彼得后书 1:20~21）

读经是认识神的儿子的一个方法。因此，每一个基督徒不单要好好地读经，并且也要对《圣经》有一个准确的认识。对《圣经》没有准确的认识，就不会爱慕《圣经》上的话，同时也给魔鬼留下了地步，以致失去了《圣经》所带给我们的一切好处。所以我们在这里先来认识《圣经》。

一、《圣经》的来源——神的默示

世界上有许多各种各样的书，《圣经》也是其中的一种，但是我们却不把《圣经》和其他的书籍看成一样，并且尊重《圣经》过于其他任何书籍，又承认《圣经》对人有绝对的权威。为什么我们对《圣经》抱着这样的态度呢？简单的说，一般的书籍都是人来写作的，写的都是人要讲的话。但《圣经》却是神借着人来记录他的话，不是人的著作；他的来源是神，里面所记载的都是神要对人讲的话，正如<提摩太后书>3:16 所显明的，"《圣经》都是神所默示的。"

神的默示就是神直接和人讲了话，或者是神把他自己的意念放在人里面，叫人受感动来知道神要向人说的话，然后就把神的话记录下来。我们可以翻看几处的经文。"耶和华吩咐摩西说，你要将这些话写上，因为我是按这话与你和以色列人立约。"（出埃及记 34:27 。）"以下所记的，是摩西…向以色列众人所说的话。……摩西照耶和华藉着他所吩咐以色列人的话，都晓谕他们。"（申命记 1:1~3）。"耶和华的话临到我说，人子啊，你要告诉本国的子民说。…所以你要听我口中的话，替我警戒他们。"（以西结书 33:1~7）。"耶稣基督的启示，就是神赐给他，叫他将必要快成的事指示他的众仆人，他就差遣使者，晓谕他的仆人约翰。"（启示录 1:1）。从上面所看过的经文，我们就知道，今天我们所读的《圣经》，其中一部份就是神直接向人讲话的记录，尤其是在《旧约》部份，满了"神说"和"这是耶和华说的"这一类的话；在《新约》部份也是一样的满了"耶稣说"这样的话。所以《圣经》是神讲话的记录是没有疑问的了。

我们又从<哥林多前书>第 7 章那里，看到保罗解答教会的一些问题。我们看见好像是保罗自己一直在说话，讲出他个人的意见来。但是，我们看到末了，就看见保罗发觉并不是他在讲自己的话，而是神在他里头感动他说话，因此，他说："我也想自己是被神的灵感动了。"这是神把他的话放在人的里头，感动人来说出他的话的事实。

不管是神直接向人说话的方式也好，神把他的意念感动人的方式也好，这都是在神的默示的范围内。人把神的默示记录了下来，就成了我们现今所读的《圣经》。所以《圣经》本身就是神的话。我们承认《圣经》的绝对权威就是因为他是神的话，每个信主的人必须要清楚的准确的认识这一点。

这里有一问题，是很叫基督徒困惑的。人接受了神的默示，也记录了下来，既然是经过人的手，就很自然的掺进了人的成份，那么《圣经》就不能说全部都是神的话啦。事实上每一位写《圣经》的人，都在他所写的字里行间显出他个人的性格来。虽然是如此，但这事实一点也没有损害《圣经》完全是神的话的真确性。我们举一个子就是可以说明这一点。

比方说：一位国家的元首要向公民发出通告，他就把他的意思告诉了秘书，由秘书依照元首的指示写成了通告的草稿，然后交回元首审核，元首同意了，签署批准了，然后才正式印成通告发出。这个过程是很审慎的，不容许把元首的命令表达错。我们看，人的事情尚且要求这样的准确，何况是神要向人所说的话！神岂能容许有一点他的话以外的东西加进去呢！神把他的话交托给他所拣选来写《圣经》的人，当这些人把《圣经》写下来的时候，神虽然不是指定他们要用那一个字写出来，但神却管理着他们所用的每一个字，每一个字都有神的同意和承认，神不允许人所写出来的把他的心意表达错。人所写的既是有神的同意和承认，虽然是经由人写出来，但却完全是神的话。

因此，我们就下这样的一个结论：《圣经》不是人的著作；有写下圣经的人，但却没有著作《圣经》的人。《圣经》的作者是神的圣灵；圣灵感动人，把神的话写出来，《圣经》就是神的话。

二、怎样知道《圣经》是神的话

《圣经》是神的话不是一个理论，而是一个事实。许多人是利用一些理论来巩固他的权位，但《圣经》不需要理论来证明它本身的权威。因为《圣经》本身就已经足够证实他的权威，是神自己的话。我们可以从许多方面的具体事实来证明《圣经》是神的话。

1、从写《圣经》的人和圣经的中心内容看

整本《圣经》一共有六十六卷。写《圣经》的人一共有四十多位。他们中间有些人是作君王的，有些人是牧羊的，有些人是打鱼的，有的是医生，有的是读书人，有些却是无学问的小民。有些住在城市，有些住在山野。从写第一卷<创世记>一直到末了一卷<启示录>，中间经过了约一千六百年。虽然写作时间是那么长，写的人的出身背景又是那么复杂，又加上每一个时代人的思想的改变，但是，我们读《圣经》的时候，就发现《圣经》的中心内容是一气呵成的，一直是讲到神的救赎计划，里面没有矛盾与含混，只有更清楚的互相显明。如果《圣经》是出于人的著作，在这样复杂的写作背景里，内容一定有许多矛盾冲突的地方。

我在小学念书的时候，读过一课语文课。说有一个人，发现他吐的痰里有一根小羽毛，他怕得很，就去告诉邻居说他的痰里有根羽毛。他的邻居以后又告诉另外一个人说某甲吐痰的时候吐出了一根天鹅毛；事后这个人又去告诉别人说某甲吐痰吐出了一只天鹅，一吐出来就飞上天走了。这话传遍了全城，结果弄得许多人都跑来看这一个吐天鹅的某甲。这课文明显的给我们指出，人的话经过辗转相传，结果一定是变了质，也变了样。

人的思想和人的话时刻在变。《圣经》如果不是神的话，《圣经》的内容一定是前后矛盾，错误百出的，但《圣经》实在是神的话，因此，直到今日，世界上的人，事，物已几经变迁，时代变了，思想变了，生活方式也变了，但《圣经》却没有变；它仍然是真理，因为它是神的话。

2、《圣经》上预言的应验

神在《圣经》里面向人说出了许多的预言，这些预言都在历史上一一应验了。因为《圣经》是神的话，才有这样的事情发生。"我是耶和华，这是我的名，…看啊！先前的事，已经成就，现在将新事说明，这事未发以先，我就说给你们听。"（以赛亚书 48:8~9）。《旧约》里的先知，常是这样大胆的说预言；他们这样说不是由于推测或估计，因为预言的应验都在几百年以后，并且按着预言的字面应验。如果不是神的话，谁能预知几百年以后的事呢？

我有一个亲戚，他学了看相算命的玩意，常常夸耀他的预言准确，要指点人趋吉避凶，但是他自己却在打仗的时候死在乱枪之下。我们这些人，今天活着，明天如何？没有一个人能知道，但神却明明的给我们说出世上将来的事，一部份已经在历史上应验了，并且现今世界的大势也正循着神的预言在演变。

　　在这里举一个例子：犹太人是神的选民，这个民族的遭遇直接与神有关。神在《圣经》中预先警戒他们："倘若你心里偏离不肯听从，却被勾引去敬拜事奉别神，我今日明明告诉你们，你们必要灭亡，在你过约但河进去得为业的地上，你的日子必不长久。"(申命记30:17)。"你若不听从耶和华你神的话，不谨守遵行他的一切诚命律例典章，……这以下的咒诅都必追随你。耶和华必使你败在仇敌面前，……你必在万国中抛来抛去。"(申命记 28:15,25)犹太人在以后的日子，果然是去拜假神，神借着先知不断的警告，他们还是不悔改，神就使他们被掳到巴比伦。经过了七十年，神又照着<耶利米书>25:12 的预言上的应许领他们归回，这都是历史上已经发生了的事。但以后犹太人继续作神眼中看为恶的事，甚至杀了神的儿子耶稣，所以在主后七十年，神真的把他们分散到万国，到处受人欺凌践踏，被人抛来抛去，国土被别国霸占差不多两千年。在这种光景下完全应验了经上的预言，但是神又在预言中应许他们必能归回，重新建国。"当那日，主必二次伸手救回自己的百姓中所余剩的，……他必向列国竖立大旗，招回以色列被赶散的人，又从地的四方聚集分散的犹太人。"(以赛亚书 11:11~12)。"你当说，主耶和华如此说，我必从万民中招聚你们，从分散的列国内聚集你们，又要将以色列地赐给你们。"(以西结书 11:17)。三十年前，没有人相信犹太人能复国。历史上许多大国灭亡了就永远完了，没有一个能恢复过来，无论从地理环境上，或者是政治条件上，以色列是根本没有复国的可能。但是，神说犹太人要复国，人看为不能的事出现了，1948 年，以色列国就在他们原来建国的地上复国了。《圣经》上的预言就是这样准确的应验。

犹太复国不过是《圣经》上许多应验了的预言中的一个。《圣经》若不是神的话，谁能在二千多年以前就能说出现今所发生的事呢？

3、应许的确实成就

人讲的话常常会改变，要修改，甚至是完全推翻，但神的话就不能这样。神是信实的，他说过的就一定作，他答应了的就一定履行。神在《圣经》里给人许多应许，如果《圣经》是人的话，那么这些应许就会落空。但是一个非常真确的事实，就是《圣经》上的应许经过历世历代的信徒去支用，一直到今天，还是十分确实的兑现，因为"神的应许，不论有多少，在基督里都是是的。"(哥林多后书 1:20)就拿我们得救来看，神说"信子的人有永生。"我们信了的人，就真真实实经历了得永生，一相信就尝到赦罪的平安，从里面有了永生的喜乐。又比方说，"凡劳苦担重担的人，可以到我这里来，我就使你们得安息。"(马太福音 11:28)。真的，每一个愁苦忧伤的心灵，一来到耶稣那里，就得着安慰，难处就成为轻省。这是每一个信主的人都实在经历到的。圣经上的应许，虽然经过长时间的考验，但还是一样的直确的给人去经历，只有神的话才能这样的确实不变。

4、使人改变的能力

许许多多宗教的书籍，对道德的讲论与维持，我们承认有一定的价值，但是与《圣经》对人所起的改变的能力一比较，就显出神的话与人的话的分别来。

在南美洲梯拉得佛哥群岛上的土人，野蛮顽梗到极点，达尔文游历该岛以后就说："我宁愿去开化街上的狗，不愿去开化那些土人。"这话一传开，就有一位基督徒，名叫柏里兹，他要求前往该岛传道，他的工具就是一本《圣经》。十二年后，达尔文又到该岛去他发觉那些野蛮人已经完全改变了，文明了，不再吃人了。从前在我们中间有一位弟兄，本来是很反对主的，听见人信耶稣就讨厌，他为了要驳倒基督徒，他就去读《圣经》，要找出《圣经》的错来难为基督徒。等到他把《圣经》读下去，他不单不再反对基督，反倒信了主，并且甘心为着主的缘故受了许多苦，差点连命也没有了，但他一点不后悔，还是一样的爱主，向主忠心。

许多的书籍也能给人一些好影响，但却没有像圣经感动人那么深，改变人那么彻底，使坏人归正，使绝望的人有指望，叫信的人甘心为主舍去一切，甚至是性命。

5、考古发明的证明

《圣经》上所记载上古的史实，常受到不信《圣经》的人所反对，认为是神话，认为是不可能，但是近代考古学的发现，完全证实人的反对的无稽，和《圣经》上记载的真实。这里不举实例，因为另有专门讨论到这方面的书。但我们要问，比方说，当摩西写《圣经》的时候，他又不是历史学者，他怎能这样准确的知道在他以前一千多年的史实呢？而那些史实是历史上没有记载的，现在却被从地里发掘出来的文物证实了。如果摩西当日凭自己来写《圣经》，他所写的必定是荒诞无稽。但现在《圣经》上的历史事实，不单没有被考古学推翻，反倒得了更确实的证明。

6、《圣经》的遭遇

在人类的历史中，从来没有一本书像《圣经》那样曾屡屡受人攻击和反对。在初世纪的时期内，罗马皇帝为要消灭基督徒，曾经很利害的毁灭《圣经》。五世纪以后，罗马天主教又大大的残害《圣经》，不许教徒读经，也不给人收藏《圣经》；收藏《圣经》的人被查出来，就处以极刑。前几个世纪，无神论的学说兴起，对《圣经》的攻击与毁灭达到高潮。那时他们预言说再过一百年，《圣经》只能在博物馆中找到。那些反对的人早已尸骨腐朽了，但到如今《圣经》仍然是这样的流传。近世以来，反对《圣经》的浪潮甚至渗进了基督教的内部，就是那些称为「新神学派」的人，虽然他们中间又产生了好几个学派，但是对《圣经》的批评反对，比无神论的人还利害，要把《圣经》贬为一本人生哲学的书籍。不过，神的话是经得起试验的。科学上的理论时刻在修改，但神的话却坚立不变，虽然经过了许多风暴，却很奇妙的得保存下来，并且越发广传。

　　"耶和华啊，你的话安定在天，直到永远。"（诗篇 119:89）"耶和华的言语，是纯净的言语，如同银子在泥炉中炼过七次。"（诗篇 12:6）"这圣经能使你因信基督耶稣有得救的智慧。"（提摩太后书 3:15）。《圣经》是神的话，是神默示给人写成的，使人能以认识神和他的计划，并且知道他拯救的恩典与大能，又明白我们在救恩里的荣耀的盼望。我们要感谢神，因为他把《圣经》赐给我们。《圣经》既是神的话，是真实可信的，我们就当爱慕《圣经》，"像才生的婴孩爱慕奶一样。"（彼得前书 2:2）

第十章
读经的必需

读经：

"耶和华万军之神阿，我得着你的言语，就当食物吃了。你的言语，是我心中的欢喜快乐，因我是称为你名下的人。"（耶利米书 15:16）

"你的话是我脚前的灯，是我路上的光。"（诗篇 119:105）

《圣经》是神的话，这一点我们已经看过了。我们还要进一步的认识《圣经》的内容，好叫我们从里面被主的恩言吸引，好好的读神的话。

《圣经》分成《旧约》、《新约》两大部份，所以称为新、旧约全书。每一个见过全本《圣经》的人，都应该知道这一点。但是为什么有这样的区分呢？大体上来说，这个区分是由于人与神发生关系的根据，也可以说是《旧约》和《新约》的内容的特点。人犯罪堕落以后，神要恢复人与他和好的关系，他拣选了以色列这个民族，要借这个民族来彰显神，透过他们把祝福带给列邦。因此，神把律法给了以色列人，与以色列人立了约；就是称为旧约的约。这约告诉人说：神是圣洁公义的，人要得神的祝福，就得按着神在律法上的要求作好，如果作不好，就要受咒诅。所以说，在《旧约》里，律法是人与神发生关系的根据。简单的说，人是要靠自己作好来见神。一切靠自己作好去见神的，都是律法的原则。但是，人的本性是坏透了的，作好是作不来，律法反倒成了定人罪的根据。人在律法的定罪下绝望了，神就改换另一个原则来对待人。这个原则不再是律法，而是恩典。这个恩典的显明，就是因着神的儿子耶稣在十字架上替人死了，又复活了的事实。神的儿子用死来满足了律法对人的要求，从死里复活就把神的恩典带到人间来。神以他儿子的死再与人立约；就是新约。从此，人不再根据律法到神的面前，而是根据恩典到神面前来，借着信神的儿子得蒙神的悦纳。

在旧约是律法；就是神摆出一个标准，人就得努力的挣扎赶上去，结果人在律法面前倒下来。在新约是恩典，是神自己替人作完神的要求，不再要求人作什么了，只是摆出一个方法，就是因信得救的事实，人不再靠自己去见神，单靠神的儿子就蒙悦纳。这是从《圣经》的内容特点来认识新约和旧约。所以，简单的来说，在耶稣降生以前的时期，称为旧约时期，这时期内的《圣经》就称为《旧约圣经》。在耶稣降生以后的时期，称为新约时期，这时期内的《圣经》就称为《新约圣经》。

《旧约圣经》由三十九卷书合成，其中包括摩西五经，历史书，诗歌和先知书。《新约圣经》共有二十七卷书，其中有四福音，教会历史，书信和启示录。全本《圣经》一共有六十六卷。虽然有这么多的书卷，但是全书的大题有一个很明显的中心，就是为神的儿子耶稣基督作见证。我们如果把每一卷的《圣经》分开来看，我们还是看到每一卷的中心仍然是讲及耶稣基督。比方说<箴言>，从表面上看，好像是人生的格言，但留心的看，我们就看出它的中心是讲耶稣基督是我们的智慧。又比方说，《旧约》的<传道书>，表面上看，好像在对人生的虚空叹息，但仔细去领会，我们就发现这一个事实，耶稣基督是我们的满足。在《圣经》上有许多预表的事物，有预言，也有许多的应许。这些预表，预言和应许的中心都是在于主耶稣基督。比方说，<出埃及记>12章所记的逾越节的羔羊，就是预表了主耶稣替罪人流血舍命，凡与这血有关系的人，都可免去神的刑罚。又如<启示录>预言到将来要发生的事，在这些事里，中心的人物就是主耶稣，一位在荣耀里的主耶稣。再说，神给人的一切应许，如果不借着主耶稣，根本就不会临到人。比方说，我们的祷告得答应，就是因为主应许我们奉他的名向神求的结果。总括的说，《圣经》的内容是神对人的整个救赎计划，借着主耶稣来预备，来完成。我们现今所享受的救恩，就是这一个荣耀的计划里的一个重要部份。

《圣经》实在是一本举世无匹的珍贵的书，我们不要对它疏忽。人普通的习惯，越是珍贵的东西，越要收藏起来，恐怕会把它失去。但是对于《圣经》，我们却不能这样的收藏起来，如果收藏起来，《圣经》里的珍宝就与你无关了。反过来，常常接触《圣经》，从里面吸收神的话，《圣经》里头的珍宝便越过越多的给你得到。因此，每一个信主的人，必须要好好的读《圣经》，吸取神的言语。

为什么一定要读经呢？

我们要从几方面来看。

1、读经使我们的生命得着喂养

每个信主得救的人，除了从父母所得的肉身生命以外，他还从神那里得着属灵的生命。我们的肉身生命怎样会感觉饥渴，需要得到食物；同样地，属灵的生命也会感觉饥渴，需要得到喂养。所以，除非没有真的重生得救，不然的话，生命里一定在神面前感到饥饿，要寻找粮食。属灵的粮食与物质的食物是不能交换的，物质的食物只能解决人肉身的需要，属灵的食物才能解决属灵生命的需要；并且物质生命的饱足，也不能停止属灵的饥渴。神把《圣经》赐给我们，作我们属灵的粮食，我们灵里的饥饿，唯有神的话才能给我们饱足。

有一位从小就听过福音的人，他一直等到过了四十岁才真实的信主。他一得救，马上就感到里面有饥饿，很自然的就去读《圣经》。不单是读，而且是拼命的读，晚上读到深夜，也不愿停止。他说："从前没有真信主，看见《圣经》就讨厌；现在信了主，看见《圣经》就开心，巴不得能一下子把全本《圣经》都读完。"每一位信主的人，都会有这个感觉，虽然不一定像这位弟兄那样利害，但一定有这个需要，因为是很自然的，饿了就得要吃，不吃就会饿坏。我们的生命要长大，一定要读神的话，不能叫生命饿坏。

<马太福音>4 章里，主耶稣在魔鬼面前很绝对的宣告说："人活着不是单靠食物，乃是靠神口中所出的一切话。"这是很清楚的，缺少了神的话，人一定是活不好。主耶稣不否认我们需要有物质的饮食，但是他明明的说，单有物质的饮食就不够，一定要有神的话。我们千万不要忽略这一点。许多基督徒，他们的想法就和主的话相反；主说人一定要得着神的话，他们说："可能的话，我们很愿意得到神的话。"他们说这样的话，实在是让生命饿坏了，不要吃生命的粮食了；如同我们饿

得太利害，到了吃的时候却咽不下去。他们心里定规，看报纸不能缺少，娱乐不能缺少，读书不能缺少，唯独神的话可以缺少。这就错得太利害了，主既然说要靠神的话来活，就一定不能缺少神的话，不然就一定饿坏，不会长大，基督徒就作不好。我们宁愿缺少别样东西，也不能缺少神的话。初信主的人，一定要认清这个事实，要好好开始读神的话，千万不要疏忽了生命的需要。

一位姊妹，信主的时候还不认识字，信了主以后，心里有极大的饥渴，很爱慕读神的话，她就请人帮她忙，教她认字，她也用功去学，因为心里渴慕神的话，不到一年的功夫，她大体上可以自己读经了。她每天都读，一有空就读。真的，得救的人，里面一定有需要，必须要读神的话来得饱足。

2、读经可以保守我们的生活不出乱子

还没有信主以前，我们的生活行动都是根据我们的爱好，也为了满足我们各种的欲念，结果我们便犯了各式各样的罪，得罪了神。我们信了主，有了神的生命，生活上自然的有了转变，但是因为我们的老性情仍然留在我们的身上，并且长久的犯罪生活，总叫我们在生活上赶不上神的圣洁，甚至不领会神对人的心意，这实在是我们信主以后的一个现实问题。每当犯罪以后，不单

心里对自己有责备，并且还常会埋怨自己又陷在罪里，我们如果读神的话，就会常常受提醒，或者说得着神的话作保护，不致在生活上出岔子。有些事情错了，还有挽回的机会：但有些事情错了，却永远不能挽回。不管是能挽回或是不能挽回，作错了就不是一件好事，对人的身心都有损害，甚至使人长久的后悔，更悲惨的就是远离了神和他的恩典，终日被愁苦刺透。

"你的话是我脚前的灯，是我路上的光，"我们现今所生活的环境，无论在什么地方，都是一样的满布着魔鬼所安设的网罗。它没有办法叫我们不接受主，但是它还是用尽办法来使我们远离神和神的恩典。我们稍为不留心，就会上了它的圈套。我们如同在黑夜里行走，一下就会摔倒。但是，感谢神，他把《圣经》作我们的道路上的亮光，给我们照明，保护我们不失脚。"我将你的话藏在心里，免得我得罪你。"(诗篇 119:11)。又说"少年人用什么洁净他的行为呢？是要遵行你的话。"(诗篇 119:9)、神的话明明的提醒我们，把神的话藏在心里的，又遵行神的话的人，他们在神面前是正直的。但是，若不读神的话，神的话怎能藏在我们心里呢？神的话怎会在我们里面起作用，洁净我们的行为呢？

一位姊妹信主以后，不读《圣经》，平日也不注意神的话。以后，她和一个不信主的人结了婚。在没有结

119

婚以前，那个男的给她说了不少甜言蜜语，她也在幻想自己婚后的生活怎样美满。初结婚时，也真有点像她的盼望一样舒服。但是不久，她的丈夫在外头的生活越来越胡闹了，叫她的心受了许多的苦，常常背着人痛哭。等她在生活上受到折磨，她才开始读《圣经》。一天，她读到<哥林多后书>6 章 14 节，"信与不信原不相配，不可同负一轭。"她极其后悔，她说："假如我从前也读圣经，我一定不会跟一个不信主的人结婚，我就不会落到现今这样凄惨的光景里。"这的确是真诚的话。神用着他的话来引导我们生活，叫我们受他的话保护。我们不读《圣经》，便失去了这一个保护，结果总是我们受亏损的。

又有一位弟兄，在一个政府机关里作事，他很爱主，常常读主的话。在他工作的地方，同事们对公家的物品不大重视，常用公家的东西作私人的用途，还以为是寻常的事。但是，这位弟兄心里有神的话，"人在最小的事上忠心，在大事上也忠心，在最小的事上不义，在大事上也不义。"(路加福音 16:10)。因此，他把公私的界限分得很清楚，尽管人家取笑他何必这样认真，他从不私用公家的物品，那怕是一张信纸这么小的东西，他也不肯越份。后来，政府发动了一次反对贪污，整顿公务员的不良风气的运动。许多人受到责备和处份，这位弟兄反倒得着褒奖。神的话引导他生活，神的话保守了他的正直行为，使他脱离了叫人后悔的事。

<马太福音>4 章里记载着，主耶稣在地上作人的时候，魔鬼三次给他试探，叫他犯罪，但是主耶稣每次都是用神的话去抵挡了魔鬼。连主耶稣作人也是根据神的话来生活，我们就更当多读神的话，依据神的话来活，保守自己不离开神的恩典。"你要以你的训言引导我，以后必接我到荣耀里。"(诗篇 73:24)。

3、读经使我们认识神的计划

人类堕落离开神以后，可以说对神和神的作为是毫无所知的。就是我们这些信了主的人，对神的认识也没有增加很多。但在我们与神的中间，我们有一个要求要认识神和它的作为，如同保罗所说："我以认识我主耶稣基督为至宝。"(腓立比书 3:8)。神也有一个要求要我们对它"不要作糊涂人，要明白神的旨意如何。"(以弗所书 5:17)。这双方面的要求只能借着读《圣经》来解决。"从前所写的《圣经》，都是为教训我们写的，叫我们因《圣经》所生的忍耐和安慰，可以得着盼望。"(罗马书 15:4)。我们所以有盼望，就是因着读《圣经》认识了神和他的计划，因此而产生了盼望，"叫你们的信心和盼望都在于神。"(彼得前书 1:21)认识了神就有盼望，不认识神就接触不到盼望。在《圣经》里满了关乎神和神的计划的知识，读《圣经》就能认识这一些，认识了就会实际去经历这一些。

比方说，我们得救就是借着对《圣经》的话，若是没有《圣经》，谁能知道神的圣洁公义要审判人，因而要寻找神的怜悯呢？谁又能知道主耶稣在十字架上的死是我们的拯救？若是不读《圣经》，传道人也讲不出神的话来，我们也不会得着神的救法。"这《圣经》能使你因信基督耶稣有得救的智慧。"(提摩太后书 3：)。不单是得救，在神的计划里还有主再来的事，建立国度的事，主要带我们进入永世的荣耀，我们在基督里得着神的一切丰盛。……另外关于神的全足全丰，神的智慧和能力，神的怜悯和体恤，神的圣洁与完全，……我们若不读神的话，我们就不会深识这一切，那么我们属灵的损失就太大了，应该满有喜乐与指望的人，却活在贫乏与可怜里。我们千万不要愚昧到这个地步，不去读神的话。

4、读经使我们常得供应

"惟喜爱耶和华的律法，昼夜思想，这人便为有福。他要像一棵树栽在溪水旁，按时候结果子，叶子也不枯乾。"<诗篇>1:2~3 的话明明的告诉我们，一个常常读神的话的人，他每时每刻都活在神的供应中。这是何等宝贝的事实！在地上的生活，我们所需要得的供应实在太多了，其中许多的需要不是从人中间可以得着。比方说，我们落在难处里，有谁能真实的安慰我们呢？或者心灵幽暗的日子，谁可以作我们心里的力量呢？在担着愁烦的重担的光景中，谁能使我们得享安息呢？还有许许多多的遭遇，难得有人了解与同情。但是，在《圣经》里满了神给我们各种各样的应许，这些应许都是把主耶稣带给我们作供应，使我们心里有力量，灵里也饱得滋润。

一位弟兄，在所遇到的环境中，使他受了许多的折磨，心里十分的愁苦黑暗，他自己也到了没法忍受的地步。在顶难过的时候，他得着了神的话，"我不撇下你们为孤儿，我必到你们这里来(约翰福音 14:18)。主的话一来，这位弟兄就释放了，里面得了供应，不再愁苦了，反倒满了喜乐。主的话就是这样的供应人。平常时刻读神的话，把神的话积蓄在我们里面，到了需要的时候，神就让他的话出来供应我们，我们就脱离自己的穷乏，进入神的丰富恩典里。

末了，在这里要指出一个事实，每一个深深认识神，又丰富经历神的恩典的人，我们一定能发觉这人有顶好的读经生活，多读神的话就多得神的恩惠；少读神的话，就难得神的恩惠。<诗篇>119 篇是一个认识神的话宝贝的人所写的，里面充满了对神的话的爱慕。"我羡慕你的训词，……我倚靠他的话，求你叫真理的话，总不离开我口"(诗篇 119:40,43)。求主把爱慕神的话的心赏赐给我们。

第十一章
怎样读《圣经》

读经:

"按着正意分解真理的道。"（提摩太后书 2:15）

"这地方的人……甘心领受这道，天天查考圣经。"（使徒行传 17:11）

"求我们主耶稣基督的神，荣耀的父，将那赐人智慧和启示的灵，赏给你们，叫你们真知道他。"（以弗所书 1:17）

每一个愿意读《圣经》的人，一开头定规会碰到同样的难处；那么厚的《圣经》，不知道从哪里读起？再并到一些不容易明白的地方，对于读《圣经》就灰心起来；这也是魔鬼的诡计，叫人不再爱慕神的话。笔者谨就个人在读经上的一点实际体会，把读经的方法具体的写出来，给初读《圣经》的人作一个参考。

在没有开始读经以前，有一件事要注意的，就是要把《圣经》每一卷的次序，和每一卷的简称记熟。这样一面帮助我们读经的时候方便些，另一面又使我们在聚会中找《圣经》节容易些。现在请读者把你的《圣经》

翻到开始的第一页，就是目录的那页，你会发现《圣经》每卷的次序和简称。对于简称，每一位都要记熟"创"就是<创世记>，"出"就是<出埃及记>，"太"就是<马太福音>，"罗"就是<罗马书>，我们必须熟习这些简称所代表的某一卷《圣经》。其次，就是关于《圣经》的次序，在这里写出一个口诀，帮助大家去记忆《圣经》的次序，凡是有上下卷的，我们把它并为一。读者可吟通这口诀来记忆各卷次序。

旧约部份：创出利民申，书士得撒王代拉，尼斯伯诗箴传歌，赛耶哀结但，何珥摩俄，拿弥鸿哈，番该亚玛。

新约部份：太可路约徒罗林，加弗腓西贴提多，门来雅彼约犹启。

谈到读经的方法，大体上有两种：一是略读，一是精读。但不管是略读或精读，都得要有系统的读下去；不要随便翻到那里就读到那里，应当是一次紧跟上一次的次序来读，一直读下去，直到把那一卷读完。每一个读经的人，都要采用这两种方法：若是单采用一种，读经一定读不好。略读可以使我们很快的把《圣经》读完一遍，了解《圣经》的大概内容。精读可以使我们深入的领会神的心意，能以好好的讨神喜悦。无论是略读或是精读，我们都该有很认真和严肃的态度，等候神借着《圣经》对我们说话。

一、略读

略读既是使我们能大体上领会《圣经》的内容，我们就不能因为读的速度较快，就可以马虎一点。读经的人总不可存马虎的态度。我们很愿意每一位信主的人，能够在一年内把《圣经》从头到尾读一遍，读完了又开始读第二遍，第三遍，一直这样的一遍又一遍的读下去。许多在神面前大蒙恩典的人就是这样的吸收神的话。初信的人别以为这是一件很难作的事，如果心里有作难，这实在是出于魔鬼的打岔，拦阻你不能在神的话上得恩典。我们算一算每天花在读报纸或其他书籍的时间，再来比对一下我们读经的光景，我们就会发现自己是何等的愚昧。虽然整本的《圣经》是那么厚，若是我们在一天内能读两章的《旧约》，一篇诗篇和一章《新约》，那么一年内，我们不只能把《圣经》读一遍，并且也能开始第二遍。一天读四章《圣经》，对一个渴慕神的话的人来说，一点也不难，因为只不过用二十分钟的时候就读完了。不过我们不愿意读经的人硬性的为自己定规每天要读多少，这样很容易给魔鬼留下控告人的地步。一年一遍，每天四章，只是给读经的人作一个参

127

考的根据。时间多，我们多读一点，时间少就少读一点。

二、精读

至于精读，我们要多用一点话来看一看，因为精读不像略读那样简单，只把事实大体读过就行。精读是要细心的读，读的量不要太多，一小段或是一个意思就够了。但却是要翻覆的思想《圣经》的意思，要从其中领会神的心意。下面列出一些要注意的事情，可以帮助我们好好的去吸收神的话。

1、要准确的注意事实

许多人读神的话，很不注意这一点，结果造成一些不是《圣经》的东西，硬要说成是《圣经》的东西。比方说<马太福音>13 章的芥菜种的比喻，芥菜变成树，明明是讲到变了质的问题，但是却有人硬要说是基督教发展很快的现象，这不是《圣经》的事实。又比方说，《圣经》根本连提也没有提到主耶稣是在 12 月 25 日降生，但是许多人却硬说这一天是主降生的日子。又比方说，《圣经》明明的说，人得救不是靠行为，而是因着神的恩典并人的相信，但是也有人不顾《圣经》的事实，单凭个人的的幻想，结果一直在得救的问题上苦恼了自己，也影响了他人。因此，在深入读神的话的时候，一开始就得建立好这一个观念，《圣经》怎么说我们就怎么说，不增加也不减少。

没有这个读经要准确的观念，很容易便走入断章取义的危险里。历史上许多异端发生的原因，其中有一样就是从《圣经》中断章取义，把《圣经》的完整割裂了。比方说，有一些称为基督徒的人，他们说，主耶稣来世的目的就是给人一个博爱，牺牲自我和服务大众的榜样。他们根据<马可福音>10 章 45 节："因为人子来，并不是受人的服事，乃是要服事人。"但是这节《圣经》没有完，主的意思也不是停在这里，底下还有"并且要舍命，作多人的赎价。"这里按着《圣经》的事实，主自己说他作人的态度是为人服务，但他降世的目的却是舍命作为人在神面前的赎价，使人得救，与那些人所标榜的完全不一样。不顾《圣经》事实的准确，断章取义的领会《圣经》，常是私自改变神的话，败坏了人的信心。因此，要避免断章取义，一定要注意上下文的话，把《圣经》的完整事实，完整的意思读出来。不注意上下文，除了会发生断章取义以外，还常使读经的人不容易明白《圣经》的话。

2、要读出圣经的原则

《圣经》里面充满了神的各种属灵的原则，读经的人要留心把《圣经》的原则读出来，凭着所读的原则去追求及领受神的恩典。有些原则的问题，很浅白的就在字句上表达出来。比方我们读加拉太书，很明显给我们看见，我们现今与神发生关系，不是根据律法（人自己作好）的原则，而是根据恩典的原则，一切都是神的怜悯。又举一个例子说，"因我们行事为人，是凭着信心，不是凭着眼见。"（哥林多后书5:7）。这里又很明显的给我们指出"信心"的原则来。在新约的时候，神很注意到人的信心，人是凭信与神发生关系，人又是凭信而接受一切属灵的并生活上的恩典。"信心"是《圣经》上一个很大的原则。除此以外，还有"信与不信原不相配，不可同负一轭"，"肢体应当彼此相顾，不可分门别类。""凡事讨主喜悦。"……读《圣经》的人要透过《圣经》的字句，认识《圣经》的原则，就根据这些原则来生活。

在《圣经》的一些史实的记载里，虽然有些没有明显的用文字写出原则的字句来，但是仔细的思考那事实的内容，属灵的原则就给发现出来。举一个例子说，在<利未记>献祭的事上，我们会读出，人在神面前蒙悦纳，与献祭的人本身的光景完全无关，他过去是"好"是"坏"一点也不起作用，只要那人真诚的寻求悦纳，他得蒙悦纳完全是在于他所献的祭物。祭物对，献祭的人就对；祭物好，献祭的人就好。这祭物自然是指着神的儿子，神的儿子在神看来不只对，而且好。我们凭着我们的祭物主耶稣，神就完全的悦纳了我们。这样，基督就是我们的一切，所有在基督以外的，与神完全无份无关。

又再举一个例子说：在旧约，神借着会幕里的约柜住在以色列人当中，给以色列人祝福。<撒母耳记上>第4章记载，以色列人当时犯罪远离了神，那时他们和非利士人打仗，屡打屡败，他们以为把神的约柜抬出来一同上阵，一定能打胜仗。但是，那结果与他们所想的相反，不但没有打胜，并且连约柜也被敌人掳去。

我们若细心去读这一段历史，我们一定能发现，神不是注意外表现象的，而是注意里面的实际。虽然约柜是神同在并赐福的表号，但人的罪已经使神远离了。虽有约柜的外表，但却没有神同在实际。这就是<罗马书>2:19的"在乎灵（里面的实际），不在乎仪文（外面的表现）。"

3、明白神的心

《圣经》是神的计划和他作工的记录，因此除了神本身以外，还包括了人的光景和魔鬼的作为。虽然有这三方面，但我们在读经的时候，却要特别注意到神的心。我们稍微留心一下，就会发觉《圣经》充满了神的感情。我们能领会神的感情，接受神的感情，就叫我们属灵的生命大大的蒙福。

举一个例子来说，<创世记>6:5~6："耶和华见人在地上罪恶很大，终日所思想的尽都是恶，耶和华就…心中忧伤。"我们从其中就看出了，人的背叛是怎样伤了神的心；我们若是蒙恩认识了神的人，岂可再活在罪中来伤神的心哩！又说，<以赛亚书>1:2~3，"天啊，要听，地啊，侧耳而听，因为耶和华说，我养育儿女，将他们养大，他们竟背逆我。牛认识主人，驴认识主人的槽，以色列人却不认识我，我的民却不留意。"神对人的怜惜，人却背逆而伤透神的心，我们看见神的感情在人的身上是何等的重，我们岂能继续向神顽梗悖逆下去呢！

我们再看一个例子。比方说，我们很熟悉的<约翰福音>3:16："神爱世人，甚至将他的独生子，赐给他们，叫一切信他的，不至灭亡，反得永生。"我们可以这样思想：神爱世人，我是世人中的一个，因此神也爱我。为什么神要爱我呢？我就会想到，因为我是一个罪人，神若是不爱我，我一定在他的审判中永远灭亡。神爱我，不愿意我灭亡，他就把他的儿子给了我，替我在十字架上死。神有多少个儿子呢？只有一个。哎唷，怎么他只有一个独生子，也肯为我舍去呢？啊！神实在爱我到了极点，如果神有几个儿子，为我舍去一个，已经是不得了的事。现今他只有一个儿子，但为着我不至灭亡，他宁愿他的独生子死，也要我能活。神的爱举世无匹，没有为他自己留下什么；他看我能脱离死亡比什么都重要，神是这样的爱我，我也甘愿完全的爱神，因着他，我也不为自己保留什么。

的确，我们在神的话里明白了神的心，实在是一个顶大的福气，不单是领会神的爱，也领会神的公义，神的圣洁，神的智慧，神的大能与神的所有和所是。

在我们读经的时候，可能的话，最好能预备一个笔记本，把读经的心得和亮光，或者是神借着《圣经》对自己讲的话，简单扼要的作一点笔记，或者直接写上在《圣经》上空白的地方。这样作，会叫我们更牢固的得着神的话。

除了略读和精读以外，还有一个读经的方法，就是按着真理的专题来读。初读经的人当然说不上用这个方法，因为需要有对《圣经》知识相当熟悉的基础。但是为了自己更深的受造就和帮助人认识神，经过了一个时期，我们也得要有关于基本要道的读经，对《圣经》内各个真理，如恩典与律法，得救，主再来，教会，与主同死同活，……都有一个清楚的认识，叫我们实际的扎根在主耶稣和神的话上面。

三、一点提醒

《圣经》是由圣灵启示来的，因此，读经的人也需要圣灵的帮助来明白神的话。因此，我们每次开始读经以前，都要先祷告，求主借着圣灵开通我们的心，为我们解开神的话，叫我们得见亮光，又把属灵的悟性赏赐给我们，叫我们能领会神的话。读经完了，又把读经所得的亮光，作祷告的内容，再向神祷告，也感谢神用《圣经》来供应了我。

因着我们属灵的经历所限，在读经的时候，常会碰到一些难明白或者感到枯燥的地方，这是一定有的事情。因此，读经的人不必作难，就暂时越过这些地方读下去好了。等到以后再读到这个地方，也许我们就会明白过来了，或者我们可以去问问别人，也可以从他们那里得明白。总而言之，不要受不明白的经文来扰乱我们读神的话的心。

四、读经的时间

究竟要多久才读一次《圣经》呢？《圣经》既是我们生命的粮，我们可以另外问个问题，我们究竟要多久才吃一顿饭呢？这个答案一定是"每天都要吃，一天吃两顿或三顿。"同样的，我们读经也应该是每天都要读。

读经最好的时间，是在清晨，不光是环境安静，人的心灵也很苏醒，在这样的情形下读神的话是最好的。并且在每日的生活一开始就和神有接触，有交通，这是十分蒙恩的事。清晨的时间用来精读神的话是最合宜的。为着能清早起来，就不能不注意晚上休息的时间，非不得已，不要太迟睡，不然清早就起不来。除了在清早精读的话，再在其他的时间或是晚上略读神的话。

一般来说，我们在读经上的一个难处，好像就是很不容易找到时间。这问题好像是很现实，但实际上是很不现实的。我们稍为计算一下每天生活的时间，我们一定会发觉在一天当中，我们浪费了许多的时间去作一些可有可无的事。甚至是无所事事的白白让时间溜过去。因此，我们若抓紧时间，好好的安排一下，时间决不是一个难处。有一位弟兄，每天从早上六时半开始上班，除了中午短短的休息，一直到晚上九时过才下班回家。虽然时间这么紧，因着里面有饥渴，这弟兄很好的安排他的时间，每天还能用一个多钟头与神交通。再说，一天二十四小时，我们自己用了绝大部份，但要找一个时间与神亲近也找不到，这是讲不过去的。

五、读经的人

末了，还要谈谈读经的人。上面说了许多方法的问题。但是属灵的事情，最要紧的不是方法，而是人的自己，如果人不对，方法对了也没有用处。所以，一个读经的人，必须深深感到自己在神面前是饥渴的。读经不是基督徒的责任与本份，而是基督徒的需要，如同吃饭不是人的责任，而是人的需要一样。"他叫饥饿的得饱美食，叫富足的空手回去。"（路加福音 1:53）。求主使我们对他的话够饿。

"从前所写的《圣经》，都是为教训我们写的。"（罗马书 15:4）。读经的人不单对主的话要够饿，并且读过主的话就立志去遵行，根据主的话去生活。《圣经》上神的命令，我们毫不迟疑的去遵行；《圣经》上的历史，我们从其中取得提醒与鉴戒；《圣经》上的原则，我们作为生活的依据。我们抱着这样的存心和态度来读神的话，神必使我们常在他丰富的恩典中。

第十二章
祷　告

读经:

　　"只要凡事借着祷告，祈求和感谢，将你们所要的告诉神。"（腓立比书 4:6）

　　"所以你们祷告，要这样说。我们在天上的父。"（马太福音 6:9）

　　"神是个灵，所以拜他的，必须用心灵和诚实拜他。"（约翰福音 4:24）

　　基督徒的长进，不单要好好的读经，也要好好的祷告来亲近神。祷告是基督徒的权利，随时随地，我们都能借着祷告来到神面前，得怜恤，蒙恩惠，接受及时的帮助。我们若回想没有信主以前，离开神是那么的远，并且伏在神的忿怒底下，现在靠着主耶稣，可以坦然的亲近神，我们就一定十分宝贵这个祷告的权利。

　　初信主的人，常常感觉在祷告上有困难，不大敢祷告，甚至有些人以为祷告是件很神秘的事，轻易不肯祷告。原因就是对祷告没有清楚的认识，以致心里有惧怕和胆怯。所以我们先来看一看，究竟祷告是什么一回事。

一、祷告是什么

过去有一次传福音聚会完了，有一位表示愿意信主的朋友问我一个问题，他说："基督徒祷告是不是等于念咒，要念一些咒语？"这个问题好像是很可笑，但也代表了一部份的人对祷告的认识。我当时对他说："祷告不是念咒，也没有一定的咒语。"事实上，我们祷告没有一定的形式，也没有一定的说话。简单的说，祷告就是谈话，如同我们在日常生活中与别人谈话一样。只是有一个分别，就是祷告的对象不是人，而是神。祷告就是与神谈话。

谈话不是一种仪式，祷告也同样不是一种宗教仪式，有人把祷告看作宗教仪式，这也是看错了。仪式不过是外面的虚假仪文，也许有一定的意义，但却没有实际的东西。祷告却不是这样，外面看好像是仪式，但实际上有神与人交通的事实的存在。人把心里的话告诉神，神听了人的祷告，也答应人的祷告。我们祷告实在是得着神答应的，这是真实的经历。有些人根本和神没有关系，他们学着祷告的样式，那不过是向空气说话，当然是得不着神的答应。因此，他们把祷告看作宗教仪式，这是可以理解得到的。

二、祷告的对象是神——我们在天上的父

学习祷告，一开始就要很清楚的知道，我们是向神祷告，神也听人的祷告。<诗篇>4:3 的话这样说："我求告耶和华，他必听我。"又在<诗篇>5:3 说，"耶和华阿，早晨你必听我的声音，早晨我必向你陈明我的心意。"祷告既然是向着神，我们在祷告时就得要注意，祷告不是说给人听的。因此，有两方面我们要留心。一些初信主的人，因为怕别人笑他祷告不够清爽流利，就一直不敢开口祷告。这个"不敢"实在是不需要的，祷告既然不是给人听的，我们祷告不要让人来影响。即使有人真的会笑，就让他们去笑好了，只要神肯听我们祷告就够了。我劝初信主的基督徒，放胆的祷告，不必怕人笑。会笑人祷告的，恐怕他们自己在属灵的学习上，也是很肤浅的。这是头一方面。另外一方面呢，我们祷告千万不要向着人。有些人祷告根本就不是在祷告，因为他们一直在"祷告"里向着和他们一块祷告的人说话，是说给人听，而不是说给神听的。甚至有人借着祷告来发泄自己的私怨，这是很不应该的。如果不是向神祷告，就不要祷告，免得在祷告上得罪了神，也惹起人的厌恶。

神听我们祷告，他用什么身份来听我们的祷告呢？我们若是明白了这一点，他对祷告便不会再有难处，也

不会有重担了。门徒曾经请求主耶稣教他们祷告，主也教导他们，一开始就让门徒知道，听祷告的神就是我们在天上的父亲。这一个关系何等甘甜，给我们说出了，我们向神祷告的时候，我们站在儿子的地位上。我们祷告，就是儿子和父亲讲话，神也实在是我们的父亲。儿子和父亲讲话，是何等的无拘无束！又是何等的自由！除非是背逆的儿子，不然的话，父子的谈话实在是爱的享受。我们都作过人的儿女，或者也作过人的父母。从我们实际的生活里，我们很体会父子的爱情。你看那些小孩子，从学校回到家里，很自然的就和父母说这个，说那个。我们到神面前祷告，也应该是这样。

有些人心里想，我祷告的话又少，又不流利，也许神都不要听我这样蹩脚的祷告，还是不要祷告吧！如果你这样想，你就错了。从前你没有信主，你没有祷告，现在信了主，你要祷告，自然是不习惯和生硬。但是多祷告了，这种生硬就不会再有的。我们来看这个比方：初学讲话的小孩子，发音多是不准确。他用不准确的话来叫爸爸妈妈，那作爸爸妈妈的听见小孩子发音这样不准确，是不是心里很不高兴，不要听这小孩子的说话呢？不会的。不单是不会，反倒因为孩子会讲话了，心里十分的快乐。如果孩子长大了不会讲话，是个哑巴，那才叫父母为他担忧呢！我们在天上的父也是如此，一点不会因为我们祷告生硬而不要听。若是我们不祷告，天上的父就要为我们难过了。小孩子初讲话，语音单调，也不大有内容，长大一点，说话就多了，及至长大成人，说话就有份量，有内容。我们开始学祷告也是一样，一定是经过生硬的阶段，慢慢操练就会老练起来。所以初学祷告的人，不要看信主日子长的人怎样祷告，只要看准自己是儿子，来到天上的父那里和父亲谈话，我们心里就不会有难处了。

还有些人在祷告以前，就想好或者写好一篇祷告文，祷告的时候就背出来或是读出来。我要提醒初学祷告的人，千万不要这样，祷告不是写文章，也不是对神演讲。神只是听人祷告，不要听人向他演讲。你想，儿子去和父亲谈话，要不要先拟一篇讲词，安排好谈话内容的先后次序，用什么话开始，又用什么话结束呢？当然是不需要。除非是对父亲别有用心，才会预先拟好谈话的句子。我们来到天上的父面前，就像儿子恋慕父亲一样，用不着写文章和作祷告词，自自然然的把心里的事讲完就行了。

我们感谢主耶稣，他给我们看见了这个宝贝又甘甜的关系。神是我们的父，我们是神的儿女，所以一切叫我们在祷告上发生胆怯或惧怕的想法，都是没有根据的。我们放胆去祷告，因为祷告是我们的权利，也是我们顶高的享受。魔鬼顶喜欢人不祷告，我们不要受它的欺骗。要认识我们本来不配到神面前，更不必说能和神谈话。但现今我不单是可以坦然的进到神面前，而且成了神的儿子，能直接与天父交谈，他也听我们，又答应我们。这是何等大的恩典！因此，我们更爱慕祷告，享用神赐给我们的这一个大恩典。

我们看过了，祷告就是人与神谈话，又如同孩子与父亲谈话。有时我们看见孩子们与成年人说话是乱七八糟的，那么我们祷告是不是也可以胡乱的来呢？不是的，下面我们要继续再看关于祷告的两件重要的事。<约翰福音>4 章里主耶稣和那个撒玛利亚的妇人谈话，谈到敬拜神的事上去，那个妇人只是注意到敬拜神的外表的事。主耶稣就明明的对她说："神是人灵，所以敬拜他的，必须用心灵和诚实拜他。"主所讲的这些话，对我们有极大的启示。首先他给我们指出，神是灵，不是物质，因此，和神接触不能用物质的方式和方法。另外，又给我们指出，敬拜神正确的途径是在灵和真实里。祷告和敬拜有着顶密切的关系，我们就凭着这个敬拜的原则来认识并学习祷告。

三、祷告是根据里面的负担

头一样，敬拜是在灵里面。我们敬拜神是凭着我们里面的灵，同样的，我们祷告也是根据我们的灵。说清楚一点，我们祷告是根据我们里面的负担。什么是负担呢？我们看挑东西的人，你就看见他是被一些有重量的东西压着。他有重的感觉，一直到他所挑的东西放下了，那个重的感觉就过去了，他轻松了。我们从这个比方看，负担就是那个重的感觉。我们的里面对于一些人，事，物常有重的感觉，坐着有那个感觉，站着也有那个感觉，行走也有那个感觉，甚至连睡着还是有那个感觉。这一个感觉就是负担。

"我们本不晓得当怎样祷告。只是圣灵亲自用说不出来的叹息替我们祷告。……因为圣灵照着神的意思替圣徒祈求。"（罗马书 8:26~27）。神常常借着圣灵，把一些他要我们祷告的事情放在我们的里面，我们里面就有了重的感觉，这就是我们里面的负担。我们若照着这个负担祷告，祷告过了，负担就卸下来了，里面那个重的感觉就没有了，人也轻省了。反过来，里面有了负担，却不去祷告，里面就会一直很沉重。

祷告是根据里面的负担，就不是根据头脑的思想。这不是说我们的祷告可以不要经过思想的整理，我们还是要用我们的悟性。不过我们要清楚，祷告是先从里面的负担开始，经过心思的整理，就用言语说出来。这和完全从思想里说出来的话大有分别，单纯从思想里出来的话，可以是很完善的道理和属灵的知识，但却是空洞的，没有实质的，只有人的思想在活动，灵里面却没有感动，一点祷告的味道也没有，自己很清楚的知道，别人听来也不舒服，很难与祷告的人说"阿们"。我们开始学祷告，就开始要注意里面的负担，根据里面的负担来祷告，不要胡乱的想到什么就说什么，冒失开口是神所不喜欢的。（参看传道书 5:2）

也许有人会说："我没有负担"，或者说："我很少有负担的。"这是否就意味着那人可以不祷告，或者是少祷告呢？不是的。除非神停止他的工作，不然的话，神一定感动他的儿女们祷告，给他们祷告的负担。基督徒没有祷告的负担，那真是一件很严重的事。没有祷告的负担，只会在下面的三种情形下发生：第一，那人根本没有得救，和神没有关系，当然就不会有负担。第二，是个得救的人，但却犯了罪，还没有悔改认罪，失去了和神的交通，所以也就没有负担。第三，圣灵在人里面有了感动，受感动的人却不祷告把负担卸下来，一再的拒绝祷告，结果对负担失去了敏感，便觉得好像没有负担。如果我们在祷告上觉得没有负担，我们就得好好的省察自己，究竟是属于那一种情形，好在主面前求怜悯。若真有愿意祷告的心而缺少负担，我们可以向主求，主必定把负担加给我们。要叫我们在祷告上有重的负担，我们该好好读神的话，常常默想神的事，并且在微小的负担里就开始祷告，这样我们必不会落在没有负担祷告的光景里。

四、祷告要真实

第二样，祷告不能虚假。不单是根据里面的负担来祷告，并且还要祷告得真实。所以祷告不在乎文藻和措词的美丽，也不在乎长短，顶要紧的是要真实，因为听祷告的神是真实的，没有一点的虚空在他的里面。并且他也明明的告诉我们："耶和华所憎恶的，…就是…撒谎的舌。"（箴言 6:16~17）。祷告得不真实就是向神说谎，这是万万要不得的。

灵和真实，这两样是连起来的。出于里面的负担的，就一定是真实。有人就会说："若是这样，我的祷告只有几句话就完了，这样短的话，都不像是祷告。"那么我们要问，究竟要多长才算是祷告呢？根本就没有这个问题。有人要祷告长，便把许多拉拉杂杂的东西塞进他的祷告里。长的目是达到了，但却不真实，不能说是祷告。请看<马太福音>14:25~31，彼得在水上要沉下去了，他急忙的向主说："主啊，救我。"主就马上伸手将他拉起来。这是《圣经》上最短的一个祷告，一共只有四个字，但却是十分真实的，主也立刻答应了这祷告。我们要祷告得真，却不怕祷告得短。只有真实的祷告，才能得着主的答应。

初学祷告的人，很容易落在一种毛病里。听见别人的祷告好听，又属灵。就去学别人的祷告，一祷告就是把别人的话搬出来。我们不是说不能借着别人的祷告来帮助自己在祷告上长进。但问题是在这里，光学了别人祷告的话，却没有学到别人里面的负担，那就落在不真实里，是背文句，不是祷告。我年纪小的时候，在吃饭以前，母亲教我为领受主在饮食上的预备而谢恩。我把那祷文念得熟烂，每次吃饭前就背一遍，"多谢天父，赐我饮食，求神赦罪，保我平安，阿们。"这样教小阿子背祷告文，在教导他们认识神上并不能算错，但是得救了的人祷告，还是照样的背祷告文，那就会流于不真实了。里头没有那点心，祷告文不管背得如何美丽动听，也不能说是祷告。因此，许多人在聚会里念主祷文，实在是不大合祷告的原则。

祷告需要真实，有一句就是一句，两句就是两句，有多少就祷告多少，心中没有的就不要放进祷告里。神垂听的不是人祷告的说话，要紧的是人里面向主的真实。求主也在真实上教导我们祷告，叫我们的祷告和我们这个人实在的情形是一致的。

"我又告诉你们，你们祈求就给你们，寻找就寻见，叩见就给你们开门。因为凡祈求的就得着，寻找的就寻见，叩门的就给他开门。"（路加福音 11:9~10）。这是主耶稣和门徒的讲话，清清楚楚的告诉我们，神丰富的恩典，是为着肯祷告的人预备的。祷告是得着神恩典的方法，不祷告的人是不会从神那里有所得，肯祷告的人，神必让他们丰丰富富的得着，因为神这个应许是单给那些祷告的人。因此，不祷告就是顶利害的属灵的损失。我们信了主，不单是要好好的学习祷告，还要好好的追求长进，作一个祷告的人。

第十三章
祷告的内容

读经:

　　"耶稣在一个地方祷告，祷告完了，有个门徒对他说，求主教导我们祷告，像约翰教导他的门徒。耶稣说，你们祷告的时候，要说，我们在天上的父，愿人都尊你的名为圣，愿你的国降临。愿你的旨意行在地上如同行在天上。我们日用的饮食，天天赐给我们，赦免我们的罪，因为我们也赦免凡亏欠我们的人。不叫我们遇见试探，救我们脱离凶恶。因为国度，权柄，荣耀全是你的，直到永远。阿们。"（路加福音 11:1~4。马太福音 6:13）

　　主在地上与门徒在一起的时候，他的祷告生活实在叫门徒的心里有一个爱慕。有一次，主耶稣祷告完了，门徒就来请他教导他们祷告。这真是一件美事。我们初学祷告的人，心里也会有这样的爱慕，但总是有一个难处，有一个顾虑，叫我们总不敢放心来祷告。虽然说祷告就是儿子与父亲说话那样自由，但还是怕说错了话，不知道要说什么话才是，巴不得主耶稣也来亲自教导我们，如同他当日教导门徒一样。我们就从主当日教导门

149

徒祷告的话上，来学习祷告的内容。知道了祷告的内容，我们祷告就放心了，就有把握了，就不怕祷告错了。

从这段称为主祷文的经节里，我们从原则上看出了祷告的三个内容。再从这个祷告引伸出去，我们又再得着另外的两个内容，合起来就是五个内容。大体上来说，我们的祷告就是在这五个原则的内容里。这五个内容按着经文上的次序，就是祈求，认罪，赞美，感谢和代求。我们在下面要一个一个的详细来看一看。

一、祈求

我们还活在地上的时候，有许多各种各样的需要。有些是我们能解决的，有些是我们根本没有可能解决的。但现今神让我们认识了他是我们的父，我们可以从他那里得帮助，很自然的，我们的祷告就有很多的事情向神祈求。祈求就是我有了缺乏，就向神有所要。从表面看，祈求好像是最简单的，不需要怎样去学，把所缺乏的告诉神，请神给我解决，给我预备就是了。因为向别人要东西来满足自己，可以说是人的本能，连小孩子也不例外，不用学就会向人求，但是在祷告上的祈求就不是这样简单。这不是说祈求是很困难；祈求并不难，难是难在我们这些向神祈求的人，没有按着真正的需要来祈求。

我们转过来看看我们平常在神面前所求的是什么？我们一定承认这样的事实。我们向神所求的，绝大部分都是为了自己生活的需要，为了满足个人的盼望。没有职业就求主帮助自己找到工作；病了就求主医治；要读书升学就求主答应自己的打算；为儿女；为前途；为自己各种各样的好处，……不是说这些祈求是错的，是不可以向神求的，并不，这些都可以祈求。但若祈求只是为自己求，祈求是不会有难学的地方。可是主耶稣给我们看到的，他教导门徒祷告，却不是先求自己的事，却把自己的事摆在末后。我们的难处就在这里，既不愿意也不肯把自己的事摆在末后，我们觉得自己的事比什么都来得重要，非要先求自己的事，多为自己求不可。

"愿人都尊你的名为圣，愿你的国降临，愿你的旨意行在地上如同行在天上。"主一开始就教导门徒祈求，但却是先求神所要作的事，而且祈求得很重。神不要我们先为自己求，神的定规和我们的意愿是相反的，但不是要神迁就我们，而是要我们学习赶上去，这样才是我们的福气。让我们多看一点神的话。"所以我告诉你们，不要为生命忧虑，吃什么，喝什么；为身体忧虑，穿什么，生命不胜于饮食么？身体不胜于衣裳么？你们看那天上的飞鸟，也不种，也不收，也不积蓄在仓里，你们的天父尚且养活它，你们不比飞鸟贵重得多么？"…你想野地里的百合花，怎么长起来？它也不劳苦，不纺线，然而我告诉你们，就是所罗门极荣华的时候，他所穿戴的，还不如这花一朵呢。你们这不信的人哪，野地里的草，今天还在，明天就丢在炉里，神还给它们这样的装饰，何况你们呢？所以不要忧虑说，吃什么？喝什么？穿什么？这都是外邦人所求的。你们需要的这一切东西，你们的天父是知道的。你们要先求他的国，和他的义，这些东西都要加给你们了。"（马太福音 6:25~33）。主在这一段话里，明明的给我们一个安慰；假如我们真认识神，信任神，又体贴神的心，我们就是不为生活上的事祈求，神也会给我们预备妥当的。因为他是我们的父，他负责供给我们的需要。只有那些不认识神的人才会为着生活的事来挂心。主很清楚的对我们说，"你们要先求神的国，和神的义。"我们若在祈求上有了学习，我们就少为个人生活来求神，甚至不为自己的生活需用来求。把神的事摆在前，个人的事摆在后；把神的事看为重，个人的事看为轻。我们在祈求上能学到这个地步，我们的祷告就及格了。

什么是神的国和神的义？我们要明白了才能祈求。简单的说，神的国和神的义就是神的计划与神的工作。神要在地上设立他公义的国，要全地的人不再活在魔鬼的黑暗权势底下，都来享用神的丰富。（这一个问题，以后要专题来看）。神设立他的国是借着它的义，福音就是把神的义显明出来，因为"神的义，正在这福音上显明出来。"（罗马书 1:17）。所以概括的来说，现今我们追求神的国和神的义，就很自然的会为着福音的工作来求告神。许多基督徒不认识神的心是这样重的摆在福音的工作上，因此，在祈求上不够体会神的心；多记念人肉身的事，少记念人灵魂的事。个人是如此，团体的祷告也是如此。我们要求主深深的怜悯我们，让我们在祈求上学得好。

二、认罪

"赦免我们的罪。"这是主教导门徒祷告里的一件大事。我们到神的面前来祷告，本该是很安息，也能享用神的一切丰富。但是有些时候，我们向神祷告的时候却祷告不出来，就是勉强祷告出来，心里还是空的，苦闷的。这一种光景是我们常会遇到的，特别是在祷告的事上非常的敏感。所以会发生这样的情形，绝大部份的原因是我们犯了罪，罪就阻碍了我们与神的交通，尤其是破坏了我们祷告的生活。

"得赦免其过，遮盖其罪的，这人是有福的。我闭口不认罪的时候，因终日唉哼，而骨头枯乾，黑夜白日，你的手在我身上沉重。……我向你陈明我的罪，不隐瞒我的恶。我说，我要向耶和华承认我的过犯，你就赦免我的罪恶。为此，凡虔诚人，都当趁你可寻找的时候祷告你。"（诗篇 32:1~6）。罪既是这样的阻挡我们祷告，我们就得好好的注意，不给罪来破坏。神也把这样的事看得很严重，因为罪一进来，就叫神听不见我们的祷告。你就是勉强祷告了，那祷告也没有达到神面前。"耶和华的膀臂并非缩短不能拯救，耳朵并非发沉不能听见。但你们的罪孽使你们与神隔绝，你们的罪恶使他掩面不听你们。"（以赛亚书 59:1~2）。落在罪里实在是苦的，神好像离我们很远，我们的祷告也不通。但是感谢主，他给我们指出，认罪是我们与神恢复交通的路。不管是大罪小罪，只要它阻碍了我们与神的交通，我们都带到神面前去承认，求神赦免。感谢神，他也应许过必要赦免我们的罪。

不是说，我们每次祷告都一定要认罪，没有可认的罪也要挖一点出来认。但是若真的犯了罪，主给我们看见一个挽回的方法，借着祷告到神面前认罪求赦免，主必应允我们，除掉我们的不洁。

三、赞美

祷告不可缺少赞美。我们可以说赞美是祷告中的很高的学习，并且赞美能把神的宝座带到我们中间，也把我们带到更与神亲近的地步。"你…是用以色列的赞美为宝座的。"（诗篇 23:3）。这并不是说，神的儿女不赞美，神就没有宝座；而是说，当神的儿女一赞美，神的宝座就显在我们中间，神宝座上所充满的荣耀，能力，恩典，权柄，公义，圣洁和一切的丰富，都充充满满的在我们中间。

　　会赞美神的基督徒实在是蒙福的，因为他常活在神的丰满里，大卫是个很爱祷告的人，他每天要固定三次向神祷告（诗篇 55:17）。就是在晚上，早晨和中午的时候，但在诗篇>119:164 里，他又说他一天要七次赞美神，就是说他向神有所求时他赞美神，就是向神无所求时，他也赞美神。主耶稣自己在地上的时候，清清晰晰的在祷告上给我们留下一个榜样，他带领门徒学习赞美神，"因为国度，权柄，荣耀全是你的。"这是赞美。诗篇上有许多赞美的话，好像"耶和华本为善。"耶和华的慈爱永远长存。""你的慈爱上及高天，你的信实达到穹苍，你的公义好像高山，你的判断如同深渊。"神在古代常受圣徒们的赞美，现今直到永远还是配受赞美，我们这些蒙了恩典的人，更当时刻的赞美他。

　　赞美就是述说神所是；神是怎样的神，我们就说神是怎样的神。因此，学习赞美和我们对神的认识和经历有很密切的关系。人要在赞美上蒙福，他的学习不是从话语上开始，而是从爱主，多亲近主，经历了主这些事上开始。赞美不是仅仅嘴里说"赞美主"，必须是有实实在在的赞美的话。若是没有常常亲近主而更深的认识主，认识他的智慧，圣洁，公义，恩典，慈爱，怜悯，体恤和同情，能力和荣耀，人的赞美是没有真实的内容的，结果就成了虚伪的谄媚，这就太坏了。神不要人谄媚，他只要人传扬并称颂他的真实。

曾经有这样的一件事：有一个基督徒，他在梦中到了天上，看见有两个天使，一个很劳碌的走来走去，另外一个却清闲得无事可作。他心里很奇怪，就走去问那个坐着的天使说："为什么你不去帮帮那个天使的忙呢？"那个天使回答说："我愿意帮他一下，但是我的职务范围不许我这样作，因为我的工作是接受人对神的赞美，他是接受人对神的祈求，人向神要得很多，因此把他忙坏了，但却没有多少人向神赞美，我就闲得发慌。"这个比喻正好讲出了我们在祷告上的光景。我们很少赞美神，因为我们觉得赞美是一件困难的事。正因为赞美神是有点难，而赞美又是一个大的祝福，我们更要学习赞美神。"主耶和华啊，你是我所盼望的，从我年幼，你是我所倚靠的，我从出母胎被你扶持，使我出母腹的是你，我必常常赞美你。"（诗篇71:5~6）

四、感谢

"凡事谢恩，因为这是神在基督耶稣里向你们所定的旨意。"（帖撒罗尼迦前书 5:18）。神应允人的祷告；我们向他祈求，他就赏赐。我们的祷告蒙了应允，很自然的，我们就得向神献上感谢。我们接受了人的馈赠，我们一定对那赠送的人说"谢谢"，何况神在我们日常的生活里赐给我们各样的恩典，我们怎能不常常感谢神呢？他给我们平安；他作了我们的安慰；又赐给我们生活所需的力量；在危险中他拯救保护了我们；在困难中他叫我们得安息；在缺乏的时候他供给我们的需用，又解决我们的难处…。他给我们作的每一件事，都值得我们千感谢，万感谢的。

一个不会感恩的人，实在是一个感情麻木的人。若是只会向人说"谢谢"，而不会向神感谢的，这就更糟了。不过，初信主的人，有时对恩典的认识有点迟钝，但是多点亲近主，慢慢就会敏感了。就是我们撇下生活上的恩典不说，单是我们从罪和死中给主救出来，不再定罪，反倒成为神的儿女，这一件事就够使我们常常感谢不尽了。救恩这一件事，不单是我们现今时刻感谢神的题目，也是我们在永远里感谢神的题目。有一首诗歌这样写着，"我今安坐在他前，瞻仰他的荣脸；安静温习他恩典，充满希奇感叹。好像永世时日虽久，给我赞美仍嫌不够。"我们若是真的认识了救恩，我们必定不会停止我们的感谢，也不会说我们没有可以感谢的题目。

祷告里头缺少感谢，如同烧小菜不放盐一样的无味。每次来到神面前祷告，我们都献上我们的感谢。开始的时候，我们能感谢的事好像不多，慢慢的，我们就发现我们感谢的范围扩大了，在谢恩的事上，我们长进了。"无论作什么，或说话，或行事，都要奉主耶稣的名，借着他感谢父神。"（歌罗西书 3:17）。

五、代求

曾经有一位初信的人这样说："不知道为什么别人能祷告那么久，我祷告来祷告去也只有那么几句话，两三分钟就完了。"这也真是一些人在祷告学习上的一个问题。我们若把这个问题来留心一下，我们就可以发现这些人的祷告，完全是以自己作中心；一切的祷告都是为着自己个人的需要，这种自私的祷告，当然是没有几句就完了。我们可以这样想，神把这么大的恩典给了我们，我们总愿意其他的人也能得到神的恩典，如同我得到一样。有了这样的心愿，我们在祷告中一定会记念到别人的需要，这就是代求。

"我劝你第一要为万人恳求，祷告，代求，祝谢。"（提摩太前书 2:1）。"所以你们要…互相代求。"（雅各书 5:16）。代求不单是祷告的一个重要内容，也是一个爱心的功课。我们享受了神的爱，就会去爱别人。想到自己已经得救了，但还有一些亲人和朋友还没有信主，就会求主给他们有机会听见福音，肯接受耶稣作救主。又想到福音的传扬，使多人能听到神的救恩，就会求主赐福神的工人们，使他们传福音时大有力量。有信主的人遇到难处，我们也求主为他解决。有信徒软弱犯罪，我们求主给他光照，也给他有悔改的心，使他能回转归向神。…"各人不要单顾自己的事，也要顾别人的事。"（腓立比书 2:4）。这是主的话，主要求我们顾念别人的事，在祷告上为别人代求，就是学习顾念别人的事的开始。

我们大体上已经看过了祷告的内容，但是有一件事要清楚的指出来。我们祷告决不是按着内容的要求而把说话配上去，这样子不能说是祷告。属灵的功课没有一件是可以孤立起来的学习。从上面的话，我们看出祷告和我们属灵的认识，追求和经历都联一起，因此，我们学习祷告的时候，也同时在学习其他属灵的功课。

第十四章
学习祷告的几个重要认识

读经：

"你们奉我的名，无论向父求什么，他就赐给你们。"（约翰福音 15:16）

"我实实在在的告诉你们，你们若向父求什么，他必因我的名赐给你们。"（约翰福音 16:23）

"你们得不着，是因为你们不求，你们求也得不着，是因为你们妄求，要浪费在你们的宴乐中。"（雅各书 4:2~3）

"只要凭着信心求，一点不疑惑，因为疑惑的人，⋯不要想从主那里得什么。"（雅各书 1:6~7）

"所以我告诉你们，凡你们祷告祈求，无论是什么，只要信是得着的，就必得着。"（马可福音 11:24）

神不光是听他的儿女们的祷告，他也答应我们的祷告。神答应我们的祷告，我们就很深的经历到祷告的真实和宝贵，这是许多不信主的人所无法理解的。我们这些信了主的人，借着祷告可以经历神。因此，对于祷告能得着应允的这一个事实，我们该要有一点的认识，好叫我们在祷告上一面多认识主，一面又多接受主的恩典。

一、奉主的名

　　首先我们要认识，我们这些人本来是没有资格向神祷告的，更不配得着神的祝福，但现今我们不单可以祷告，并且祷告也蒙应允。这里头的秘密，就是主耶稣把他自己的名字赏赐了给我们。借着主的名字，我们就可以直接到神面前来有所求。"你们奉我的名，无论向父求什么。""他（父）必因我的名赐给你们。"主的名字对我们满了恩典！这一个名字实在是使神心满意足，因此，神丰满的祝福就透过这个名字临到称为主名下的人。

1、倚靠他的名字

　　"奉主的名"究竟是什么意思呢？举一个例子来说明这个事实吧。比方说，我有一件极困难的事，必须要得着某某人的帮助才能解决；虽然他很乐意帮助人，但是我跟某某人完全不认识，我怎能向他求帮助呢？正好我有一位极亲密的朋友，就说他是黄先生吧；他跟某某人有极深的来往，就给我写了一封介绍信，并把他的名片也给了我，我就凭着他的名片去找某某人。虽然某某人并不认识我，但是因着黄先生的名字，他不单是接待我，并且也很乐意替我解决了困难。从这一个比方来看，某某人与我是素昧平生，他所以替我解决困难，完全是因着黄先生的缘故。但事实上黄先生没有亲身与我同去，只不过把他的名片给我带去，我带着他的名片去的这一回事，就是我"奉黄先生的名"去。黄先生没有去，我奉了黄先生的名字去，某某人虽不认识我，因着黄先生的名字，他就接待了我。

同样的，我们根本不认识神，并且因着我们的罪，根本就不配，也不能到神面前来有所要，有所求。但是因着我们接受了神的儿子耶稣作我们的救主，我们凭着他就有了资格到神面前来得恩典。我们奉他的名向神祷告，神就因着他儿子的名字听了我们祷告，也应允我们的祷告。奉主的名就是倚靠主的名的意思。主的名字就是我们在神面前得恩典的依据。我们每次祷告到末了，都说"奉主（耶稣基督）的名字祷告"，这句话不是祷告的格式，而是指出祷告是我们救恩里的权利。不配见神的人，因着主耶稣就不再定罪，还能借着主耶稣进到神的面前，"得怜恤，蒙恩惠，作随时的帮助。"（希伯来书4:16）

说到主的名字，还得多说一点话：常常听见一些信主的人祷告，他们习惯了给主的名字加上一些东西，比方说，"奉主得胜的名"，或"奉主荣耀的名"，……主的名已经是得胜的，是荣耀的，是丰富的，是……不

163

必加上什么来形容，一加上去，就引出问题来了。难道主有一个失败的名字？一个羞耻的名字？我们不奉这些名字，因而特别声明是奉那个"得胜的"，"荣耀的"名吗？不需要这样，这样不单是引出这一个问题，并且也限制了主的名字所包括了的一切荣耀的丰富。

还有一点，主是把他的名字赐给我们，使我们奉他的名字可以在祷告上蒙应允。有些信主的人祷告，不奉主的名，却"奉主在十字架上的功劳"求，或是"奉主耶稣流宝血的恩典"求，虽然这不能说神因此就不听祷告，但是主自己是说："奉我的名"，我们就奉主名字就好了，不要自己弄什么新的说话出来。其实，我们所能想得出的好，都已经包括在主的名字里头了。我们得救是因着主的受死和复活，我们祷告却是奉主的名字。

2、奉主的名祷告如同主自己的祷告

关于"奉主的名"，除了上面所提的"靠着"的意思外，我们还要深入一点去领会，求主使我们真能认识这个事实的宝贝。

一个人的名字，就是代表着那个人。一提到某甲，就是指着某甲这个人。主现今把他的名字给了我们，就是把他自己给了我们。"奉我的名"这句话，原来的意思就是"在我的名字里面"。因此，我们就认识"奉主的名祷告"，就是"在主的名字里面祷告"，也就是

"在主里面祷告"。这是一件何等宝贝的事实啊！什么叫作"在里面"呢？比方说，我有一个手表，我把它放在盒子里，谁都知道这个手表是在盒子的里面，外面虽然看不见手表，但它的确是在盒子的里面。同样的，我们在主的名字里面祷告，我们的祷告出来了，但是这个祷告来到神的面前，神就看成是主自己的祷告，因为我们的祷告是在主的名字里面上到神的宝座前。神是何等的悦纳他的儿子，神必不推却他自己儿子的祷告，我们在主的名字里祷告，就如同主自己祷告一样，神必应允我们的祷告。

在救恩的事实里，我们在基督里都成了神的儿子。在奉主的名祷告里，我们的祷告就如同是主自己的祷告，蒙父神垂听的祷告。看到了这一样，我们不能不说，祷告是一个恩典，也是神给我们的权利。

3、奉主的名就是不越过主的界限

每次祷告完了，我们都说"奉主的名"祷告。"奉主的名"是不是嘴里一说就行了呢？绝不是如此，不然祷告就真的成为仪文了。"神不像人看人，人是看外貌，耶和华是看内心。"（撒母耳记上 16:7）。人多注意外面，但神却注意人的里面，因此，神必不叫我们作一些光有外表的事。我们若再进深一步来看，我们必定

165

明白，光是嘴里说"奉主的名"不能都算是"奉主的名"。

"奉主的名"既是"在主的名字里"，我们就能领会，我们祷告的话，所祈求的事，必定是主容得下的，是在主的范围内的，越过了主的界限，就不是在主里面了。用一个例子来说明这个事实。有人考试的时候要作弊，他祷告求神叫他从不会弄出事来，但结果给监考的人发现，连学藉都丢掉。他说他已经奉主的名祷告了，为什么神不听祷告呢？我们倒要问，这是不是奉主的名祷告？主自己会不会这样祷告呢？当然不会，这样的祷告是主容不下的，是越过了主的界限，这不能说是奉主的名的祷告。

简单的来说，"奉主名祷告"也就是在神的旨意里祷告。我们回头去思想我们曾经看过的，我们若是按着里面的负担祷告，那就是"奉主的名"祷告。

二、不要妄求

妄求不单是指着与犯罪有关的祈求，也是指着一些不应该求的事。求不该求的事是犯罪吗？不算，说是合神的心意吗？却又完全的不合。因此，我们也要知道这一方面的事，不致因着我们的祷告不蒙应允而误会了神，受了撒但的欺骗，落在自暴自弃的光景里。

《圣经》上的话给我们指出。"我们得不着，是因为我们不求。"不祈求的人，自然不会从神那里得着什么，因为他不觉得有需要。但是一些自己觉得有"需要的人，祈求了也没有得到，是什么道理呢？神的话跟着指出来，"你们求也得不着，是因为你们妄求。"目的是要"浪费在你们的宴乐中。"这里就给我们认识了什么是妄求。第一就是属于浪费的范围，第二就是完全为了满足自己的喜好或欲望，而不是真实的需要。我们求这样的事情就不能怪神不听祷告了。

神是我们的父，他负责供给我们所需用的一切，但他却不是一位溺爱孩子们的父亲，不分好歹的去满足孩子们。他绝不肯这样作，他知道什么对我们好，什么对我们不好，好的他一定给我们，不好的他不会给我们，就是向他要，他也不会给我们，因为他是既慈爱又严肃的父亲。我们知道了什么是妄求，就不要向父作妄求的祷告。

有一位姊妹，她很羡慕别的人有皮大衣，她很想自己也能有一袭。其实，在她所居住的地方，根本是用不着皮大衣也能过冬的，就算有，一个冬季也穿不上几天。这位姊妹有了这个羡慕，但她的经济力量却不许她这样作。她就祷告主说："主啊，求你给我预备一件皮大衣。"第一个冬天，神没有答应，第二个冬天也没有答应，到了第三个冬天，她还要为着皮大衣来祷告。当她还是这样求主的时候，神的话提醒了她，"求也得不着，是因为你们妄求。"她就回想，她所以愿意要得着一袭皮大衣，目的不是要御寒，而是要在亲朋中有所炫耀，使自己面上有点光彩。她的目的一显露，自己也觉惭愧，她看见了自己两年多来，一直向主取一件要满足个人私欲的事。"要浪费在你们的宴乐中。"她认识了这是妄求，也就明白了主为什么不答应她的祷告，她也不再为这事祷告了。

撒但顶喜欢鼓动基督徒作各式各样的妄求，我们求主使我们能明白，不在祷告上给魔鬼留下地步。

三、信心的问题

开始学习祷告的时候，也许有人会告诉你，"只要有信心，无论你向神求什么，神都必定应允。"这句话并没有说错，但是当你实际去祷告的时候，你马上发觉这个说法好像不大真实。毛病在什么地方呢？有一次，一位弟兄问我说："我为着一件事情祷告神，我自己是满有信心的，但是祷告到那件事成功的机会过去，神也没有应允我的祷告。"我对他说："弟兄，你说你满有信心，究竟你所说的信心，是真的信心，还是自己强烈的盼望呢？"他思索了一会，就说："不是信心了，只是我的盼望。"怎么会一下子从"满有信心"成为不是

"信心"呢？毛病就在这里，许多人就没有分辨"信心"和"自己的渴望"。把自己的渴望"当作了"信心"。

"只要凭着信心求，一点不疑惑。"信心既不是人的渴望，那么信心是什么呢？这点我们必须要认识清楚，免得自欺欺人。"信就是所望之事的实底，是未见之事的确据。"（希伯来书 12:1）。从这一节《圣经》里，我们很容易的看出，信心就是人接受神所要作的事；或是神已经作了的事。这事不是现在眼见的事，但因为知道是神所作的，虽然还没有成为事实，但也接受过来，看作一个事实；或者神已经作了，我们虽没有眼见，但因为神说他已经作过了，我们也就接受它作为一个事实。因此，我们就明白，信心绝不是凭空跑出来的，它有一个根据，就是神的应许。离开了神的应许，信心是空洞的。信心就是抓牢了神的应许，凭着神的话而肯定神所作的事。

信心可以生出盼望，但人的盼望不一定有信心的根基。我们要来看一看，关于祷告的信心的问题。不可能的事摆在你面前，你有把握说"可能"，叫人不能不起疑惑的事，放在你手中，你对它能不起疑惑，这就是信心。问题就在这里，你怎么能不起疑惑？你怎能有把握说"能"呢？我想这很不容易用说话讲得清楚。我们看主自己怎样说："只要信是得着的，就必得着。"这里所说的"信是得着"很有意思。祷告里的信心是信什么？不是信神的能力，这一点没有问题，也不是信神肯不肯听祷告，这也没有问题。祷告里头所要信的，就是能够得着我所求的。祷告过了，不是在那里盼望得着，而是有把握得着，这才是祷告的信心。

神要作的事不会受人的意志与盼望的影响，神不要作的也不会因人的祈求和环境而更改。神要作的事，人按着神的心祷告了，神就把那个把握放在祷告的人里头，这个把握就是祷告的信心。外面的环境也许是千百个不可能，但是人的里头有把握说"能"。有一位弟兄，要到别一个地方去。照着当时的情形，和政府的法令，他绝不可能离开他的本地，没有一个人说"能"的，经办他这个申请的那个人也告诉他说："这申请是多余的。"连这位弟兄自己也不敢说可能。但是奇妙的，这位弟兄的他往，是神要作的事。他祷告了，外面的环境还是不可能，这弟兄的思想也是觉得不可能，但是他的里面却是满了把握，真的"信是得着"的。过了不久，政府批下来，"准"。他真是得着了，事实证明了这才是祷告的信心。

信心不是人的思想，也不是人的意思，更不是人能制造出来的。"仰望那为我们信心创始成终的耶稣。"

（希伯来书 12:2）。信心的源头是神自己，按着神的心意祷告，神就负责把信心给我们。信心是不能逼出来的，但是没有信心，祷告又会落空。我们若感到自己祷告没有信心，我们还是看看我们所祷告的是否就是神要作的事，因为主不是说："信就可以得着。"而是说："信是得着的，就必得着。"<列王纪上>17 章和 18 章里，以利亚凭着信心祷告，天就三年零六个月不下雨，以后再祷告，天又下雨。他的信心是极大的，但是我们别忘记，他的信心是根据神的旨意。因此，他的祷告是满有把握，但是我们别忘记，他的信心完全是根据神的旨意。因此，他的祷告是满有把握，虽然在人看来是绝不可能的事，但是神让他知道他要这样作，他就信他必要得着，他也真的是得着了。

总的说一句，我们无论从那一方面来认识祷告，都可以得着这样的结论。"我们若照他的旨意求什么，他就听我们。"（约翰一书 5:14）。以前我们谈到祷告要真实，这个"真实"按原意也可以翻译作"真理"。所以，我们祷告也要按着真理来祈求，不求主以外的事情，不合真理的事；就是主容不下的事，不要带到父的面前来。让我们一同学习按着神的旨意来祷告，也借着祷告追上神的旨意。

第十五章
不住的祷告和同心合意的祷告

读经:

"不住的祷告。"(帖撒罗尼加前书 5:17)

"耶稣说一个比喻,是要人常常祷告,不要灰心。"
(路加福音 18:1)

"我又告诉你们,若是你们中间有两个人在地上,同心合意的求什么事,我在天上的父,必为他们成全。"
(马太福音 16:19)

"他们听见了,就同心合意的,高声向神说,主啊,……祷告完了,聚会的地方震动,他们都被圣灵充满,放胆讲论神的道。"(使徒行传 4:24~31)

学习祷告的人,也要认识祷告好比打仗一样。神喜欢我们常常祷告,多多的祷告。但是魔鬼就不喜欢我们祷告。不愿意我们祷告,因为我们若是多祷告,常常亲近神,我们多得着的恩典和安息,它就不高兴了。因此,它就要来破坏我们祷告的生活,叫我们少祷告,甚至是不祷告。这样,它就欢喜了,开心了。我们信主的人,可不要上了魔鬼的当。

一、不住的祷告

"不住的祷告。""恒切的祷告。"都是提醒我们的话。要叫我们祷告不停止，也不减少。"不住"是怎样解释呢？"不住"就是继续不断的意思。"不住的祷告"就是继续不断的的祷告，也就是那个"恒切"的"恒"字的要求。我们昨天祷告了，今天还是祷告；今天祷告了，明天仍是祷告，天天都祷告，不让有一天不祷告。不光是每天都祷告，并且在每一天里，早晨祷告，中午也祷告，晚上也祷告。不单是有固定的时间祷告，并且是时时刻刻，随时随地祷告。我们该追求学习不住的祷告，这样，我们在神面前所蒙的福实在无法计算。历世历代以来，在神面前蒙大恩的人，都是常常祷告的人，时刻，借着祷告把自己摆在神的施恩宝座前，接受从神宝座流出来的丰富。

一些理由

从一些基督徒的经历上来说，不少人一听到不住祷告这一件事，就觉得很困难甚至说这是不可能作得到的事，或是说没有这样的需要。我们总要记清楚，神从来不会要求我们作一些我们作不来的事，他既然说要"不住的祷告"，我们就一定能不住的祷告。我们也承认有些人好像是真有实际的困难，使他们不能不住的祷告。

我想这些困难有些是因为认识的问题，有些是受了魔鬼欺骗的问题。我们就看一看这些"困难"的问题。

(1) 没有时间

恐怕绝大部分的基督徒不能恒久祷告的理由就是"没有时间"。我们常常听见这样的回答，但是我们却不敢同意这一个理由。从表面上看，这理由好像很充分，也很值得同情，甚至有人说："只有传道人才可以这样的祷告"。我们承认现在人的生活和工作实在是相当的忙碌，但是，我们若对于祷告有清楚的认识，时间和忙碌决不是我们不祷告或少祷告的理由。

也许有些人是这样想，要祷告就先有安静的时间和安静的环境。当然这是最理想的，但这不是等于说，没有安静的时间和环境就可以不祷告。祷告是不受时间，地点和形式限制的，我们可以跪下来祷告，站着也可以祷告，坐着也成，行走的时候都行，甚至我因为生病或其他的原因，躺着祷告都可以。另一方面，我们在家里可以祷告，在聚会的地方可以祷告，在办公的地方也可以祷告，公共汽车里也可以祷告。手在作着一种工作，我们也可以同时心里默默的祷告。我们明白了这一点，就可以解决"没有时间"的问题了，不是"没有时间"，是"不会使用时间"。虽然不安静的环境会对祷告的心情有一点影响，但这可以说是一个习惯的问题，是可以克服过来的。"举起圣洁的手，随处祷告。"(提摩太前书 2:8)。这是主的提醒，既然能随时随地的祷告，我们必不会没有时间祷告。

<荒漠甘泉>里有这样一段记载：许多人都以为"不住的祷告"是一个非常不容易实行的命令。现在让我们听一位姊妹的见证："早晨，我一开眼睛就祷告说；主啊，求你开我心里的眼睛。我穿衣时，就祷告说：愿我穿上基督的义袍。我洗脸时，就求主洗净我。我工作时，就求主在我里面重新挑旺我的爱火。我扫地时，就祷告说：就求主除去我心里一切的污秽。我吃饭时，就求主给我隐藏的吗哪和纯净的灵奶。我教导小阿时，就仰望父神使我作他顺命的儿女。我一天到晚都这样祷告。我所作的每一件事都供给我一个意念来祷告。"

不光是这位姊妹这样的祷告，许多弟兄姊妹都是这样的亲近主。如果你没有时间祷告，你就该求主使你会利用时间来祷告。

(2) 没有祷告的题目

一位信了主不太久的姊妹发了这样的一个问题，"我不是不想常常祷告，就是苦在没有祷告的题目。"这也是弟兄姊妹开始学习祷告一个很普遍的情形。又一个弟兄说："我祷告来，祷告去，总是那么几件事情，想再多一点也没有。"

没有祷告的题目，的确是没法祷告下去的。但是有一个事实我们要注意到，没有一个人会一开始学祷告就祷告得很好，这是要慢慢操练的。起初祷告的题目没有几个，你若是坚持的恒久祷告下去，祷告的题目就会增加起来。事实上，主在我们周围的人，事，物中间，不知道摆下了多少祷告的题目给我们；在救恩外流荡的人，弟兄姊妹的软弱，教会的冷淡，福音传扬的工作，⋯⋯没有一件不在提醒我们说，要时刻祷告。祷告的题目是多的，只要我们不光是祈求个人的好处，我们决不会落到没有题目的光景里。多点在祷告上操练，祷告的范围就会扩大，祷告的题目也会增加。越祷告就越要祷告，不祷告就越不肯祷告。题目不是问题，肯不肯在祷告上操练才是实际的问题。

初学祷告的人，顶好预备一本小簿子，随时把要祷告的事记上去，一面可使祷告的题目不会失去，另一面又可知道，神听了你多少的祷告。

(3) 受了魔鬼的欺骗和压制

祷告看不见果效也是阻碍人不住祷告的一个主要的原因，特别是对一些心里实在是愿意祷告的人，祷告既然没有果效，为什么还要祷告呢?关于这一点，我们应当这样来认识，祷告看不见果效，其中一个原因是我们求得不对，这是我们已经提过的，若是求得不对就不能埋怨神不答应祷告。另一个原因，是神的答应迟延来到。神答应了祷告，但神的答应不是马上来到，因为神有他自己的时间，唯有神的时间是最好的，他按着他眼中看为最好的时间来答应我们，同时也借着迟延的答应来操练我们对他的信靠。但是，魔鬼常利用神的迟延来欺骗我们，在我们心里说："祷告是太虚渺的，你看你祷告了跟不祷告不是一样吗？算了吧，不要祷告了。"这一个欺骗不光是叫人不祷告，甚至叫人连神也丢掉。

主耶稣劝勉人说："要常常祷告，不可灰心。"只要你明白你所求的是神喜欢听的，你就不住的祷告下去，一直祷告到里面有把握，就等着看神的作为成功在你身上。魔鬼叫你灰心不再祷告，主耶稣却告诉你说："不要灰心"，神必定不会用不义来对待他的儿女，因为神是这样的信实，我们就欢然的不住的祷告。要认识所有灰心的源头都是出于魔鬼。

魔鬼不只是欺骗人，叫人灰心。要它欺骗不来它就来压制人，叫人不愿意祷告，减低人祷告的情绪，甚至使人心灵里感觉到一种莫名的压力，祷告不出来。遇到这样的情形，千万不要被它压制，你一面求主给你力量去胜过，一面硬要祷告下去，冲破魔鬼的压制。<马太福音>9:32~33 所记载的那个因魔鬼使他成为哑巴的人，来到主面前，哑巴就开口了。魔鬼压制人成为哑巴，我们就祷告到主面前去，它的压制定规是失败的。许多弟兄姊妹都是这样经历过来：撒但要压制，他们就大声开口祷告，那压制就不在了，祷告就通畅了。一个人觉得软弱，就多找一两位弟兄与你一起祷告，魔鬼的压制是决不能起作用的。

总括的说来，不住祷告的难处，不在于别的，而在于我们是不是有强烈要祷告的心，和坚持在祷告上的操练。神喜欢我们常常到他施恩宝座前，凡常到他面前去的人，必定多享受到在主里面的甘甜和满足。常常祷告实在是基督徒的福气。

二、同心合意的祷告

主不光给我们看见个人不住祷告的要紧，也给我们看见另一个很重的祷告的福气，就是同心合意的祷告。说清楚一点，就是两个人以上的祷告，团体(教会)的祷告。许多基督徒很忽略这一类祷告，只要比较一下祷告聚会的人数和主日聚会的人数，就看出这种忽略来。人是这样的忽略同心合意的祷告，但神却很重视这个祷告，并且有很大的应许在其中。

主明明的告诉我们，有一些事情，你一个人祷告是不够的，必须和弟兄们在一起祷告，神才应允，并且应许说必定成全。主也说出神必定应允同心合意祷告的秘密，"因为无论在那里，有两三个人奉我的名聚会，那里就有我在他们中间。"(马太福音 18:20)。平常我们只留意这话是对聚会的应许,但我们若留心连着上文看,就会发觉这话是更重的指着聚会祷告。主不只是在聚会中,而且还与我们一起同心合意的祷告。这是何等大的祝福!我个人祷告,主在听,我们一起祷告,主就参加到我们的祷告里来了。主是这样的重视同心合意的祷告,我们更该重视同心合意的祷告,不光是因为这个福气大,更是为着体贴爱我们的主的心。

1、一个严肃的事实

我们又要了解,为什么主是这样的重视同心合意的祷告呢?请看《马太福音》18:18,"我实在告诉你们,凡你们在地上所捆绑的,就是那些在天上已经捆绑了的;凡你们在地上所释放的,就是那些在天上已经释放了的。"(按原文译)从这段经文中,我们很清楚的领会,神的工作是有计划的,而计划在地上执行得好不好,就看神的儿女们同心合意的祷告能不能跟上来。换一句话说,我们同心祷告得好,神的工作就彰显得好;祷告得不好,神的工作就受延误。这不是说神自己不能作工,但神喜欢把自己放在这种规范里,在正常的光景下,地上有人与他同心,他就作工;地上没有人和他同心,他就宁愿迟延一点时间,暂时不作工,直到找到与他同心的人,他才作工。

神是这样的重视同心合意的祷告，我们若是体会神的心，我们就当像神一样的重视同心合意的祷告，因为这是直接关系到神的旨意与计划，也关系到我们在神面前的蒙恩。

2、与谁同心合意

一群基督徒在一起祷告，每一个人的光景都不完全一样，在认识和经历上也不完全相同，那么在同心合意上用哪个人的意见为准呢？与谁同心合意呢？这是一件很重要的事。我们不是以任何一个人的心意为准，不是你以我作中心，或者是我以你为中心，同心合意的中心只有一个，就是主自己。在同心的祷告里，主是在我们中间，我们都与他同心合意，各人都以他作中心，结果就叫许多在外面有分别的人，在祷告上进入了同心合意的地步。

因此，在聚会祷告里，我们是重在求大的事，关乎神计划的事，就是"求神的国和他的义"。

3、怎样同心合意祷告

许多人有一个误解，以为同心祷告就是一同开声祷告，这是他们看错了《圣经》上的榜样。<使徒行传>4:24，"他们听见了，就同心合意的，高声向神说，…"。这里的祷告是一个人说，因为在原文《圣经》里，"高声"就是一个声音，但是却有许多人和领祷告的人同心合意。虽然是一个人开声祷告，因为是同心合意，就如同是众人一同祷告。

同声祷告不能说是同心合意的祷告，因为彼此不知道祷告什么。还有，照着<哥林多前书>14 章聚会的原则看，有"轮流着说"，"神不是叫人混乱，乃是叫人安静"，和"凡事都要规规矩矩的按着次序行"这些限制在那里。在聚会祷告里神所要的是同心，而不是同声。

同心的祷告应该是怎样的呢？"那在座不通方言的人，既然不明白你的话，怎能在你感谢(祷告)的时候说阿们呢?"(哥林多前书 14:16)。旧约的时候，神的百姓在聚会祷告时，都用说"阿们"来响应领祷告的人。(尼希米记 8:6)新约的教会聚会祷告时，也是说"阿们"来响应祷告，不单是祷告末了同声说"阿们"，在祷告进行时，领祷的人的祷告正是你心中要向神说的话，那句话说完了，你也可用"阿们"或"是的"来响应。这样的响应就表示了，虽然祷告的是他，但他的祷告就是我的祷告。这里要提一提，响应祷告不应当用大的声音，只用很低微的声音就够了，或者是心里默默响应也可以，如果众人都用大声来响应，就把祷告的人的声音盖过，我们听不清楚，便没法同心祷告了。

4、"阿们"的意思

"阿们"是希伯来话，意思就是真实的，主耶稣在福音书上常说："我实实在在的告诉你们"。如果直译出来就是，"我阿们阿们的告诉你们"。还有<启示录>19：11 的"诚信真实"也是"阿们"。所以，我们祷告的时候说"阿们"，就是对主说，我的祷告是真实的，是真诚的，也是相信的。说广州方言的教会，常用"诚心所愿"来代替"阿们"，说闽南言的教会是用"正心所愿"，在意思上有点出入，"诚心"或"正心"所愿是对的，但不能包括"阿们"的意思，当然这不能说是错，不过还是说"阿们"好一些。

三、几件要注意的事

有几件事情常常破坏了聚会祷告的同心合意，我们不能不留心，不要因着个人的愚昧或糊涂热心，打岔了祷告的同心。

1、祷告声音要大

祷告声音太小，其余的人就不知道你祷告什么，就无法与你同心说阿们了。因此，祷告的声音一定要大，叫同在一块祷告的人都能听见。

2、要祈求大事

神的儿女合在一处祷告，因为有许多大事需要同心合意祷告才行，所以关于个人的，一般性的，琐碎的事，在聚会祷告时提出来是不大合宜的，还是留在个人祷告时求主好些。零碎的祷告很不容易叫人同心合意的。

3、一个人的祷告不要长

个人的祷告，时间是不受限制的。但在聚会祷告里，个人的祷告就不要长，如果长了，一面占去了别人祷告的时间，另一面很容易祷告到零碎的事上去就使祷告从活泼到沉闷，同心合意就受打岔了。祷告要透彻，却不要长。

4、不要祷告别人不知道的事

聚会祷告的事情，所有在一起祷告的人都应当在祷告前知道，如果你祷告别人不知道的事，别人就很难同心祷告了。

在这里提醒一下，对于不知道同心祷告的原则的弟兄们，我们不该存着挑剔的心意，不然的话，同心反会被挑剔的心破坏了。最好在祷告完了以后，在爱心里给那些不知道的弟兄提醒就好了。

祷告是一个争战，同心合意的祷告更是一个大的争战，因此，我们要在祷告上十分苏醒。头一次在聚会祷告里祷告是有很大的挣扎的，这一面是人的胆怯，但也是撒但的压制，所以在头一次祷告时，要靠主冲过这挣扎。一次开口祷告了，第二次就更容易。

"靠着圣灵，随时多方祷告祈求，并要在此(祷告)儆醒不倦。"(以弗所书 6:18)。我们愿意主给恩典，在祷告上面有恒心的操练，有长进，也多受造就。

第十六章
恢复交通

读经：

　　"我们将所看见，所听见的，传给你们，使你们与我们相交，我们乃是与父并他儿子耶稣基督相交的。……使你们的喜乐充足。神就是光，在他毫无黑暗。…我们若说是与神相交，却仍在黑暗里行，就是说谎话，不行真理了。我们若在光明中行，如同神在光明中，就彼此相交，他儿子耶稣的血也洗净我们一切的罪。我们若认自己的罪，神是信实的，是公义的，必要赦免我们的罪，洗净我们一切的不义。"（约翰一书1:2~9节）

　　每一个初得救的人，在他的里头总有一个对主爱慕的心。虽然不大会读《圣经》，他还是喜欢读；虽然祷告得不好，他仍然是要祷告，并且在这样的属灵交通里也感到甘甜，尝到里面的满足。这是一个真实的经历，因为每一个有主生命的人，都与神有交通，因为生命是交通的根据。借着交通，神将他的恩典与丰富流到我们的里面，叫我们的喜乐充足。常活在交通里的人，就是活在主的丰满里的人。

一、交通的中断

在主里面追求长进，有时会落到这样的光景里：人的里面是沉闷的，如同有重担压在里面，失去了平安，没有了喜乐，就是想喜乐也喜乐不来，不愿意祷告了，读神的话也读不进去，打开了《圣经》，只看见乱麻麻的黑字在白纸上跳，再没有起初的甘甜了，这就是交通中断的情形。即使照着习惯去与神交通，但是却交而不通，好像神与我中间的路塞住了似的。

什么原因造成了交通的中断，闭塞了我们通往神那里去的道路呢？能够发生切断神与人交通的东西，无论在何时何地，除了罪以外，再没有别一样东西了。罪一进来，人与神就隔绝了，得救以前是这样；得救以后交通中断的原因也是这样。我们犯了罪，罪就梗塞了交通。"神是光，在他毫无黑暗"。我们没有沾染罪，我们是活在光中，我们与神的交通就没有阻碍。我们犯罪了，立刻就落在黑暗里，不能见光，与神的交通就停止了。

失去与神交通的人，里面是很苦的，重新生活在虚空与迷惘里。享过安息的人，再落在这样的光景，实在是非常难堪的。

二、得救的人还能犯罪吗？

犯罪使信徒与神的交通中断。这就引起了一个问题来了，得救了的人也会犯罪吗？既然有犯罪的事，这人还能算是得救的吗？许多信徒有一个不正确的认识，以为信了耶稣的人不会犯罪，所以一犯了罪，马上就怀疑自己得救的事实来。当然信了主的人是不应该犯罪，在主的救恩里也给了我们不犯罪的可能，因为主的生命是不犯罪的生命，这生命在我们的里头是不许我们犯罪的。但是，我们从前爱犯罪的天性仍然在我们里面，我们若不留意，再让这个犯罪的天性来活动，我们就犯罪。所以，一个得救的人有可能不犯罪，但同时也有犯罪的可能。"我小子们哪，我将这些话写给你们，是叫你们不犯罪，若有人犯罪。…"（约翰壹书 2:1）这明显说出信徒有犯罪的可能。

不信主的人犯罪，信主的人也会犯罪，那么信主和不信主不是一样吗？不，完全不一样，不单是与神的关系不一样，就是犯罪的本质也不一样。"弟兄们，若有人偶然被过犯所胜。"（加拉太书 6:1）。信主的人不会存心去犯罪，也不会以犯罪为喜乐，也不会不停的犯罪，因为"凡从神生的，就不继续的犯罪。"（约翰一书 3:9 直译）。信徒一犯了罪，交通就中断，里面就受责备，不平安。

三、恢复交通

1、一个满了恩典的事实

落在交通中断里的人，常有这样的错觉；以为我没有认识主以前，我是罪人，我犯罪，主给我赦免的恩典有理由的，因为神顾念我的愚昧和无知。但是，我得救了，认识了主，我还犯罪，好像是明知故犯的样子，这样，神还会收纳我么？人有了这个错觉，魔鬼立刻来欺骗，一直叫你看定自己是被神弃绝了，就产生心灰意冷的情绪，很容易落到自弃的地步。

感谢神，他给我们的救恩实在是太完美了。在救恩里我们作了神的儿子，不管我们的光景是好是坏，这个儿子的地位不会改变。还有，我们能以在神面前蒙爱，一点不是因为我们作过什么好的，"神…在基督里拣选了我们。…又因爱我们，…预定我们,借着耶稣基督得儿子的名份，…这恩典是他在爱子里所赐给我们的。"（以弗所书 1:4~6）。神收纳我们完全是因为他儿子的缘故，我们虽然犯了罪，主没有犯罪；我们被罪玷污了，我们的主还是一样的圣洁；我们的光景变坏了，主在父神的眼中仍然是那样的完美。我们的主没有改变，就是我们在神面前蒙爱的根据没有改变。我们虽然犯了罪，神还是因着他的爱子不把我们弃绝，还是一样的收纳我们。这也就是<约翰一书>2:1~2 里所说的："若有人犯罪"，那人不必灰心绝望，因为"在父那里我们有一位中保，就是那义者耶稣基督，他为我们的（众）罪作了挽回祭"。请注意这个"挽回"的意思，绝望了的人，因为主长远的在神面前作他的中保，就被挽回过来，有了盼望。

因着主耶稣的缘故，我们的失败和软弱，甚至是跌倒到如同彼得三次不认主，我们作儿子的地位没有改变，蒙爱的地位也没有改变。这真是一个满了恩典的事实，我们要赞美这一位赏赐恩典的神。

2、恢复交通的方法——认罪

主既把这样宝贝的恩典赐给了我们，我们却落在断了交通的光景里，里面苦恼沉闷，就必须要赶快寻找恢复交通的方法，除掉罪的重压，恢复在主里面的安息。

怎样来恢复呢？神的答覆说，认罪是唯一恢复的方法。认罪的意思不单是承认说"我作错了"，认罪是我按着神的公义定罪为罪，虽然有些人不承认某些事是罪，但在神的光中，我不凭自己的意思，只要神看某件事是罪，我就定某件事是罪。既然某件事是罪，我却把它作了，我倒到罪那边去，结果我离开了神，和神有了间隔，我错了，我不对了，我也在定我自己的罪，并且重新寻求和神恢复正常的关系，我不要再站在罪的那边，我要回到神那里去。这是认罪的意思，不像世人的认错。认罪不光是认错，还要求赦免，并且是站回神那边去。（参看诗篇 51 篇全篇。）

一位姊妹因为受了人的称赞与抬举，结果离弃了神，而且还对许多人说了反对神的话，生活也趋向了放纵情欲，堕落了。过了不太长的日子，慢慢的尝到失去了神的苦味，物质和虚浮的名位没有办法填补失去了神的损失，她要重新寻找神的恩惠。当她回想自己的日子，得罪神到了那样深的地步，差点把她这个愿望推翻了。但她凭着从前所认识的神的话，就放胆的向神认罪救赦免。奇妙得很，她一认罪，立刻就得回赦罪的平安。因为神明明的说："压伤的芦苇，他不拆断；将残的灯火，他不吹灭。"（马太福音 12:20）。又说"神啊，忧伤痛悔的心，你必不轻看。"（诗篇 51:17）。带着被罪压伤的光景，痛悔的寻求神的赦免，神必不推却。认罪是神的儿女唯一恢复与神交通的路。

3、认罪的范围

认罪就得着恢复，那么要怎样认罪呢？

我们信主的时候，只要认识自己是一个该死的，绝望的罪人，自己责备自己的不信，转过来接受稣基督作救主，我们就得救了，不必要去认罪，神也没有要求我们认罪，只是应许我们因着接受主耶稣，就得着拯救。但是得救了的人若是犯了罪，就得要一件一件的向神认罪，恳求赦免。"我们若认自己的（众）罪，神…必要赦免我们的（众）罪。"这是神给我们看见的。若是反过来看，我们若不认自己的罪，神就不会赦免我们的罪。因此，信徒若犯了罪，必须要一件一件去认罪，一点也不能马虎，不然与神的交通就有阻塞。神是这样说，我们就这样作。

怎样犯罪就怎样认罪，犯了多大的罪就认多大的罪。许多人认罪是拢拢统统的，含含糊糊的，这样认罪是不成的，必须要清清楚楚。要认罪就诚实的认罪，不要说："我犯了罪，神啊，求你赦免我。"究竟你犯了什么罪呢？你必定要清楚的说。虽然神是知道你犯了什么罪，但他还是要你自己说，你犯了什么就认什么就对了。是说谎就承认说谎，是心思污秽就承认自己的污秽，是怎样就承认怎样。不要向神解释，不要推卸责任，犯罪就是犯罪，谁叫自己要犯罪呢？犯了罪就要定自己的罪，向神认罪。神要我们清楚的认罪，认罪的时候，我们里面会感觉痛，会痛就好了。神就借此叫我们更深的认识罪对信徒的损害，犯罪不是好玩的事。

认罪要具体，要把犯罪的事说清楚，但是不必像讲历史的那样，从头到末了把过程细细的描述，这是不必要的。只要把什么样的罪说清楚，也把罪给自己的损害说出来，把对罪的认识说出来，告诉神你要求赦免，你还是寻求神的，这样就够了。

罪损害人在神面前蒙恩太利害了，所以，若有人犯罪，就不要让罪在自己身上停留过久，越快认罪越好，一犯了罪就马上认罪。

四、赦免的根据

认罪就恢复交通，这是神给我们的应许，也是神的方法。"我们若认自己的罪，神是信实的，是公义的，必要赦免我们的罪，洗净我们一切的不义。"神既是这样应许过，他必按着他的应许赦免向他认罪的信徒。神并且显明他自己是信实的，一定不会欺骗我们；又是公义的，一定不会说过了又不承认。所以，我们所犯的罪，不论大小，向神认罪了，就当相信神一定赦免，不必去疑惑神肯不肯赦免，或是什么时候神才肯赦免。神既应许说他必定赦免，我们什么时候认罪，就在那个时候神就赦免，同我们得救一样，什么时候相信福音，就在那个时候神就叫我们得救。神肯赦免是肯定的了，问题在我们有没有认罪，一认罪，神立刻就赦免，因为这是神答应过的，他必定不会失信。

神给我们这个赦罪并恢复交通的应许，还是因为他的儿子替我们死的结果。主耶稣的死不单是除掉我们得救前的罪，也解决我们得救后所犯的罪，就是我们一生一世的罪，他都为我们解决。神的儿子既是替我们死，他的死就永远在神面前作了我们的罪的工价。我们看神儿子的死是历史上的事，但神看他儿子的死永远在他的眼前，我们以前已经谈过，就是到了永世里，神的儿子还是带着被杀过的形像在神的眼前。我们才信主的时候，只能领会主担当我们信主以前的罪，但是这位神的羔羊，他来背负世人的罪孽，没有时间限制，他一背负了就完全的背负过来；他背负我们信主以前的罪也背负我们信主以后的罪。我们到神面前认罪，神看到那替我们死的儿子，他就欢然地赦免我们的罪。

神一赦免，同时也借着主曾流血的这件事，给我们洗净，洗净就是连痕迹也不留下。我们认罪，因着他自己儿子的死，神赦免我们；也因着他儿子的血，神又洗净我们，使我们如同没有犯过罪一样的洁净，叫我们与他的交通没有一点黑暗。主一次流血，就叫我们得着时刻蒙洗净的果效，因为"他儿子的血也不住地洗净我们一切的罪"（直译）。我们不管什么时候到神面前来，主的血都在我们身上显出洁净的能力，如同祖父辛劳的栽种果树，儿孙们就不停的享用果子。主耶稣"用自己的血，只一次进入圣所，成了永远赎罪的事。"（希伯来书 9:12）我们就一直享用这个洗净的能力和恩典。

感谢神，给我们奇妙的救恩，叫我们出死入生；又给我们奇妙的恢复交通的方法，叫我们常在他面前蒙爱，不被玷污。

犯了罪的信徒，若不去用神的应许恢复交通，那个结果是可怕的。虽然得救了的人犯罪，不至再次落到永远灭亡里，但是那个亏损就实在是太大了。有一位弟兄指出一个严重事实，信徒头一次犯罪，里面感到十分的难过，若是不悔改认罪，寻求恢复和神的交通，第二次再犯罪，那难过的程度便减轻了，再不认罪，第三次犯罪，便不觉得有什么不对，第四次犯罪，不单是不觉得难过，反倒觉得快乐，从此就会一直以犯罪来作他的"快乐"（？）了。这是何等可怕的现象！神的祝福与恩典在他身上停止了，心灵麻木到不再知道罪的损害，而这个损害却不住的发生在他身上。"我闭口不认罪的时候，因终日唉哼，而骨头枯乾。黑夜白日，你的手在我身上沉重，我的精液耗尽，如夏天的乾旱。"（诗篇32:3~4）。这正是拒绝认罪的信徒的描写，何等的可怜！

现在不肯认罪，终究也要在神面前解决。等到我们站在神的审判台前，累积起来的罪过都要清理，那时要重重的受亏损。（信徒的审判，留待以后详细谈。）神既给我们这个赦罪并恢复交通的恩典，我们就尽快的承认所犯的罪，今天犯罪不要留到明天才认，早晨的罪不要留到晚上才认。罪停留在信徒身上时间越短，信徒受的亏损就越少，也越小。

我们该向神有这样的祷告，求神给我们一个心志，叫我们更多宝贝与神交通的生活，拒绝宝贝罪和犯罪的事。

第十七章
凡事都不可亏欠人

读经:

"所以你在坛上献礼物的时候，若想起弟兄向你怀怨，就把礼物留在坛前，先去同弟兄和好，然后来献礼物。你同告你的对头还在路上，就赶紧与他和息。恐怕他把你送给审判官，审判官交付衙役，你就下在监里了。我实在告诉你，若有一文钱没有还清，你断不能从那里出来。"（马太福音 5:23~26）

"凡事都不可亏欠人。"（罗马书 13:8）

"神啊，求你按你的慈爱怜恤我，按你丰盛的慈悲涂抹我的过犯。求你将我的罪孽洗除净尽，并洁除我的罪。因为我知道我的过犯，我的罪常在面前。我向你犯罪，唯独得罪了你。……"（诗篇 51:1~4）。这是大卫认罪的祷告，我们从其中认识了一个事实，人所犯的罪，都是向着神，不管是什么罪，都是与神过不去，直接得罪神的。感谢神，他有怜悯为我们存留，我们若向他认自己的罪，他要按他的信实和公义来赦免我们的罪，洗净我的,不义，恢复我们和他的交通，这是我们真实的经历。

有一位弟兄提出这样的一个问题，他说："某次我犯了罪，我也向神认了罪，但是我与神的交通还是不正常，起初我以为是感觉，但后来我知道实在不是感觉，而是真真实实的交而不通畅。神既然应许过一定赦免，为什么我还得不着赦免呢？"原来这位弟兄所犯的罪，不是他个人与神中间的事，还牵连到别人的关系上，所以，他的罪在神面前是赦免了，神应许说过他一定赦免，赦免是没有疑问的了。神赦免了，交通应当是可以恢复了，但是在人中间的结还没有解开，因此在交通上还有一点阻滞。

一、凡事都不可亏欠人

神要让他的儿女们晓得，我们不光是要在神面前不出事，也要在人中间不出事。"使你们无可指摘，诚实无伪，在这弯曲悖谬的世代，作神无瑕庇的儿女。"（腓立比书 2:15）。与人在犯罪上出事，就有了暇疵，就因着这一点瑕疵，与神的交通虽不至停止，但却不能畅通，有阻塞。

神要我们在他面前过得去，也在人中间过得去，他明显的给我们一个吩咐，"凡事都不可亏欠人"。亏欠人的事在神眼中是不对的。亏欠就是叫别人因我而受的损害，或者是感情上受损害，或者是事情上受损害，或者是物质上受损害。不管是哪一种损害，都是一个亏欠。我亏欠了人，就是我得罪了人。得罪了神要向神认罪，得罪了人也得与人有解决。

主在地上的时候，向人讲到人与人的关系说，人若是得罪了人，这人若想他向神所献的蒙神悦纳，他必须先去与人和好，不然的话，他所献的是白献了，神并不悦纳。又说，人若是在物质上亏欠了别人，这人一定要完全解决这个亏欠，不然的话，他是不可能得释放的。主的话说得很严厉，"若有一文钱没有还清，你断不能从那里出来。"主是这样清楚的指出来，人要蒙神的祝福，不单要和神有好的关系，也要和人有好的关系。我要是得罪了人，就得向人赔罪，请求饶恕。我若是在物质上亏欠了人，就得交还给人，或者是赔偿给人。这是主指定给我们的方法。不要想向神就要严肃些，向人就可以随便些。不能，不解决对人的亏欠，我们的交通还是受捆绑的。

二、赔罪

得罪神就向神认罪，得罪人就向人赔罪。认罪是向着神，赔罪是向着人。

不管我们是在言语上开罪了人，或是在行动上得罪了人，这都叫我们与神的交通受阻碍。要除去这个阻碍，就要诚诚实实的向人赔罪。认罪和赔罪都该有严肃的态度。在赔罪这一件事上，我们心里常有一个难处，好像觉得太难为情的样子。有一个弟兄说："我宁愿向神认罪十次，也不愿向人赔罪一次。"真的，我们都觉得向神认罪好作，也容易作得到，向人赔罪就难作，不容易作得到。这是我们天性里的败坏，因为我们爱面子。面对面的向人说："我得罪了你，请饶恕我。"多难为情哩！但是谁叫你得罪人呢，当别人接受你得罪的时候，人家心里所受的伤又何曾好过呢！不赔罪，真实受损害的还是自己，心灵所受的捆绑是够利害的。

1、真实的赔罪

要赔罪就得正正式式的赔罪；不要拖泥带水的赔罪，有些人赔罪，与其说是赔罪，倒不如说他们是绕一个圈子去责备人。他们是这样的向人赔罪，"某人呀，我在某件事上得罪你，请你饶恕我。不过，若不是你先作了什么什么事激恼了我，我是不会得罪你的。"这那里是赔罪呢？或者说："若不是我受了某人的气，无处发泄，正好碰到你，我就不会在言语上顶撞你的，请你原谅。"这是推卸责任，不能说是赔罪。赔罪的人是要看见自己得罪了人的事，却不是看见自己的理由，不然的话，十次赔罪也没有解掉心灵的捆绑。一位弟兄向别一个弟兄赔罪，过了不久，为着那一件事，又向那弟兄赔罪，又再为那件事赔罪，那弟兄说："我已经饶恕了你，我也把那件事忘掉了。"但是那向人赔罪的弟兄说："我向你赔了罪，回去以后，我觉我不是赔罪，是在为自己辩护，心里不平安，所以再向你赔罪，请求你饶恕。"罪是赔过了，但捆绑还是停在那里。这是比较特别的一个例子，但已经叫我们看见了，赔罪就是实实在在的向人清理自己的亏欠。别人对你的亏欠，你不要自己作审判官，神既然会催迫你赔罪，也一样的催他向你赔罪，你只要清理你亏欠人的事就好了。

2、不要顾面子

顾存自己的面子，是赔罪的一个大阻碍。我们还是要说这样的话，求主使我们宝贝在他面前得释放，过于宝贝我们脸上的光彩。在上海有一位老年的弟兄，在一件事上得罪了自己的儿子，他已经向神认了罪，里面也清楚要向儿子赔罪，但是难堪得很，他很不愿意。圣灵一再光照，他还是不肯。他想自己是父亲，怎好向儿子赔罪呢！他不肯赔罪，里面就一直受捆绑。父子的感情也沉闷得很，儿子的心里也在怨恨着父亲。到了一个晚上，这位年老的弟兄实在放不过心里的沉重，在床上翻来覆去睡不着，他结果是下了决心，不给面子留地步，要去向儿子赔罪。他连忙起床，跑到儿子的房间去，请求儿子饶恕。这弟兄老泪纵横，他的儿子也在掉眼泪，两个人抱在一起，彼此认罪，请求饶恕。他们眼泪干了的时候，父子的感情和好逾昔，在神面前心灵的捆绑也脱落了。

平辈之间，或是辈份低的向辈份高的赔罪，还比较容易些。辈份高的人向辈份低的赔罪就太难了，尤其是我们中国人的伦理观念，更不允许这样作。但是，在神面前，罪就是罪，亏欠就是亏欠。不管是尊卑或是老幼，犯了罪就该认罪，亏欠了人就该清理。在上海又有这样的一件事，一位牧师得罪了一位信徒。他知道赔罪，但是碍于"牧师的身份"，他想不了了之。但是不行，每当他跪下来祷告，就好像看见那位信徒在他眼前，他祷告不下去。结果他受不了，还是叫自己降低，去向那位信徒赔罪。世界的人很爱面子，信主的人若也要爱面子，就不要犯罪，不要亏欠人，不然，面子定规要扯下来的。

3、赔罪的范围

原则上，得罪了人就要赔罪，但是有一些情形是例外。虽然是例外，不要去赔罪，但人若真有赔罪的心，神也一样的除去我们的捆绑。在底下提出一些原则作参考，使我们清楚在什么情形下不要赔罪。

（1）别人根本不知道的事，就不要赔罪，免得留下一些不必要的破口。比方说，我心里恼怒一个弟兄，但那弟兄根本不知道我恼恨他。等到有一天，我受了光照，我向神认了罪。在这种情形下，就不必向弟兄赔罪。恐怕赔罪了，有时反会叫弟兄心里软弱，这就不好了。

（2）赔罪的结果会损害到第三者的事，在这种情形下，就不要固执地去赔罪。比方说，你和一个有丈夫的妇人有了不正当的友谊关系，她的丈夫却不知道。虽然还没有落到犯罪的境地，但终究是不合宜的事。神给你管教，你认罪了，神赦免了你。你想到这种"友谊"实在亏欠了她的丈夫，这实在是个利害的亏欠，但千万不要向她丈夫赔罪，因为这一来，也许会叫一个家庭拆散，叫一些无辜的小孩受折磨。这不是说逃避赔罪，因为赔罪的结果会损害到其他的人，我们就不得不在爱心的原则上去衡量一下。

（3）不能替别人赔罪，各人自己担当自己的事。主替我们担当罪，是神格外的恩典，我们却不能这样去作代替，因为我们没有"无罪"的资格。没有一个人可以替别人认罪，也没有一个人可以替别人赔罪。在旧约献祭的事上，我们看到献赎罪祭的人一定要按手在赎罪祭牲的头上，按手是表明联合，表明祭牲就是他本人去受罪的处理。赎愆祭也是一样。虽然<利未记>第5和第6章的赎愆祭没有提到按手在祭牲上，但从第7章7节里看，"赎罪祭怎样，赎愆祭也是怎样，两个祭是一个条

例 。"赎愆祭也是要按手的 ，也就是说信徒犯了罪，罪的解决必须是本人直接去作。比方说，你和几个人一起犯罪，神对付你的时候，你认罪就认你的一份，赔罪是赔你的一份。你不必替人认罪或赔罪，你就是替别人认罪或赔罪，也不会带出结果来。

三、交还或赔偿

"若有一文钱没有还清，你断不能从那里出来。"一文钱是顶小的事，但不因为是顶小的事，我们就可以轻轻的放过它。主说这话的意思，明明是指出，人若在物质上亏欠了别人，他一定要偿还给别人，不偿还就要在心灵上出事情。<路加福音>19:1~10 里，撒该接受了主，立刻他就看见自己亏欠了人，他要偿还。他说："主啊，…我若讹诈了谁，就还他四倍。在物质上亏欠了人，就一定要用物质去偿还，不能赔赔罪就算数，主是一直借着赔罪与偿还来教导我们，犯罪与亏欠人永远是损失，一点不会给人占便宜。

1、一定要偿还

我们人的天性里有一个极大的败坏，就是喜欢占便宜，神却明明的吩咐说："凡事都不可亏欠人"，就是不叫人去占别人的便宜。有意去占别人的便宜是不对，就算是无意的占了便宜也一样是不对，神在你里面给你看见你亏欠人了，你就无话可说。比方说，你乘公共汽车，车上人很挤，你还没有买到车票，你就要下车了。以前你没有信主，你很开心，因为坐了车子不用买票。现在信了主，情形不对了，开心不来，你要辩护说："我不是不愿买票，是售票员没有向我卖呀。"但辩护也不行，神就是给你看见，你亏欠了人，等到你定规说："是的，我真是亏欠了人，下次乘车，我要补买车票。"好，这样你就能再开心了。

在神面前，我们有基督流血的事替我们作挽回，所以我们得救以前的事，不必我们自己去清理。但是在人面前，神没有代替我们去清理，因此，我们必须自己去清理，得救前与得救后亏欠人的事都要自己清理，使我们有无亏的良心。一面是为了在人面前作见证，一面是不叫属灵的交通有阻滞，所以，是亏欠就要偿还。

借用了人家的东西，用完了就马上还给人。损坏了别人的东西就赔偿。不问自取的东西，不单要还，并且还要认罪和赔罪。有人借了别人的书看，看完了却懒得送回去，这是亏欠。有人借了别人的钱，根本就不打算还，没有钱的时候固然不还，就是有钱的时候也不还，这是亏欠。应该替人作的却不替人作是亏欠，应该给人的却留下不给也是亏欠。"若有人犯罪，干犯了耶和华，在邻舍交付他的物上，或是在交易上，行了诡诈，或是抢夺了人的财物，或是欺压邻舍，或是在捡了遗失

的物上行了诡诈，说谎起誓。…他既…有了过犯，就要
归还他所抢夺的，或是因欺压所得的，或是人交付他
的，或是人遗失他所捡的物，或是他因什么物起了假
誓，就要如数归还。另外加上五分之一。"（利未记
6:2~5）。亏欠了人就一定要偿还。在旧约的时候是这
样，在新约的时候这个原则也没有改变。

2、没有能力偿还

有些物质的亏欠很大，我们一时没有能力还，怎么
办呢？现在虽然偿还不出来，但是要偿还亏欠的心一定
要有。千万不要想，既然还不来，拉倒就算了。不能这
样的，现今没有能力，也要定规将来有能力时就偿还。
在这种情形下，就当跑去找到受亏欠的人，对他承认亏
欠，并对他说："现在我没有力量偿还，等到我一有办
法，我立即还你。"这不是应付人，也不是贿赂自己的
良心。向人承诺了，就要尽力完成承诺，除掉自己的亏
欠。

3、没法偿还给当事人

我们认识自己亏欠了人，要偿还，但是不知道那人
在那里；或者他已经死了，这样又要怎么办呢？在《旧
约》<民数记>5章5~8节里，"耶和华对摩西说，你晓谕
以色列民说，无论男女，若犯了人所常犯的罪，以至干
犯和华，那人就有了罪。他要承认所犯的罪，将所亏负

人的，如数赔还。另外加上五分之一，也归于所亏欠的人。那人若没有亲属可受所赔还的，那所赔还的就要归与服事耶和华的祭司。"根据这个原则，我们可以偿还给他的直系亲属。若这个也找不到，那就可以交给教会，或者自己定规，把所该偿还的送给有困难的信徒。总的一句话说，你亏欠了人的，就是你不该得的，你就不要留在你那里，叫你永远背负一个亏欠。

末了，要给大家指出，一切成为亏欠的事，都是和罪有关系的。罪或亏欠都是叫人受损的。在旧约时，偿还要另加五分一，新约的撒该却赔四倍。因此，我们在神面前要逃避犯罪，在人中间不要亏欠人。我们该时刻求主保守我们，在神和人面前都是洁净的，如同主是洁净的一样。"因为经上记着说，"你们要圣洁，因为我是圣洁的。""（彼得前书 1:16）

第十八章
不可停止聚会

读经:

"我又告诉你们,若是你们中间有两个人在地上,同心合意的求什么事,我在天上的父必为他们成全。因为无论在那里,有两三个人奉我的名聚会,那里就有我在他们中间。"(马太福音 18:~20)

"你们不可停止聚会,好像那些停止惯了的人,倒要彼此劝勉,既知道日子临近,就更当如此。"(希伯来书 10:25)

基督徒不单是需要个人追求,也要和信主的人一起去追求。<使徒行传>是教会最初的历史,我们可以从其中看见,信主的人常常聚集在一起,这是聚会。聚会是基督徒的需要,也是教会生活中很突出的一个见证,一个有主生命的人,很自然的会觉得,不能缺少聚会。

一、一个特别的祝福

关于聚会这件事,我们的主有一个这样的应许,"无论在那里有两三个人奉我的名聚会,我就在他们中间。"这应许很特别,我们想,在信主的时候,我们知道主是这样说，他要住在我们里面，因为"你们若不是可弃绝的，就有耶稣基督住在你们里面。"（哥林多后书 13:5 直译。）怎么他又说，要在聚会里，他才在我们中间呢？我们注意一下《圣经》上的记载，就可以了解这个应许的意思。

"我就在你们中间，"这是主对聚会的一个特别的祝福，这祝福一定在聚会的时候才显出来的。主应许与每一个信主的人同在，但主又应许，当信主的人在一起聚会的时候，他要显出一个特别的同在，这个特别同在是个人所不能得到的。让我们来看几件《圣经》上的事情。

<约翰福音>20:19 开始，记载门徒在主复活以后，在一个地方有两次聚会，每一次聚会，主都来到他们中间向他们显现。在头一次聚会，多马没有在聚会里，他就失去了一次看见主显现的恩典，在他个人的信心造就上就失去了一点祝福，当其他的门徒都大有喜乐的时候，他仍活在不信的愚昧里。

主应许在他升天以后，要差遣圣灵降临，因此要门徒留在耶路撒冷等候五旬节那个日子。<使徒行传>2:1，"五旬节到了，门徒都聚集在一处。"就在他们聚会的时候，神的应许就成全了，圣灵就普遍降下来。这就叫我们记起，主在往以马忤斯的路上，把两个门徒拦截回

耶路撒冷，要叫他们有份在那次的聚会里，来接受神所应许的圣灵。（路加福音 24:13~49）。

<使徒行传>13:1~2，在安提阿教会里，几个弟兄一起聚会的时候，神就借着圣灵启示他的计划，差遣扫罗（保罗）和巴拿巴到外邦人中间传福音。

从上面的事实，我们看见神要把大的祝福，或是启示他的工作，或者是显现他的同在，总是在聚会时候。若是我们再看<哥林多前书>15:5~7，我们更发现，除了特别的人和当时特别的需要，主的显现是在弟兄们聚会的时候。从历史的事实，和主在聚会中同在的应许，我们就明白，神有一些祝福，我们只在聚会中才可以得到，神也在聚会中才作这样的工。一些弟兄姊妹们的经历，他们心灵背着重担到聚会来，在聚会的时候就轻松释放了。或是在主面前有不明白之处，一到聚会来，就清楚明白过来了。在聚会里失去忧伤，失去重担和黑暗，恢复安息和喜乐。这些蒙恩的光景，就显出了主在聚会里的同在，是主给我们一个特别的祝福，是个人仰望主的时候所不容易得到的。

许多人以为聚会就是为了听道，这个认识不大完全。因为听道不过是一类聚会里的一个内容，尤其是现今物质的发明，使人可以在无线电广播里，电视里和录音机里听道。我们若认识了神对聚会的祝福，我们就不会以听道来代替了聚会。我们聚会，最要紧是顺服主的吩咐，并且在聚会中得着主的显现和同在，享用了主的同在，什么过不去的事都过去了，人的里面碰到了神的恩典。

二、聚会归入主的名

"有两三个人奉我的名聚会"这话虽然很短，但是却有好些事情给我们去领会，去学习。我们把这句《圣经》直译过来，那意思就是"有两三个人被召集，聚在一起归入我的名。"我们按着《圣经》的原意来仔细的看。

1、聚会是什么？

一堆人聚在一起，按《圣经》的眼光看，不一定是聚会。因为许多人在一起聚集，他们可以是宴乐，可以是看戏，可以是开各种性质的会议，也可以是做买卖，甚至是举行卖物会，还有许许多多的名堂，人所看为是集会的，但神却不能说这些是聚会。《圣经》上给我们看到的聚会，头一点是不在乎人数的多少，只要有"两三个人"就能聚会了。其次，这样的聚会是与主耶稣有关系的，就是"奉主的名"的，才是神眼中所承认的聚会。所以，聚会就是信主的人奉主的名聚集在一起，作主所要他们作的事。或是听道，或是祷告，或是传福音，或是彼此有交通。我们认识了聚会的性质以后，就要进一步的来看聚会究竟是什么一回事，为什么信主的人要聚会？

2、聚会是出于神的邀请

"有两三个人被召集"。对于聚会，信主的人都有一个吸引，很自然的要参加聚会，爱慕聚会，聚会的时间到了，就要到聚会的地方去与其余的神的儿女在一起聚会。有一位年老的姊妹，没有信主以前，她最爱去看戏，在她信主以后，这些都不要了，就是要聚会。从前听说人要带她去礼拜堂，她头都疼了，现在若是不能去聚会，她就很不舒服。她连"聚会"这个名词也不会用，她说"聚会"是"上课"，吃过了晚饭，距离聚会时间还远，她的心就急着去"上课"，比作其他什么事都要急。可以说每一个信主的人，多多少少都像这位老姊妹的情形。为什么？主的话叫我们看见，原来聚会是神邀请我们参加的，我们是被召集的，神在我们的里面都发了请帖，请我们去聚会，如同我们被亲友邀请，去赴他们的宴席一样。

神召集我们，我们又接受了神的邀请，就聚会起来了。因此，我们又看见一点，聚会是神发起的，他是聚会的主人，他也是负责安排和管理聚会的，这一点和一般人的集会是何等的不同啊！信主的人聚会是出于神作起头，不然就不是神所要的聚会，如同信主的人应当让神作他的起头一样。"因为你们立志行事，都是神在你们里面工作（或作发起），为要成就他的美意。"（腓立比书 2:13 直译）。

　　聚会既是出于神的邀请和召集，因此在聚会生活上出事的人，定规是在神面前出了事。我在学校读书的时候，有一位弟兄在神面前出了事，他不只不来聚会，就是在路上走，远远看见弟兄或是姊妹迎面而来，他就绕路走了。从聚会的生活上，我们可以大体上看出一个信主的人和神的关系是怎样。在中国北方的教会，有这样的说法，在聚会里有这样的四种人，他们是教友，酵友，叫友和轿友。（注：国语发音，四个都是一样。）教友是教会的朋友，可能礼拜堂的名册上有他们的名字，但实在是没有生命，他们很熟悉教会的事，也来聚会，不过聚会只是他们生活上的点缀，在聚会里他们是无所谓，也无所得着。酵友比教友更坏些，他们在聚会里，除了起酵的作用，把败坏和混乱带入教会以外，什么好处都没有。再有一种是叫友，这等人可能是得救的，但是对神很冷淡，很少聚会，别人叫他去聚会，叫一次，他就去一次，不叫，他就不聚会。还有一种轿友，不叫他去聚会，他固然不去，就是叫他，他也不会去，非得要去陪他去，抬他去，他才无可奈何的去。这几样的人，聚会生活的态度都不对，他们在神面前也定规是不对的。

216

信主的人怕聚会，或是讨厌聚会，都是不正常的。神邀请我们，定规是把他的上好给我们。（参看诗篇84:10~11）。对神的邀请不感兴趣，肯定在神面前出了事。神召聚我们聚会，既是把他的上好给我们，我们对聚会自然就有爱慕。许多人一个礼拜只有在主日聚会一次，这太少了，神的儿女真不能以一礼拜聚会一次为满足。我们若认识聚会是这样的宝贝，我们一定后悔，在聚会生活上漏失了那么多神的恩惠。

3、归入主的名

我们在关于祷告的几点认识的那一章里，曾经提起，《圣经》上"奉主的名"的意思，绝大部份是"在主的名字里"。但在<马太福音>18 章讲到"奉我的名聚会"就有一点不一样，上面已经说了，是"聚会归入我的名。"这里的"奉"与其余的"奉"所用的字是不一样，意思也就不一样，中文《圣经》也只有这一处把"归入"这个字作"奉"字用。"归入"是表明一个动作。我们把整个意思连起来看，就是我们聚会，有一个方向，就是主耶稣；有一个中心，就是主耶稣，并且我们的聚会，主耶稣也承认是属于他的，是他悦纳的。

神儿女们在地上的聚会，正好表明了教会的见证。教会是神从世界中选召出来，归入主的名下。我们有聚会，是神在我们里面有吸引，我们就聚会在一起，也归入主的名下。世人看见了教会的聚会，他们才认识到有教会，也认识有神，和神拯救人的事实。

教会被召是归入主的名，不是归入任何人的名，或是归入任何教会团体的名，聚会也是一样，是归入主的名。许多基督徒没有认识这个事实，为自己和聚会都留下了亏损。有人要去聚会，他首先要看讲道的人是谁，是某某人讲道他就去，不是某某人讲他就不去，或者是某某人在那里讲道，他就跟到那里去聚会。这样的人，他心里只有某某人，却没有主，他去参加聚会，是归入某某人的名下，而不是归入主的名。说清楚一点，为要得着真理和恩典的造就，而去听某某人讲道，也是无可厚非的，因为神用着他来输送恩典。但是，许多人只要听某某人的讲道，恐怕是高举人，爱慕人的讲论过于爱慕主和高举主。不管某某人在神面前的光景是好是坏，只要是他站讲台就行，这不是聚会归入主的名。我们要学习拒绝这样的聚会的态度，不然，我们就只是一个听道的基督徒，而不是一个有聚会生活的基督徒。

人的天性就是不要高举主，而要高举人和人所有的，神却要借着聚会来操练我们，要我们学习高举主。有些宗教团体安排一些聚会，把讲道的人捧得高高，特别标榜那人的头衔和职位，甚至还把那人的相片也刊印在广告上，有时连讲道的人也是心里高抬自己，希望有人归入自己的名下，叫参加聚会的人，只有人的味道，而没有归入主（奉主名）的味道。有些地方还在"聚会"中加插各样的表演节目来吸引人，更有坏的像哥林多人在聚会里分门别类，假若我们真认识了奉主名聚会，我们实在为这些作法伤痛，他们把神的恩典当作高举人的玩意。聚会若不是奉主的名，若不是归入主的名，严格的说，那真不能说是教会的聚会，也不能是奉主名的聚会。

我们奉主的名聚会，主应许说一定在聚会中间。主在我们中间，就叫参加聚会的人亲自经历到他的恩典，怜悯与丰富。人不高举主，人不要归入主的名，只在那里高举人，高举自己的团体，主就不能在那些聚会中间，因为人不把地位让给主。那样的聚会，外面充满世界的热闹和虚假的敬虔仪文，却没有主的同在，里面是冷冰冰的，没有属灵的温暖和滋润。这样的聚会，不能说是奉主的名。

曾经和一位主的仆人交通，他很感慨的说："许多信徒都不会聚会！"这实在是真实的话，不知道聚会是什么，也不知道什么叫"奉主名聚会"，自然就不知道怎样聚会了。我们要切切的求主，在聚会的功课上教导我们，叫我们心里爱慕主，更深的寻求主，到聚会来亲近主，享受他的同在。又叫我们会奉主的名聚会，若不归入主的名，可们宁愿不去聚会。主既不在那个聚会里，我们也不到那个聚会里。

三、不可停止聚会

主在我们的聚会生活上不单教导我们要奉主的名，他也很重的提醒我们不可停止聚会。许多信主的人不看重聚会，或者受别样的吸引，停止了聚会，主都向我们说一样的话，"不可停止聚会"。已经停止聚会的人要赶快恢复聚会，还有聚会的人要保守自己恒久的聚会，主知道常常聚会是我们的好处，所以他给我们这样重的提醒。"你是我的主，我的好处不在你以外。"（诗篇16:2）。主既这样的给我们认识聚会是恩典，我们就不单自己常常聚会，还彼此劝勉要常常聚会。不单是参加主日的聚会，也尽量的参加其他的聚会。

1、为什么？

主吩咐说"不可停止聚会"，究竟有什么意思呢？从表面上看，一个不聚会的信徒，就失去了教会的生活，孤单的流荡在世界里，渐渐的失去了神的恩典，（希伯来书 12:15）被世界腐蚀了，为自己在神面前积蓄亏损。深入一点看，主的话告诉我们说："既知道那日子临近，就更当如此（不可停止聚会）。"从上下文看，那日子就是指着主再来的日子。因为主要再来，我们都要去见主，因此，主就吩咐我们要常常聚会。

《圣经》中讲到聚会与主再来有关系的，也用同一的字来讲聚会的，只有两处的经文。除了<希伯来书>10:25 以外，就是<帖撒罗尼迦后书>2:1，"弟兄们，论到我们主耶稣基督降临，和我们到他那里去聚集（会）。"在这里，我们看见现今的聚会，是为了叫我们有一点的操练，一面叫我们认识主更深。一面在各种的聚会里学习事奉和感赞，好准备去赴天上的那个聚会。因为等到我们一同到了天上的那日子，我们只有事奉和感赞可作，"他的仆人都要事奉他。"（启示录22:3）到了那一天，是真实的面对面的事奉，不再有机会操练了。因此，主就让我们在地上的日子，借着聚会来操练自己，叫我们见主面的那天，不再有生硬的事。现在有许多人在礼拜堂里举行婚礼，在婚礼的前几天，他们定规去练习婚礼进行的过程，练习好了，不叫在举行婚礼的时候出乱子，闹笑话。主的话劝勉我们，也要我们彼此劝勉，"不可停止聚会"，原因就在这里，要我们趁着主还没有来以前，借着各种聚会一面在现今接受恩典，一面又把自己预备好，等候去见主，在主的面前聚会。现今主在我们的聚会中间，将来是我们在他面前聚会，他永远是我们聚会的方向和中心。

2、一个严重的问题

我们该常常聚会，这是主所吩咐的事，但不是说，一切的聚会我都要参加，不能漏了一个，因为在我们的现实生活里，会有一些原因不允许我们参加所有的聚会。虽然是如此，但是我心里却要有一个爱慕，只要有赴聚会的可能，都要紧紧的抓牢能聚会的机会。

"不可停止聚会"。也不是绑牢一个人，固定在一处地方聚会，到别处地方就不成。不是这样死板的，聚会是人向神负责的事，不是向任何人或教堂负责的。基督教里流行着一个顶坏的风气，有信徒到别处聚会，就说别人"偷羊"。这话根本是不通的，"羊"是主的羊，只要他们是在奉主名的聚会里，他们没有被人"偷去"，他们仍是主的羊。不过有些人的确是有私人企图，要扩大自己作工的圈子而得利，这就不是奉主名的聚会，里面就有问题，不要陷在人的诡计里。

"不可停止聚会"不单是说人要来到聚会里，而是要真真实实的聚会。许多人的身体是在聚会的地方，但是心却不在聚会里。《圣经》上的"停止"是有"离开"和"放下"这两个意思。"离开"就是不来聚会，"放下"不单是说人不来聚会，就是人在聚会里，心却不在聚会里也包括在内。有些人在聚会里打瞌睡，或者是心思在游荡，完全没有理会到聚会。这种光景，按着

《圣经》的眼光来看，人虽然在聚会的地方，但仍然是"停止"了聚会。这实在是一个严重的实际问题！主既然是要我们实际的注意我们聚会态度和光景，我们就当在聚会这个功课来操练自己，造就自己，不叫我们生活在停止聚会的光景。

主啊，求你吸引我们，叫我们爱慕聚会，因为你就应许过，要在聚会中和我们同在。又求你教导我们，在聚会的生活上接受你丰满的恩典和祝福。阿们。

第十九章
各种聚会

读经:

"我现今吩咐你们的话,不是称赞你们,因为你们聚会不是受益,乃是招损。第一,我听说你们聚会的时候,彼此分门别类。……你们聚会的时候,算不得吃主的晚餐。因为……。"（哥林多前书11:17~20）

有了常常聚会的心,还要认识各种聚会,明白每一种聚会的性质与目的,我们才能好好的过聚会的生活,不然的话,我们虽然有了要聚会的心,但是我们仍旧是不知道怎样聚会。在哥林多教会里的弟兄姊妹,在聚会的事上非常的混乱与糊涂,造成这种光景的原因,一面是因为他们在教会里不高举主,以致分门别类,另一面是因为他们实在不懂怎样聚会。因此,神,借着保罗,一面责备他们的不是,一面也教导他们应该怎样聚会。在<哥林多前书>11章,保罗教导他们怎样聚会擘饼记念主,14章教导他们怎样在聚会中运用恩赐,彼此造就。

不单是在哥林多的弟兄姊妹需要学习怎样聚会,我们每一位信主的人也都要学习怎样聚会,对每一种聚会的性质，我们要清楚。要准备怎样的心去参加聚会，我们也应当知道。在下面我们要看到每一种聚会。

一、 几件在聚会中该注意的事

在没有谈到各种聚会以前，有几件事情必须先要说一说，事情虽然是小，但是我们若不注意，它们对聚会所产生的坏影响却不小。所以我们要先来认识，也要注意的实行。

头一件事，我们来聚会，千万别忘记主自己应许说，他要在聚会中与我们同在；也就是说，主是在聚会的里面。主是十分的可爱，也是该受敬畏的，所以我们到聚会里来，一面存着爱慕见主的心，另一面该有一个严肃的态度，因为你会在聚会中遇见主。所以，一切嬉戏，随便和不专心的事，都不应该在聚会中出现。

其次，主既然是在聚会中间等待我们，我们就得守时来到，除非不得已，不要迟到。我们平常与人有约会，也该守时，对人不守约，已经是一件不好的事，何况我们聚会就是赴主的约会，我们怎能不守时呢！有些地方应该是十点钟聚会，但是到了时间，只得三两个人来了，非要过了十分钟，或是一刻钟那些人姗姗来到，这种情形太坏了。来聚会的人，必须要养成守时的习惯。该是十点钟聚会的，九点三刻左右就该来到聚会的地方。若是十点正来到，那已经算是到迟到了，因为十点钟是聚会开始的时间，不是到会的钟点。聚会开始了才来到，自己固然是不好意思，但是你的迟到叫一部份人的注意力分散到你身上，并且你找座位时，又会起一点点的骚动，这对聚会的情绪是有打岔的。所以，赴聚会一定要守时，迟到总不是一件好事。若不得已来迟了，要轻轻的进来，尽量不要使别人受影响。

再其次，我们既然要在聚会中亲近主，因此，当我们进到聚会的地方，就应当安静下来，不要再说话，预备好心意来等候见主。或者是默默的祷告，或者是安静的读读《圣经》。不管作什么都好，只是不要与别人交谈，因为我们不是来与人会面或应酬，我们是来聚会朝见神。有些地方，聚会开始以前，谈话的声音响到活像酒馆里，这太不成样子。聚会开始以前，要保持肃静，自己要安静，也不要妨碍别人安静。

还有，我们到了聚会的地方，应当尽量坐到按次序最靠边的坐位上，这样作一面是叫聚会不致乱了秩序，同时也可让来晚的人，不必左钻右钻，东张西望的找位子，甚至要擦过好些人的膝盖，才能到达空下来的位子，使聚会的空气有了扰乱。许多基督徒都没有想到这一点，但我们一定要想的，不单是不叫聚会受影响，也是一个爱心的功课。带着小孩子来聚会的，除了要留心不让小孩子吵闹以外，顶好要拣一些很容易离开了聚会地方的位子，假若小孩子哭叫起来，就可以很快的领他们到外面去，使聚会不致受打岔。再有，若是已经开始聚会了，对于坐在你旁边的迟来的人，你该替他找到诗歌或经文，一面让你可以服事弟兄，一面尽快减少因他迟到所引起的骚动。

末了，在聚会结束后，最好不要马上就走，应当留下来和弟兄姊妹有点交通。许多人在聚会前偏爱讲话，聚会完了，应当讲话的时候，他又不讲了，惟恐走得太慢，领聚会的人还没有宣告散会，他已经走出门口了。这实在不对，即使不能留下来与弟兄们有点交通，也该先安静一会，才起座离开，这才合乎圣徒的体统。不守秩序，争先恐后，在教会中是不应该有的。"凡事都当规规矩矩的按着次序行。（哥林多前书 14:40）。

上面所提的，好像是小事，但是却是很常见到的，认真的说起来，都是我们在爱心功课上的学习。来到主面前，还是专顾自己，不顾念到别人，这不止是亏欠人，也是亏欠了主。所以，我们都该从这些人以为小的事上学习起。

按着《圣经》上的记载，也是现在教会所有的，大体上，我看见有五种的聚会，各有不同的内容和要求，我们该好好的认识，并且预备与聚会的要求相称的心赴聚会。聚会真不是一件小事，要好好的学习，使我们在主的恩典里有稳固的长进。

二、听道的聚会

这是现今教会最常有的聚会，好像主日的讲道，查经和初信造就都属于这一类的聚会。就是主用着一些有话语恩赐的，又在主里有操练的人在聚会的时候，传讲神的话，讲解神的话，照着《圣经》上的真理，把神的心意告诉聚会的人。

这样的聚会，讲的人要好好在神面前等候，得着了神要借着他传讲的话，他就忠心的传讲，不管人听了感觉舒服或是不舒服，总要把神的责备，安慰，造就和提醒说清楚，不谬讲神的话，也不讲神所不要讲的话。

神借着讲道的人向我们讲话，我们来聚会的人就要知道，不是来听人讲道，是来听神的话。虽然是人站在讲台上讲话，若是神用着他，就如同神自己在向我们说话。因此，我们在这类的聚会里，要预备好一个听神的话的心。一个真正听神的话的人，不单听得明白，而且听见了以后，就马上照着神的话去行。没有一个要行神的话的心，听道是没有意思的。因此，我们在听道的聚会里，当向神不停的仰望祷告说："神啊，你知道我是如何的愚昧，我要得着你的话，来作我生活亮光和力量。求你用着替你传讯息的人，叫他把你的话讲得清楚。又赐我属灵的悟性，能明白你的心。又让我明白你的话以后，就急忙的遵行。"聚会的人是这样的等候神，神在聚会中就要大大的作工。

许多人赴听道的聚会，单把耳朵带去，却没有把心也带去，结果神的话从这边耳朵进来，从那边耳朵出去，离开了聚会的地方，讲道的人讲了什么，他都忘记得干干净净。这样是太坏了，若聚会里多有这样的人，那个聚会的空气定规是缺少生气，死沉沉的。因此，我们的心在听道的时候，也该来到神的宝座前。

在聚会里对于讲道的人所传的讯息，我们不该存一个批评的态度，但是却要慎思明辨（林前十四章二十九节）。不要以为站在讲台上的人所讲的都是全对的，总要用神话——《圣经》——来对照，因为讲道的人也是人，他若不顺服神，他就会讲出人的话。我们所等候的，是神自己说话。

三、擘饼聚会（使徒行传 20:7）

擘饼聚会，或称作记念主的聚会，是教会聚会中一个重要的聚会。许多人按遗传的习惯称它为"圣餐"，这个称谓有点毛病，（注，在以后"记念主"的一章，会详细论及。）还是照《圣经》称它为擘饼或记念主聚会就好。

这个聚会是主亲自吩咐信的人要常常举行的，目的就是记念主的死，（哥林多前书 11:23~26 ），因为主的死是我们在神面前蒙恩唯一的根据。没有主的死，就没有一个人可以来到神的施恩宝座前。在这一个聚会里，我们的目的不是听道，如果抱着一个听道的心去聚会就错了。在聚会里头，也许会有弟兄交通到一些关于主自己的话，但不一定有。因着想念到主为我们所成就的大恩典，并主自己的完美，很自然的就会在主面前唱诗歌来赞美，并用祷告来感谢与赞美。所以，也有些弟兄说擘饼聚会是一个敬拜成份很高的聚会。的确是如此，在聚会里，桌子上摆设了表明主的死的饼和杯，这些表记的物件就告诉我们一件事，就是主替我们死了。因着主的死，父神就没有留下一样好处不给我们。（诗篇84:11 ）。既是这样，我们围在主的桌子面前聚会，应该领会神已经把万有全给了我们。（哥林多前书 3:21。罗马书 8:32 ）。所以在这个聚会里，我们不要向神作祈求祷告，只要把感谢和称颂献给主就好。这一点我们要认真的学习好，因为将来到了天上与主永远面对面的时候，不再有祈求，我们只是不住的向主献上感谢和称颂。

擘饼聚会，《圣经》上没有给我们一个聚会的模样，给我们可以依循着来作。但是却有一些原则可寻，和天上的敬拜作参考。"我们所祝福的杯，岂不是在基督的血里享受交通吗？我们所擘开的饼，岂不是在基督的身体里有交通吗？"（哥林多前书 10:16 直译 ）。因此，聚会擘饼的时候，聚会的性质应当是交通性的。也就是说这个聚会是不应当有特别的人—或长老，或教会负责人，或神的工人—来主持，而是众信徒一同在聚会里顺着圣灵的带领来进行。在这个聚会里，不需要主席，大家都有份在这聚会里负责。用诗歌，用赞美的祷告，用称颂主的话，同心的向着主和父神，彼此有交通。

我们又看<启示录>第 5 章，这是在天上的一个大敬拜。敬拜的对象是主和父神，敬拜的中心是主耶稣被杀的事。（6 节，9 节，10 节，12~13 节 ）。这个敬拜的聚会与擘饼聚会很相近。我们是记念主，特别是记念主的死，每一个蒙恩的人都有份，也应该口唱心和的称颂神，高举主。因此，我们来赴擘饼聚会，就不是来坐在聚会里看别的弟兄姊妹们在赞美里有交通，每一个人都该在聚会前预备好一个感赞的心，把对主的思念，感恩和赞美带来，借着诗歌，交通的话和祷告发表出来。神的儿女若在擘饼聚会里不负责，聚会定规是死的，显不出主的恩典来。所以，神的儿女们要好好学习在聚会中负责，也要借主的血洁净自己，不要把罪带到主的桌子前来。关于擘饼的事，以后有专文来详论。

四、传福音聚会

主从死人里复活以后，在他升天以前，他把传福音的使命托付给教会。（马太福音 28:18~19）。教会历史一开始就是传福音，（使徒行传 2:5~41，3:12~26）并且继续用传福音来写下教会的历史。所以教会有一个不可缺少的聚会，就是传福音聚会。不传福音的教会，就成了一个"按名是活的，其实是死的"团体。

许多基督徒有一个错误的见解，以为传福音是对没有信主的人讲救恩的，我已经信了主，不需要听福音了，所以不需要赴传福音的聚会。这个认识错了，我们虽是已经信了主，但是福音仍是我们所爱听的，主吩咐我们要常常记念主，每次记念主，也就是叫我们重新把救恩来温习。一件更重的事要指出来，信徒必须要赴传福音聚会，不是为着去听道，而是为了去事奉神，是去作工，不是去受服事。"聚会就是为了听道"这种观念，不知道把多少的信徒绊住，叫他们失去了事奉神的恩典。

传福音是一场极重的属灵争战，是要把人从罪和死，并魔鬼的权下救出来。所以，每一个信主的人，都该同心合意的兴旺福音。我们不能眼巴巴的看着人走向永远的灭亡，唯有全体的弟兄姊妹一起传福音，福音的果效才大大的临到罪人。

传福音既是一个事奉，我们就要预备一个服事神的心去赴聚会。在聚会里去作我们能承担的工作，有人讲福音，有人领诗歌，有人去请朋友来听福音，有人祷告来支援聚会，有人陪伴着听道的朋友坐，有人在聚会后和朋友们谈道。在传福音聚会里，需要许多弟兄姊妹一起来作工，不然福音就传不好，我们的亏损就很利害。

五、祷告聚会

基督徒聚会祷告，也是一个事奉，用祷告与神一同作工。所以在祷告聚会里，主要的内容就是祷告。我们来赴祷告聚会，就是来与众圣徒同心合意的祷告。

因为在祷告聚会里没有讲道的内容，许多只要听道的基督徒，就不肯参加祷告聚会。没有认识祷告的重要和事奉的基督徒，也是不肯参加祷告聚会的。因此，一般教会的聚会，最少人参加的就是祷告聚会。这是一个十分不正常的现象。没有一个缺少祷告的人，能够多经历神的丰富；也没有一个缺少祷告的教会，能够多显出神的祝福。

神在地上赐福与作工的原则，总是教会的祷告先行，教会祷告好了，神就作工了。这不是说，教会不祷告，神就不能作工。但有一件事是很真实的，教会祷告得不好，神的计划就受阻延。在以前提到同心合意祷告的时候，我们已经认识了，教会是借着祷告来执行神计划，也借着祷告来显明神的能力和荣耀。（使徒行传 4:23~31）。

祷告聚会是教会工作得能力的原因，因此，这是一个很重的聚会。我们应当重看这个聚会，要尽量找机会来参加祷告聚会，这是一个事奉，是神给我们与他一同作工的机会。我们信主的人，不要单作听道的基督徒，要追求主，给我们常有祷告的心，和事奉主的催迫，好与众圣徒一同在聚会祷告里有追求，也有事奉。

六、交通聚会（哥林多前书 14:26~33）

<哥林多前书>14 章里的聚会，有人称为运用恩赐的聚会。恩赐就是神所赐给我们的特长，每一个信徒在聚会里就用神所给我们的恩赐，去供应教会，去造就教会。这一类的聚会是初期教会常有的，所以，有些弟兄说，这类聚会才是真正的教会聚会。以后因为人的遗传与道理渗进了教会，特别是圣品制度的产生，这一类的聚会好像给教会遗忘了一样。近百多年来，这类聚会才在一些教会里恢复过来，但是仍然限于少部分教会，大多数的人还是拒绝这一类聚会。就是恢复这类聚会的教会，也没有恢复到初期教会的那样普遍，所以我们这一代的基督徒对于这类的聚会，还是有一点陌生。

运用恩赐的聚会，也称交通聚会。对于聚会的人的要求很高，要有真实的属灵的学习，又要熟悉并顺服圣

灵的引导。现今许多人怕交通聚会，原因就是我们信的人属灵的份量和操练有缺欠。神既然给教会有这一种聚会，我们就当求主让我们能跟上去。教会的交通聚会好，就表明那个教会有神的大恩典，神的儿女们有学习。

这类聚会又是没有主持的人，各人都顺服圣灵的带领，或有诗歌，或有祷告，或有见证，或有交通的话语，很自由的用着主所给的来彼此造就。不管是作什么，都有一个目的，就是"凡事都当造就人"。不消灭圣灵的感动，也不爬在圣灵带领的前头。虽然没有人在分派，但却安安静静的规规矩矩而行。

每个赴聚会的人，都该在会前有一个等候，把自己放在神的手中，等候被主来用。对主说："主啊，你要怎样的用我来供应教会，求你使我顺服，也求你给我恩典。"主要用你起来交通，你就起来。主没有托付你讲话，你就安静的享受弟兄们的供应。

感谢神，他给我们各种的聚会，每一种聚会都带着不同的恩典。主也是借着各种聚会，从各方面来造就我们，使我们得着完满的造就。各种聚会的恩典，合起来就成了完整的造就。求主叫我们不轻看聚会的生活，反倒在各样和聚会里吸取神的丰满。

第二十章

奉　献

读经:

　　"所以弟兄们，我以神的慈悲劝你们，将身体献上，当作活祭，是圣洁的，是神所喜悦的，你们如此事奉，乃是理所当然的。不要效法这个世界，只要心意更新而变化，叫你们察验何为神的善良，纯全可喜悦的旨意。"（罗马书 12:1~2）

　　"也不要将你们的肢体献给罪作不义的器具，倒要向从死里复活的人，将自己献给神。"（罗马书6:13）。我们若活着，是为主而活，若死了，是为主而死，所以我们或活或死，总是主的人。"（罗马书14:8）

　　神的儿女要得着更高的长进和蒙福，不单是要时刻对付罪，保守自己在神面前的洁净；要好好的读经和祷告，活在与神不断的交通中；还要在神面前再走一步，把自己奉献给神。不少基督徒的属灵生活过得很不错，但是在长进与蒙福上总是有个限度，好像不能接触到神无限的丰富，他们的缺欠就是没有走过奉献这一步。奉献好像一条狭小的运河，洋船在那里航行，受着一定的限制与不便，但是一通过了，那就是引进了广阔浩瀚的大海洋。我们走过了奉献这一步，也就是走进了神荣耀的丰富里。

一、 奉献是什么？

过去有不少基督徒对奉献有一些误解，他们以为奉献就是等于终生作传道的工作。不错，作传道工作的弟兄一定先有奉献，但单有奉献还不够，因为奉献只是表明人这一方面的愿意，若不加上神拣选的呼召，如同旧约的众先知和新约里神的众仆人所接受的呼召，人还是不能单凭自己的奉献去作终生传道的工作。所以，奉献可以进到作传道人的地步，但奉献决不等于作传道人。

我们该怎样去认识奉献呢？

一个比方

假如我需要用一枝墨水笔，我就到笔店里去拣一枝合意的，付了款，我就把墨水笔拿了回来。我们就看这一枝笔的故事：当我还没有买到这枝笔以前，我和这枝笔没有任何的关系，我不能支配它，也没有权柄处置它，因为它是属于笔店的老板所有，。等到我付了款，买了它回来，主权的关系就改变了，它不再属于笔店的老板，而成了我的了，因为我为它付出了代价，我就成了它的主人。我有权柄支配它；我喜欢把它带在身上就带它在身上，我喜欢把它放在桌子上，就放在桌子上，一切的处置都是根据我的意思，它只是听从我定意，因为我是它的主人。

从这一个比方里，我们看见一个主权改变的故事。这一个主权的改变，正好说明了奉献的事实。奉献就是主权改变。从前我们不是属主，现在主用自己的性命作代价，买下了我们，我们就成为主的；他是我们的主人，他对我们是有主权的，我们也承认并接受他的主权，说他是我们主，这就是奉献。

从前的主人——魔鬼

有人会这样想，我没有信主以前，我没有主人，假若是有，那就是自己。现在信了主，却找了一个主人回来，心里感觉很不舒服。这个想法不是事实，只要你是一个人，你就有一个主人。

没有信主以前，似乎自己是自己的主人，其实人的主人不是自己，而是魔鬼。魔鬼才是人真正的主人。"全世界都卧在那恶者手下。"（约翰壹书 5:19）。它是世界的王，它摆布着世上的人，支配和指挥着他们。它叫你犯罪，你就乖乖的去犯罪；叫你发脾气，你就发脾气；叫你贪心，你就贪心；叫你作污秽淫乱的事，你就作出这些事来。它要你作什么，你就作什么；你有时也知道作的不对，但你没有办法抗拒它，因为它是你的主人，它借着罪制服了你，你没有办法不犯罪，这就证实了你有一个主人，就是魔鬼。它叫人死，因为它是掌死权的。（希伯来书 2:14）。

魔鬼是罪人的主人，这是何等可怕的事！它有权柄管辖人，你原来的主人就是它。

把你的主权交给主

撒但曾经作过我们的主人，我们也真是它权下的人。但是感谢主，他出了代价把我们买了回来，用他自己的死赎了我们，脱离了那掌死权的魔鬼，我们不再卧在那恶者手下，我们是主的人了。他不单是我们救主，也成了我们的主。

他用自己的命买了我们回来，他就是我们的主，我们是属于他的，这是理所当然的事，我们也没有理由说，我们不是他的。但是，人的天性是抵挡神的，从前是如此，现在还是如此。过去我们服在撒但的权下，我们服服贴贴的，现今我们是主的人，却不肯那么柔顺的承认他是我们的主，这太亏负主了。因此，主就带我们来接触奉献的事，他提醒我们说：我们是他用重价买回来的，他已经是我们的主了。这是一个已经完成了的事实，谁也不能改变它，就是我们不肯承认他是我们的主，他也是我们的主。神十分愿意我们认识这个事实，不单承认他是我们的主，也真实的把自己的主权交给主，不再自己作主，是让主作我的主，让他管理我，完全支配我，就是最微小的事，也是给他作主。这样的把主权交给主，就是奉献。

奉献就是把主权交回给主。从主那边看，主在我身上得着了他该得的权柄。从我这边看，我接受了主耶稣作我的主，这就是奉献。

二、献上去

认识了奉献还不够，知道了奉献的需要也不够。认识了，知道了，就实在的献上去，真实的把主权交给主，不然奉献就成了道理，成了口头上的话，那就没有意思了。你已经是属主的人了，但你该问一下自己，你奉献了没有？若是没有，为什么不赶快奉献呢？

主的恳求

如果我们对救恩认识清楚，得救也清楚，跟着接上去的就是奉献了，不必要等到知道很多属灵的事才能奉献。一得救就是主的人，奉献也是主的，不肯奉献也是主的。所以一得救就献上是很正常的。但是，我们多不能这样，总是得救了许久，经过许多的挣扎，才肯承认主是我的主。

我们虽然是这样的不愿意，但主也不勉强我们，他不用他的权柄来逼我们奉献；他可以这样要求我们，但他却不这样作，反倒很忍耐的等待你，劝你，甚至是恳求你，等到你自己甘心情愿。"耶路撒冷的众女子啊，…不要惊动，不要叫醒我所亲爱的，等他自己情愿。"（雅歌 2:7）主告诉我们，我们是他所亲爱的，他爱我们到了这样的地步，倾倒了他的生命，完全舍弃了自己。他愿意我们明白他是怎样爱我们，不保留他自己，叫我们也爱他，也把自己献给他。因此，我们就明白保罗在<罗马书>上对弟兄们的恳求，也就是主自己的恳求。"弟兄们，我以神的慈悲劝你们，将身体献上，当作活祭。"主现今还在等待你，等着你肯把自己献给他，承认他是你的主。你还不愿意，他就继续的等下去，恳求下去，直等到你愿意。我们岂能作这样没有心肝的人呢！我们岂能忍心令那爱我们的主因着我们的刚硬而难过呢！我们都是不配他爱的人，他却爱了我们，舍去了自己。他是配得我们整个的爱的，我们却不肯把自己给他，这算是什么话呢？

来到爱我们的主面前，我们没有别的话好说，我们只能说："主，你真配得着我的一切，我把自己献给你。"弟兄啊，你在主面前安静下来，想想看，你要不要对主说这样的话，献上你自己？主仍旧是等着你，献上去吧！你这样作是主所喜悦的，也是理所当然的。巴不得你不再拒绝这位爱你的主。

一点疑惑

有些弟兄心里有一个难处，他们怕一奉献了，自己不能再作主，一切都依据主耶稣，那么他可以随便的对付我，苦待我了。我们实在不需要有这样愚昧的思想，世上的主人会有苦待他的仆人的事，但我们的主必不会这样。因为他与我们中间不是雇佣关系，也不是单纯的从属关系，他与我们中间却是有着极宝贵的爱情关系。"基督爱教会，为教会舍己。"（以弗所书 5:25）"神既不爱惜自己的儿子，为我们众人舍了，岂不也把万物和他（主耶稣）一同白白的赐给我们么。"（罗马书 8:32）。

神既是这样的爱我们，用自己的儿子作代价换我们回来，他必定不肯苦待我们，反倒处处为我们打算和安排，要把他一切的好处都倾倒到我们的身上，因为他是以父亲的心对待我们，"我要作你们的父，你们要作我的儿女。"（哥林多后书 6:18）。他是父，他深爱我们，爱是没有无理的苦待，只有不住的供给。

不要再存疑惑的心，叫你不敢奉献。你应该看见了，奉献不是你的损失，而是你的获得，不是你所有的减少，而是增加。你一奉献，就是向神荣耀的丰富打开了门，放心把你献上去吧！

三、奉献的实际

主爱的吸引，叫我们甘心奉献给他。奉献不单是心意完全的归向主，并且在生活上处处显出让他作主，这才是真实的奉献。许多弟兄们的难处，只有心意上的献上，却没有奉献的实际生活，这就如同没有奉献一样。有了里面奉献的心，也该有外面奉献的生活。

1、从部份到整个

起初，我们认识了奉献，我们会觉得，我的口过去常说一些无聊又污秽的言语，现在不应该如此，我要把我的口献给主，从今以后，只说主要我说的话。以后，又发觉我的思想不大对，常常胡思乱想，我不应当这样用我的心思，我要把我的心思也献给主，让主管理。以后，又把手献给主，又把个人的前途献给主，一件一件的加上去。但是，等到有一天，你发现了一件事了，就是这样一件又一件的奉献不够对了，你看见要把整个的自己献给主了，你就对主说："主啊，你是我的主，我所有的和我所是都是你的，你来完全的管理我。"

许多弟兄都是这样经历过来，主也一定在我们身上带领我们进入完全的奉献，整个的奉献。只有整个的奉献，主的心才觉得满意。这就是从<罗马书>第 6 章的奉献进到第 12 章的奉献的经历。

2、从拢统到具体

当主带领我们进到完全的奉献，这只是我们奉献的实际生活的起头，而且这时的奉献的光景也是很拢统的，只不过在心思里认识我是属主的，也有一点点愿意讨主喜悦的心。慢慢的，因着要讨主的喜悦，不单是里面向主有更深的爱慕，外面也因着主而有所拣选与舍弃，只要是主不喜欢的，就算不在犯罪的范围里的东西，也把它们撇下。在这个时候，我们在神面前的生活，不只是根基在是罪或不是罪的问题上，并且进一步活在"主要不要"的光景里。好像<创世纪>22 章里，亚伯拉罕献以撒的情形一样，在他的心里只有一个问题，就是"主要这一样"或是"主不要这一样"。是主所要的，就不管自己这一边要舍弃到什么程度，都给主。是主要禁止的，就不管那事要给自己带来多少的好处，都绝对的拒绝。这样我们就从拢统的心意归向主，进到具体的奉献生活里。拣选主所拣选的，拒绝主所拒绝的。

3、奉献的更新

我们一次接受主耶稣作我们的救主，得救了，就永远得救，永远解决了在神面前作罪人的问题。但是在奉献上，却不是一次奉献就等于永远奉献。《圣经》上没有这个道理，神的儿女也没有这样的经历。

"不要效法这个世界，只要心意更新而变化。"一个奉献的人，他在主的面前活得好，他的奉献必定是常常更新的。这个更新不只是说保持奉献的新鲜，而且在奉献的程度上也进深。我们若活在主的恩中，我们一定体会到我们的奉献若不时刻更新，我们对主奉献的心就会陈旧，暗淡及退后的；不单是主没有作我的主，反倒将主从我里面的宝座上推走。许多曾经在主面前火热的弟兄，都落到这种失败的光景中，原因就在于没有更新他们的奉献。这个世界天天在变，我们生活的环境也常在变动，我们的心思也受一点影响，但我们的奉献在神面前时刻更新，时刻让主作主，就没有什么事物可以使我们退后。

更新我们的奉献，一面把已有的奉献清新过来，一面也在程度上进深。有时我们更新奉献时，我们发现现今的奉献就是过去的奉献，奉献的内容没有改变，但奉献的心意却新鲜了。因为在恩典的认识上进深，有时又发现，过去以为完全的奉献，现今看见是不够彻底的，也不够完全，还为着自己有保留，因此在神面前再有所献。这时奉献的更新，不单是心意是新的，并且那奉献的内容也深入了，也比过去的奉献完全了。

《旧约》<利未记>里五祭中的燔祭，是表明我们向神完全的奉献。只有燔祭的火是永不熄灭的。（利未记6:9，6:13）并且是天天都要献上的。（民数记28:3~4）神借着燔祭的例给我们认识，每天都当奉献自己，每天都要更新我们的奉献。没有一个人能凭旧的奉献在神面前接受新的恩典，唯有不住地在奉献上更新的弟兄们，他们都要成为盛装神丰满的恩典的器皿，他们所走的路就是义人的路。"义人的路，好像黎明的光，越照越明，直到日午。"（箴言4:18）。因此，弟兄们，你不单要因主爱的吸引将自己献上给主，也要因在恩典上长进，时刻更新你的奉献。

四、总是主的人

总括的说一句，信主得救的人，非要奉献不可，不然就定规是亏欠主，因为"你们不是自己的人，因为你们是重价买来的，所以要在你们的身子上荣耀神。"（哥林多前书6:19~20）。我们是主用重价买来的，就是他的降卑做人直到舍弃他的性命。因此，我们得时刻让"基督的爱激励我们。因我们想一人既替众人死，众人就都死了，并且他替众人死，是叫那些活着的人，不再为自己活，乃为替他死而复活的主活。"（哥林多后书5:14~15）。

不再为自己活，而为爱我的主活；这是奉献的人的生活态度，也是他们的生活的意义。按理来说，我们不能不奉献，按情来说，我们更没有理由不奉献。我们该时刻求主给我们看定，"我们没有一个人为自己活，也没有一个人为自己死，我们若活着，是为主面活。若死了，是为主而死。所以我们或活或死，总是主的人。"（罗马书 14:7~8）

第二十一章

顺 服

读经:

"所以无论是住在身内,离开身外,我们立了志向,要得主的喜悦。"(哥林多后书5:9)

"所以经上说: '神阻挡骄傲的人,赐恩给谦卑的人。'故此你们要顺服神。"(雅各书4:6~7)

"耶稣…于是离开他们,约有扔一块石头那么远,跪下祷告,说,父啊,你若愿意,就把这杯撤去,然而不要成就我的意思,只要成就你的意思。"(路加福音22:39~42)

"这样看来,我亲爱的弟兄,你们既是常顺服的,不但我在你们那里,就是我如今不在你们那里,更是顺服的,……因为你们立志行事,都是神在你们心里运行,为要成就他的美意。"(腓立比书2:12~13)

认识了恩典,又甘心让主耶稣作他自己的主的人,很自然的就觉得主耶稣十分宝贵,而且可爱,因此,心里对主就有了衷心的爱慕,要爱主,要讨主的喜欢。这正是在神的仆人保罗身上所显明出来的见证:"我们立

249

了志向，要得主的喜悦。"保罗的意思是这样：我们这些不配得恩典的人，既然因主耶稣而接受了父神的大怜悯，他不单只赦免了我们，并且还叫我们得着了荣耀的指望，那么我们这些人就不该再多想自己，要多想到主，爱他，讨他喜悦，叫他欢喜；不然我们活着就没有意义了。对的，这个认识，或者说：这个在感情上对主的反应是十分准确的，每一个蒙得救的人都该这样活在神面前。"若有人不爱主，这人可诅可咒。"（哥林多前书 16:22）

爱主不是徒托空言的。一个真实讨主喜悦的人，一定有实际的行动。主耶稣明明地指出："人若爱我，就必遵守我的道（话）。"（约翰福音 14:23）"我们遵守神的诫命，这就是爱他了。"（约翰壹书 5:3）遵行神的话就是顺服神，就是爱神。

我们顺服神，因为我们一面认识了他是我们的主，我们该服在他的权柄下；一面是我们认识了他的极大又极深的爱，并且也接受了这一个爱，因此，我们甘心作他爱的奴仆。

一、背逆神的结果

顺服就是接受神的权柄，背逆就是拒绝神的权柄。我们得救了的人当然不愿意再背逆神，但是，因着我们的天性是背逆的，所以在学习顺服的功课上就不是那么容易。所以，我们先从人背逆神的历史上来认识顺服的需要。

1、堕落到了与神为敌

我们从<创世记>头三章里，就看见了人堕落的经过。在神的创造里，人不是一被造出来就是罪人；相反的，在起初被造的时候人是照着神的荣耀造出来。因为神明说："我们要照着我们的形象，按着我们的样式造人。"（创世记 1:26）并且神也信任人到这样的地步，把神的权柄也交托给人。"使他们管理海里的鱼，空中的鸟，地上的牲畜，和全地，并地上所爬的一切昆虫。"（创世记 1:26）人既是这样像神，什么东西使人堕落成了罪人呢？简单的说，因为人犯了罪，所以人就堕落了。但人究竟犯了什么罪呢？犯罪的过程又是怎样的呢？起初，神把被造的人安置在伊甸园里，给他们自由的享用神所造的一切，但是神却严严的警告人说："园中各样树上的果子，你可心随意吃，只是分别善恶树上的果子，你不可吃，因为你吃的日子必定死。"（创世记 2:16~17）我们的祖宗在那时若是听从了神的吩咐，尊重神的权柄，那么人就时刻的活在神的丰富和眷爱里。可惜得很，我们的祖宗却没有恒久的拣选神，反倒听从魔鬼的诱惑，竟吃了神不许人吃的果子，破坏了神的命令，背逆了神。就是这一个简单的动作，人就堕落了。

有人也许会这样想，吃了一个果子有什么了不起呢？神竟这样严历的处理人！这问题的严重不是在吃了果子，或是吃了更多的果子；也不是在乎用什么动作去摘果子，而是这一个吃果子的动作说明一个极其严重的事实，就是人不顺服神，不接受神的权柄，反转过来接受了神的对头—魔鬼—的指导，把神撇在背后，完全的站到魔鬼的那一边去，作了与神为敌的事，成了与神为敌的人。神给人的尊贵，荣耀，丰富，安息，都因着人的背逆就在人的身上完全失落了。从此，人所有的就是绝望，就是等候神的审判。

2、与神隔绝，死在罪恶过犯中。

背逆神的结果，不单是使人成了与神为敌的人，并且还使人与神隔绝，远离了神的面，失去了神的眷爱，叫人的日子"都在你（神）震怒之下，我们度尽的年岁，好像一声叹息。我们一生的年日是七十岁，若是强壮可到八十岁。但其中所矜夸的，不过是劳苦愁烦，转眼成空，我们便如飞而去。"（诗篇 90:9~10）从我们的祖宗起，人远离了神，不得见神的面；劳苦、愁烦、虚空、叹息就紧紧的跟着人。罪就作了人的王，死亡也进到人中间来。人就活在罪和死的权势下，增加犯罪的事实，没有平安，只有苦恼。人一次的背逆，就引出这样悲惨的结果；远离了神，叫永远活着的人变成了可死的人，叫单纯的人成了被罪捆绑的人。

3、杀了神的儿子

人的背逆为自己招来了极深的痛苦，这可以说是人自作自受。但不单是人自己受这个苦，还迫使无辜的神的儿子陪伴人去接受背逆的苦果，并且去接受人对他无理的苦待，又站在背逆神的人的地位上死去。人的背逆破坏了神的计划，人的不顺服造成了撒但抵挡神的基地。神不甘心让人灭亡，也不允许撒但趾高气扬，神要按着他原来的计划恩待人，把人挽回过来，恢复他们在背逆里所失去的，加添给他们在神旨意中该得着却没得着的，就是神自己的生命。（神要人吃生命树的果子来接受神的生命，好与神联合，但人没有作这件事。参看创世记 2:9,2:16~17）因此神就得差遣它自己的儿子来作人，承担背逆的人的刑罚，引导背逆的人归回神。人若没有背逆，神的儿子就不需要受苦。人的背逆杀了神的儿子，人的背逆叫神不得不舍弃他自己的独生子。

二、恢复蒙福的路--顺服

神舍弃他自己儿子作人的赎价，除去人所该受的咒诅，打通了人到神的施恩宝座前去的路，叫人重新得着神的眷顾。神的儿子作赎价的事，外面看来就是他作我们的代替，承当我们的审判和刑罚；但我们若是从里面来看，我们就会发现这完全是神的儿子顺服的历史。"他虽然为儿子，还是因所受的苦难学了顺从，他既得以完全，就为凡顺从他的人，成了永远得救的根源。"（希伯来书 5:8~9）

神的儿子接受神的救赎计划的安排，从至高的尊荣里降卑成了人中最卑微的，一降生就受到人的苦害和冷淡，一生里也没有安舒的时刻，地上的狐狸有洞，天上的飞鸟有巢，而他连枕头的地方也没有。（参看路加福音 9:38）他隐藏自己的丰满，为我们成了贫穷，"他的面貌比别人憔悴，他的颜容比世人枯槁。""他无佳形美容，……被藐视，被人厌弃，多受痛苦，常经忧患。"（以赛亚书 53:2~3）主的痛苦遭遇并不限于这一点点；当他被钉在十字架上偿付我们的罪刑的时候，神也掩面不看他，你能听见他在木架上大声的呼叫说："我的神，我的神，为什么离弃我！"（马太福音 27:46）对"父怀里的独生子"来说，再没有一件事比神离弃他更叫他痛苦，比人间的生离死别更难受千万倍。

神的儿子为什么把自己放在这样深的痛苦里呢？这一面是讲出了他毫无保留的爱我们，甘愿背负我们的痛苦，另一面又讲出了他借着自己的顺服来完成神的救赎计划。他自己不是不知道这样的顺服会叫他苦透，但他更加知道除去他的顺服以外，神不能成功神对人的救赎，人也没有别个方法可以得救。人若得不着拯救，神的心就有重担。他体贴了父神的心，顺服了父神的安排，他宁愿自己受损害，也叫父神的心满意。他不是不可以逃避这痛苦，他实在有这样的权利，但他却不拣选自己的合理的权利，他在极苦之间，一连三次的向神祷告说："我父啊，倘若可行，求你叫这杯离开我，然而不要照我的意思，只要照你的意思。……我父啊，这杯若不能离开我，必要我喝，就愿你的旨意成全。……"（马太福音 26:38~44）"不要照我的意思，只要照你的意思"，神的儿子就是这样的拣选了神的旨意，因着神的儿子顺服，神的救赎就作成功了，人就有了通往施恩宝座去的路。

人的背逆叫人失落了神的恩典，主耶稣的顺服挽回了人的厄运，也恢复了人在神面前蒙福的路。人不肯顺服神，人在不顺服里失落，神就让他自己的儿子作人，神在他的儿子身上找到了真顺服神的人；在主耶稣的顺服里，神又得回失去的人，也击打了神的对头。"因一人的悖逆，众人成为罪人，照样，因一人的顺从，众人也成为义了。"（罗马书 5:19）顺服满足了神的心，顺服完成了神的计划，顺服击打了神的对头，顺服把死在罪恶过犯中的人领回神的施恩宝座前。

主耶稣的顺服打开了通天的路，我们顺服神对人的定罪，又相信了福音，这是何等大的福气！先是主耶稣顺服，后是我们的顺服，救恩就显在我们的身上。顺服是我们恢复蒙恩的路。

三、学习顺服的难处

认识了恩典，认识了神的主权，认识了顺服是恢复蒙恩的路，我们在学习顺服的功课上应当是没有难处的。但事实并不是如此，一开始在神面前学习顺服，立刻就会发现自己的里面有极大的反抗。"我说，你们当顺着圣灵而行，就不放纵肉体的情欲了。因为情欲和圣灵相争，圣灵和情欲相争，这两个是彼此相敌，使你们不能作所愿意作的。"（加拉太书 5:16~17）人对神的背逆是为了满足自己，因此，人的天性就是要满足自己。要顺服神就不能满足自己，不满足自己，人就感觉不舒服。顺服的难处就在这里。我们在底下要看看顺服的难处的实际表现。

1、人自以为是

人不知道自己的愚昧是顺服的大拦阻，人常是把自己看高了，人常觉得自己的观念和看法是最好的，即使有些难处要请教人，但总不会把自己原来有的完全推掉。从《圣经》上举个例子来说，"那时彼得进前来，对耶稣说，主阿，我弟兄得罪我，我当饶恕他几次呢？

至七次可以？耶稣说，我对你说，不是七次，乃是到七十个七次。"（马太福音 18:21~22）按着彼得的想法，人很不愿意饶恕得罪他的人，他以为我能饶恕人七次是很好了，已经是能作别人所不能的了。他没有想到主并不因此称赞他，反倒说他不及格，非要完全的饶恕人不可。若是彼得自以为是的，到了第八次就不饶恕人，在他自己来说，会觉得自己很了不起，但事实上却是落在自己的愚昧里。

"耶和华说，我的意念非同你们的意念，我的道路非同你们的道路。天怎样高过地，照样我的道路高过你们的道路，我的意念高过你们的意念。"（以赛亚书 55:8~9）学习顺服就要我们承认自己是愚昧无知的，向神谦卑下来，对神说："求你救我脱离人的无知，和我自己的自以为是，单让你来作我的标准。"

2、体贴自己

当神的安排和人的愿望一致时，人还是不懂得什么是顺服。就是说当人要顺服时，人的愿望与神的安排一定是有距离的。在这样的情况下，不是要神迁就人，降低他的要求，而是要人赶上去。人要赶上去，就得放弃自己的愿望。放弃自己的愿望是人最不甘愿的，又是叫人感觉十分难堪的事。人都喜欢满足自己，体贴自己，叫自己舒服，因为人的生活总是以自我作中心的。

顺服就是叫人不体贴自己；体贴自己就不能顺服。在<马太福音>16 章的记载里，彼得因为体贴了人的感情，阻止耶稣上耶路撒冷去，引来耶稣很重的责备："撒但，退我后边去罢，你是绊我脚的。因为你不体贴神的意思，只体贴人的意思。"主不是不许可人体贴自己，但必须先体贴了神，才可以体贴自己。在神和人有抵触的时候，人就得放弃自己的愿望而独一的拣选神的安排。

内地会的创办人戴德生先生，当他被神呼召要到中国传福音的时候，首先就遭到他的未婚妻反对。他若是一定要到中国来，她就要和他解除婚约。戴先生的感情面临一个重大的考验：要体贴自己呢？还是要体贴神呢？要自己的感情满足呢？还是让自己心碎呢？感谢主，经过一段时候的挣扎，戴先生顺服了神，不体贴自己。虽然他带着受伤了的感情离开英国，但是神的旨意成全了，神的心满足了，无数在中国内地的人得着神的救恩，他自己也在神丰满的恩典中度过他一生，神没有亏待他，以后也为他预备了一位贤慧的妻子。

四、学习顺服必需要有的看见

顺服的本质就是反对自己，一个追求顺服主的人必须先有主的爱的冲激和吸引；因着爱主就单一的讨主的喜悦，认定这一位不体贴自己而爱我们的主是绝对的配得着我们不体贴自己的爱，同时我们在学习顺服时，也该有一些属灵的看见；这样，我们学习顺服就更有主的恩典。

1、神要人顺服是根据他永远的旨意

从表面看来，顺服好像是把人原有的心愿剥夺了。但是我们必须要看见，"耶和华向以色列显现说，我以永远的爱爱你，因此我以慈爱吸引你。"（耶利米书31:3）"那赐诸般恩典的神，曾在基督里召你们，得享他永远的荣耀。"（彼得前书 5:10）神以永远的爱爱人，又领人进入他永远的荣耀中，神在人身上所显明的都是关乎他自己的永远的性质，一切不能存留到永远的，他都不会给我们。人在顺服上有受剥夺的感觉，原因就是人站在短暂的时间观念上来看自己的好处，但现实的好处不一定是真正的好处，并且现实的好处常常会成了将来痛苦的根源，这些事在人的生活经历里是屡见不鲜的。神带领人就不是根据人短暂的爱慕，而是根据他永远的旨意，为要在我们身上除掉那些不能存留到永远的。神既是按着永远来引导人，就和人要求现实的好处的观念有抵触了，那么，我们是要神迁就我们，以致我们为自己制造亏欠和亏损呢？还是我们不要神迁就，而是求主加添力量使我们能赶上去呢？"深哉，神丰富的智慧和知识……万有都是本于他，倚靠他，归于他。"

（罗马书 11:33,11:36）毫无疑问的，我们要神永远的旨意，只有愚昧的人才会贪图眼前的舒服。

2、顺服是信心的实际表现——接受神的最好

"人非有信，就不能得神的喜悦，因为到神面前来的人，必须信有神，且信他赏赐寻求他的人。"（希伯来书 11:6）一个没有信心的人是不会活在神的恩典里。一个真正信心的人，他对神的安排，就是自己所碰上的一切事，不管是福是祸，他都会安然的接受过来，这就是顺服。信心不是挂在人的嘴巴上，而是实际的显在人的生活上。人深信神不会作错事情，人也深信神的大能，公义，神对人的体恤同情，因此就确实的知道，神在人身上所作的每一件事情，虽然人当时不明白，但都带着他的美意，这就是信心。里面有了信心，在生活上显出来就是顺服。神是实在可靠可信的，"神既然不爱惜自己的儿子，为我们众人舍了，岂不也把万物和他一同白白的赐给我们吗！"（罗马书 8:23）我们信得过神一定是把他的最好给我们，他既是把最好的给我们，我们就不必担心所碰上的一切是好是坏，我们都接受过来，顺服他的安排。顺服就表明了人对神的信靠，有了顺服就可以享用信心的果效，把神的最好接受过来，顺服就是接受神的最好。

"听命胜于献祭，顺从胜于公羊的脂油。"（撒母耳记上 15:22）只有顺服能满足神的心，能叫神喜悦。背逆只有把自己关在神的恩典以外。一个把自己献上给主的人，必定要甘心付代价去学习顺服的功课，在顺服里享用神丰满的恩惠。

第二十二章
遵行神的旨意

读经:

"少年人用什么洁净他的行为呢?是要遵行你的话。"(诗篇 11:9)

"不要作糊涂人,要明白主的旨意如何。"(以弗所书 5:7)

"从今以后,就可以不从人的情欲,只从神的旨意,在世度余下的光阴。"(彼得前书 4:2)

"我急忙遵守你的命令,并不迟延。"(诗篇 119:60)

顺服神的具体表现,就是人无条件的遵行神的旨意,活在神的旨意中。在遵行神的旨意里,人就得很自然的脱掉神所不喜悦的,同时又吸取了神的丰满。开始学习顺服的功课,就该在主面前求他借着圣灵的帮助,来建立我们强烈的要遵行神的旨意的心意。

要遵行神的旨意,首先就得要明白神的旨意;不明白神的旨意,便无从遵行了。许多信主年日不长久的弟兄,他们心里常有一个难处,以为神的旨意是很奥秘的，又是很隐藏的，非要人苦苦的恳求，神就不显明他的旨意。又有一些弟兄把明白神旨意这件事看得很神秘，如果没有超然的表显或感觉，他们就不敢说是神的旨意。曾经有一位弟兄这样问我："我为某一件事寻求神的旨意，等候了很久也没有特别的显示，我真怕我在遵行神的旨意上出事。但是我很不明白神为什么这样抓牢了他的旨意不叫我明白？"我对他说："要明白神的旨意虽然有时不是太容易，但也不是太难，因为不单是我们要明白神的旨意，神自己也是愿意我们明白他的旨意。既然神和人两方面都有同一的要求，那么神旨意的显明就不像你所说的那样困难，恐怕是你对寻求明白神旨意的认识和方法不妥当。"是的，神喜欢人遵行他的旨意，他必定乐意向我们启示他的心意，不会把他的心意收藏在紧密的仓库里。基本的问题是在如何去明白神的旨意。

一、怎样明白神的旨意

在属灵的事情上，方法并不是最主要的问题，最要紧的还是在人的本身。人在神的面前对，虽或有时人这面有点方法上的缺欠，神的怜悯会把这缺欠填补上的。因此，在明白神旨意的事上，我们首先要看一看人的问题。

1、信而敬畏神的人

人寻求神，必须有正确的态度。许多人因为没有存着正确的态度到神面前来，以致得不着答应。"人非有信，不能得神的喜悦，因为到神面前来的人，必须信有神，且信他赏赐那寻求他的人。"（希伯来书 11:6）神既然是赏赐那寻求他的人，我们就不该存着疑惑的心来等候他。我们凭着信心来仰望他，他一定向我们显明他的心意，疑惑的人是不能从主那里得着什么的。（参看雅各书 1:5~7）

我们不单是存着信心到神的面前来，并且还要带着敬畏神的心等在主面前。敬畏就是说出人对神的绝对拣选，也是人对神的绝对尊重。什么事情都不怕，只怕我得罪神。人真有这样的心向着神，明白神旨意的基础就已经建筑好了。人缺少敬畏的心，寻求明白神的旨意也是虚浮的，因为神的旨意与他的理想不一致时，他就不要拣选神的旨意了。这样的人，神怎能向他显示呢？我们必须要清楚，寻求明白神的旨意并不是人作好一个计划书，呈送到神面前去，请神签字批准，像在机关里办公事一样。一个真实要明白神心意的人，他没有既定的意见，只是一心一意的等候神的显明，一切的决定不根据个人的利害得失，只根据神所显明的意思。"谁敬畏耶和华，耶和华必指示他当选择的道路。……耶和华与敬畏他的人亲密，他必将自己的约指示他们。"（诗篇25:12~14）若是把"耶和华与敬畏他的人亲密"意思更准确的的表示出来，那就是耶和华与敬畏他的人中间是没有秘密的，也就是说神向那些敬畏他的人完全敞开的。因此，每一个要明白神旨意的人，先要求主在他心里建立敬畏神的心。

接下去我们要看关于神的旨意本身的问题。从实际的经历上来看，神的旨意的显明大体上有两种情形，一种是明显的吩咐，另一种是随时的引导。虽然是两种显明的方式，但都是神的旨意。一般来说，基督徒多是注意随时的引导，疏忽了明显的吩咐。但是，一个真正遵行神旨意的人，他会明白神明显的吩咐在神的旨意中所占的份量是最多又最重要的。

2、明显的吩咐

神的心意多次在历史上向人启示了出来，这些启示都全部记录在《圣经》里。我们必须记得神是不改变的神，他的旨意也是永远不改变的，所以，神从前怎样向人说出他的心意，现今他也要向我们说同样的话。从前神说："不要偷窃。"，现今他依旧向人确定他是不喜欢"偷窃"这一类的事；从前主说："要常常祷告。"现今他仍然告诉我们要时刻祷告；过去他提醒人"不要爱世界。""要彼此相爱。""要远避淫行……不放纵私欲的邪情。"……这些提醒到今天对神的儿女们来说，仍然是真实的，是神的旨意。我们只要一翻开》圣经》，神对人的吩咐就很明显的出现在我们眼前。我们看见了神明显的吩咐，就听从了这吩咐，我们就是活在神的旨意里。人走到十字路口，看见红灯亮了，就不该再向前走，不然会发生危险；看见绿灯亮了，就可以放心横过马路，这些灯号的意思是明显的，标志也是明显的，人一看见就去遵守就对了，就平安了，不遵行就会出乱子。

我们必须要看准，《圣经》上所记的神的吩咐，都是神的旨意的一部分，并且是直接指导我们的日常生活，我们就该好好的遵行。要明白明显的吩咐是没有困难的，若是有困难，那就是人看见了神明显的吩咐却如同看不见一样，不以为是神的旨意。要遵行神的旨意就当从遵行神明显的吩咐开始。有一位弟兄说得好："人若不遵行神在《圣经》上明显的吩咐，却说要顺服神随时引导，这是不可能的，并且神也不会向这样的人显明他随时的引导。"

3、随时的引导

神的旨意显明的另一种形式，我们称它为随时的引导。我们从这个称谓上也可以晓得，这种引导不是对我们日常生活里常常发生的事，而是对在特定的时间和环境发生的事，或者是我们前面的道路的定规，或者是对某件事情要作出一个决定，或者是对事物的选择，而这些决定又没有《圣经》上明显的吩咐来佐证，这样就需要明白神随时的引导来定规一切。

异象是神给人随时引导的一个方法，但却不是神常用的。<使徒行传>10 章，神让彼得见异象；16 章 9 节，保罗也见异象，还有 9 章 10 节，亚拿尼亚也见异象，20 章 17~21 节，保罗又见异象，这些异象都解决了他们当时所要解决的。但是，我们看到《圣经》里教会历史所记载的，神使用异象这个方法来引导人，都是直接关连到神的计划中的大事，不是一般性的，也不是关系个人的。因此，异象不是正常性的明白神的引导的方法，并且异象显出来完全是神自己根据他的计划主动向人启示的，所以，我们要明白神随时的引导，不能光坐在那里等异象。

要明白神随时的引导，我们该好好的在神面前祷告，求主照着他的心意给我们显明。"你求告我，我就应允你，并将你所不知道，又大又难的事指示你。"（耶利米书 33:3）主既然应许要把他的心意告诉祷告寻求他的人，他必不叫等候他的人落空。但是，神怎样指示那些等候他引导的人呢？我们从《圣经》的记载里归纳出下面的三个原则，从这些原则里，可以帮助我们领会神的引导的旨意。

（1）要有神的话——《圣经》的原则

"有主的一个使者对腓利说，起来，向南走，往那从耶路撒冷下加萨的路上去。"（使徒行传 8:26）

"彼得还想那异象的时候，圣灵向他说，有三个人来找你，起来，下去，和他们同往。"（使徒行传 10:19~20）

"他们事奉主，禁食的时候，圣灵说，要为我分派巴拿巴和扫罗，去作我召他们所作的工。"（使徒行传 13:2）。

还有许多记在《圣经》里蒙引导的历史，在这么多神引导人的经历里，有一个共同的地方，就是都有神的话，神的话作了他们的行动的根据。这里所引的都是历史，但是神今天怎样把他的话给我们呢？有些时候，神会把《圣经》上的话很自然的，也是很重的摆在我们的心思里，或者在我们正常的读经生活里，把他的话明显出来。举个实际的例子来说：有一位弟兄，他要从本地到某地去，那时那地的局势很混乱，他要就顺利的离开，要就完全打消到某地去的念头，因为离境的手续十分难办，如果办手续办不出结果，那么他留在本地就有说不出的麻烦。这弟兄在主面前祷告，求主带领他的脚步。在要作出决定的那天早晨，他在顺着平日的次序读经的时候，神就借着希伯来书 11 章 8 节的话向他说话，"阿伯拉罕因着信，蒙召的时候，就遵命出去。"过去他把这话读了多遍，他没有什么感动。那天早晨读到这里，里面就有极大的感动，神的话一直抓牢着他，他就在信心里接受主的指示，决定了要离开本地，神也在极度的困难环境下给他通达的道路。

但是，这样领受神的引导，我们得要十分的当心，很容易落在人的错觉里。有些人因为心里已先有一个意念，当他读经的时候，读到一些好像与他心意吻合的字句，他就不管一切的就说得着了神的话；还有一些人为要得到神的话，就拼命往《圣经》里找，找出了他所要的经文，就说得了神的话。这些作法是十分危险的。我们领受神的话，应当是很自然的，没有人的做作，很平稳的让神的话来感动我们。

我们在得着神的话作引导的事上，除了上述的那种光景外，我们得更郑重的注意另一方面的事，就是让神的话——《圣经》——的原则来作指导。《圣经》不一定有我们所可能遇见的各样的事的处理方法，但是《圣经》里却有属灵的原则可作我们的依据。举个例子来说，《圣经》上没有说不许吸烟，那么能不能说神也是喜欢人吸烟呢？不能，虽然《圣经》没有明文的定规，但从《圣经》的原则上来看，吸烟是不合宜的。"凡事我都可行，但不都有益处。凡事我都可行，但无论那一件，我总不受它的辖制。"（哥林多前书 6:12）因此，不用说是吸烟这个不良的嗜好，就是一些良好的事物，如果对人起了辖制的作用，都不能说是神的引导。

再看一个实际的举例：凭着信心仰望神而办理孤儿院的穆勒弟兄，他在等候神的引导时，他查察他要作这事的动机并不是为自己，而是为了神的荣耀，这没有抵触属灵的原则。他也查察他所要作的事，深知神是顾念孤儿寡妇的神，借这工作能使多人认识神，这事也吻合爱心的原则。总的来说，他要办孤儿院，不单没有抵触《圣经》原则，并且还有《圣经》原则的支持。虽然《圣经》没有办孤儿院的例子，但他经过长久的祷告，借着《圣经》的原则，他就明白了神的引导。

接受随时的引导，首先要好好的学习谨慎领受神的话和《圣经》的原则。"你要以你的圣言引导我，以后必接我到荣耀里。"（诗篇 73:24）

（2）圣灵的感动——催促或禁止

"圣灵禁止他们在亚西亚讲道，他们就经过弗吕家，加拉太一带地方，到了亚西亚的边境，他们想要往庇推尼去，耶稣的灵却不许。"（使徒行传 16:6~7）

"我从前为基督的福音到了特罗亚，主也给我开了门。那时因为没有遇见兄弟提多，我心里不安，便辞别那里的人往马其顿去了。"（哥林多后书2:12~13）

圣灵常把神的意思放在基督徒的里面，因此，神的儿女就常有圣灵的感动，或者说是我们在生命上有感觉，凭着这个感觉，可以帮助我们去明白神的引导。"你们从主所受的恩膏（圣灵），常存在你们心里，并不用人教训你们，自有主的恩膏在凡事上教训你们。"（约翰壹书2:27）

圣灵在生命里的感动是怎样的呢？我们看保罗的经历。他要在亚西亚作工，圣灵禁止他；他要往庇推尼，圣灵又不准。他怎样晓得这个"禁止"和"不准"呢？当他要定规一件事的时候，他里面感到不平安，这个不平安就是圣灵作工的记号。圣灵叫他不平安，他就晓得神的引导不是这样。我们得救了的人，常有这样的经历。你定规要作某件事，但心里不平安，越要去作就越不平安，等到你决定不作了，心里就平静了。有时是反过来；你很不愿意作某事但是里面却有一个催促，非要去作某事不可；你不愿意作，里面的催促使你心感不安，等到你顺服了里面的催促，你就平安了。里面的平安或是不平安就使我们可以领会神的引导，这也就是<哥林多后书>2:12~13 上所说的，"我从前为基督的福音到了特罗亚，主也给我开了门。那时因为没有遇见兄弟提多，我心里不安，便辞别了那里的人往马其顿去了。"保罗因为他里面不平安，他就不因为外面的环境顺利而留在特罗亚，他顺服了里面的引导离开那里。里面不平安，人就要停止当时的动作。（参看约翰壹书 3:21~22）

有一位弟兄才信主得救不久，很爱聚会，什么地方有聚会他都要去。一天晚上，他跑到安息日会去，他根本不知道他们所传的是什么，但是他一坐到里边去，里面就有莫名的不平安，他继续坐在那里，越坐越不平安。他受不住了，不等到聚会开始，他就走出来，他就舒服了。进到传异端的地方去，虽然他本人不知道，但圣灵在他的生命里有感动，催促他离开那地方。在学习明白神的旨意上，我们也得好好操练自己顺服生命的感觉。

顺服生命的感觉也有一些难处，就是人的感情冲动和邪灵的打扰常使人觉得难以分辨，是生命的感觉呢？还是出于人的冲动呢？在明显犯罪的事上，对生命的感觉就有把握，但在那些与犯罪无关的事上，而外面看来又是好的，我们觉得太难了。像保罗在特罗亚看见工作的门是开着的，可是因着里面而的不安，他就撇开了特罗亚的工作去了马其顿。作工是需要的，但却要根据神的引导，不是凭人的火热来定规作工。

怎样去分别生命的感觉和人的冲动呢？人的冲动有时也掺杂邪灵的成份。大体上这一类的感觉是突然而来，一来就使整个人失去控制的，使人心思混乱，并且这种感觉不会持久，而且是刻变时翻的。而圣灵的感动是很安静的，"因为神的灵……是叫人安静。"不单是人里面安静，并且是领人向着主去的，又是持久的。所以，对一些里面的感动有疑问时，不要马上顺服，把这个感动带到主面前去祷告，安静的等候，若不是出于圣灵的，主必叫它过去。

（3）环境的印证

我们总要记得，神是管理万有的主，一切的环境都在他的管理下，所以，环境的安排神也是用来使我们明白他的引导的方法。

<使徒行传>10 章里，彼得在思想神的引导，哥尼流派来找他的人就到了，这个环境的安排就向彼得显明神的引导。又在<使徒行传>8:30 里，"腓利就跑到太监那里听见他念先知以赛亚的书。"这一个环境又叫腓利明白了神引导他的目的。环境的安排有时证实了神的引导。有时又会作了神引导人的起头。神把一个"需要"摆在我们的面前，就叫我们注意到神的作为，也引领我们跟上他的工作。又有些神要作的事，不一定要我去

作，或是我该在什么时候去作，借着环境的印证更清楚的显明神特别要我去作的事和神要我去作的时间。

环境的带领也是很自然的，一点也不牵强，也没有人的做作。在旧约的时候，人要证实神的旨意，可以向神要凭据，像<士师记>6:36 基甸所作的一样，这也可以说是环境印证的原则。但在新约里，神使圣灵住在我们里面作带领，向神求凭据的事就不大合宜了。

总的一句话，这三个原则是我们明白神随时引导的依据。顶清楚的，就是这三个原则都能一起的先后出现。但不一定会一起出现，就一般而论，至少也得有两个原则来显明神的引导。因为我们遵行神的旨意，不单明白神引导的内容，也要把神引导的内容作成在神的时间里。我们还要特别的提一提，无论是圣灵的感动，或是环境的安排，它们所显出的结果一定不会与神的话（圣经的原则）相反的，因为神不会带领人破坏它自己的原则；神用着它的话来保护我们受引导的人，如同火车在轨道上行走，就不致出乱子了。

二、急忙遵守你的命令

再重提一遍，在明白神的旨意上，方法不是最重要的，重要的还是决心遵行神旨意的人。没有决心去行神旨意的人，明白了神的旨意和不明白神的旨意是没有分别的。

"我急忙遵守你的命令，并不迟延。"这一个态度是十分宝贵的。什么问题都不担心，就是担心遵行神的旨意行得太慢，遵行得不完全。在遵行神的旨意上，也许会使一些人对自己不谅解，不同情，甚至是来反对与击打。但是，一个决心遵行神旨意的人是不该注意这些后果的，遵行是我们所该作的，后果是神所负责的。神看我们遇见反对是好的，我们就接受反对；神看我们担受不起人的反对，他也会禁止人的怒气。我们若心里尊主为大，我们就先注意主的旨意，"顺从神不顺从人是应当的。"（使徒行传 5:29)先是顺从神，然后才是在神的喜悦里与人和睦。（参看罗马书 12:17~18)我们所该注意的就是我们必须竭力遵行神的旨意。

三、神的命令与允许

末了，我们再从神的旨意的性质上来领会一个严肃的问题。从性质上来看，神的旨意又可分成神的命令和神的允许，我们从<列王记上>20 章和 21 章里所记关于希西家王的事看一个例子；那时希西家应该死了，这是神的命令。但他不愿意在那时死，他就苦苦的求神让他多活一些日子，结果神应允加增他十五年的寿数，这是神的允许。从人看来，神的允许叫人舒服，但是，我们必须指出神的允许并不是人真正的的福气。希西家多活了十五年，这十五年就出了不好的事；头一样，他的灵性堕落了，（参看历代志下 32:24~26）其次他生了儿子玛拿西，这儿子犯罪作恶惹神大大的怒气，造成犹太人被掳的重要原因。（参看耶利米书 15:1~4）

我们若是给主的恩爱感动，立志要作一个遵行神旨意的人，就求主使我们越过个人的利害得失而拣选遵行神的命定，不要贪恋一时的痛快而活在神的允许中。我们接受主的命定也许会使我们痛苦的流泪，但流泪顺服主的命定也强如在神允许中偷安，因为神的命定是神给人最上好的安排，也是神对人最体恤的看顾。他不会作错事，他是按着永远的智慧和荣耀来带领我们。"主啊，凭着我自己，我是喜欢自己的舒服而不要你的旨意，但是我求你不理会我的愚昧，你要压迫我去接受你的命定。给我够用的恩典，把我从流泪的顺服带入心里充满感赞的顺服。我承认我害怕这样的遵行你的旨意，求你给我心甘情愿来拣选你。因为你要照你的旨意领我进你的荣耀和丰富里。阿们。"

"求你指教我遵行你的旨意，因你是我的神，你的灵本为善。"（诗篇 143:10)

第二十三章
圣灵在信徒身上的工作

读经:

"我要求父,父就另外赐给你们一位保惠师,叫他永远与你们同在,就是真理的圣灵,乃世人所不能接受的。因为不见他,也不认识他。你们却认识他,因他常与你们同在,也要在你们里面。"(约翰福音 14:16~17)

"你们既听见真理的道,就是那叫你们得救的福音,也信基督,既然信他,就受了所应许的圣灵为印记。这圣灵是我们得基业的凭据,直等到神之民被赎。"(以弗所书 1:13~14)

我们要在基督徒的生活上有进深的学习,我们就要来认识圣灵的工作,因为基督徒的生活的力量不是我们所知道的属灵知识,也不是我们本来所有天然的能力,而是圣灵作我们的帮助,作我们的推动,也作我们的扶持。"我们若是靠圣灵得生,就当靠圣灵行事。"(加拉太书 5:25)所以,对于圣灵和我们信主的人的关系,我们该要有清楚的认识。

一、保惠师是什么

　　主被卖以前，他和门徒谈论到以后的事情，一面给门徒安慰，一面告诉门徒圣灵要来作他们的保惠师，如同当日主面对面与他们同在一样的帮助他们。主说："我去是与你们有益的，我若不去，保惠师就不到这里来。我若去，就差他来。"（约翰福音 16:7）这里给我们看见，主耶稣从死人里复活以后，升回天上去，圣灵就来了。在<使徒行传>2 章所记载的，五旬节那一天，圣灵果然就降临了。

　　圣灵是三而一的神的第三位，三而一的神就是圣父，圣子和圣灵。他们虽然是三位，但却是完全合一的。在救恩里头，圣父安排了救赎的计划，圣子完成了救赎的方法，圣灵把救赎的果效成就到人的身上来。所以，当主耶稣作好了救赎的工作后，就回到天上去，圣灵就到地上来。

　　主耶稣说圣灵是保惠师。保惠师究竟是什么意思呢？中文《圣经》有小的注脚解说，保惠师也作训慰师。再拆开来说，就是训诲，教导和安慰的人。是的，圣灵来了，他果然是这样的在我们身上作工。我们若清楚一点的看，保惠师就是站在我们旁边等着要给我们帮助的（人）。这是何等宝贵的事实！当日主与门徒同在时，主作了他们随时的帮助和安慰。主离开他们的时候，就应许圣灵来代替他工作。应许不单是给当日的门徒，也是给每一位信主的人，我们今天也是和当日的门徒一样享用圣灵的训慰。

二、怎样得着圣灵？什么时候得着圣灵？

主应许把圣灵赐给信的人，不单是说人可以得着圣灵，并且是得着到这样的地步，圣灵要住在我们里面，和我们联合为一，并且在我们里头成为活水的江河，（约翰福音 7:37~39）除掉我们属灵的饥渴。他是这样的住在我们里面，叫我们所遇上的一切事，都与他有直接的关系，因此，他就站在我们的地位上又照着神的旨意来帮助我们处理和定规一切事。所以我们说，神赏赐圣灵这一个事实是神给人的一个恩典。

人在什么时候，并且要作些什么才可以得着圣灵呢？我们可以这样看，在五旬节以前，圣灵还没有普遍的降临，所以在五旬节前，圣灵没有普遍的住到人里面。等到五旬节那一天，圣灵降临了，信主的人都得着了圣灵，圣灵也住到他们的里面去。在五旬节以后，所有信主的人都在他接受耶稣作救主的时候就接受了圣灵的内住，得了圣灵。在<使徒行传>2 章 38 节，彼得传福音的时候，清楚的向众人宣告说："你们各人要悔改，奉耶稣基督的名受浸，叫你们的罪得赦，就必受所赐的圣灵。"这里很清楚的说出，人接受圣灵的时间是在他相信接受耶稣作救主的时候。人接受圣灵的条件就是相信主耶稣作救主，此外再没有别的条件了。因为这是恩典，恩典就是不要人作什么，只是白白的接受。"你们既听见真理的道，就是那叫你们得救的福音，也信了基督，既然信他，就受了所应许的圣灵为印记。"（以弗所书 1:13）感谢神，他在恩典里把圣灵赐给信的人，信的人就在恩典里白白地领受了神所应许的圣灵。

得救的人都有了圣灵，没有圣灵的人就是没有得救的人。若有人说得救的人还没有圣灵，这是愚昧无知的话，不相信神的应许，不明白神恩典的作为，也不认识救恩的真理。我们要衷心的感谢神，在我们信主的时候，我们就照着神的应许接受了圣灵，圣灵也住进我们的里面。不需要我们作什么，因为这是神应许的恩典，我们一信主，圣灵就住进来，我们的身子就成了圣灵的殿。（哥林多前书 6:19）

三、圣灵工作的内容

我们凭着神的应许接受了圣灵，虽然我们眼睛看不见他，甚至我们在关于圣灵的真理上感到不容易明白，但是我们却能感觉他，也经历着他。因为他一住进我们的里面，他就不住地在我们身上作工。借着他所作的工，我们就知道圣灵的真实，领会他的作为。我们在底下要看一看圣灵的工作，虽然不能包括圣灵全部的工作，但是一个基督徒必须要认识和经历的都在下面列举出来。求主借着圣灵的帮助，叫我们领会圣灵的工作。

1、使人知罪

"他既来了，就要叫世人为罪，为义，为审判，自己责备自己。"（约翰福音 16:8）人若不知道什么是罪，不知道罪的结局，就不会接受主作救主的。人有道德观念，教育事业和社会舆论，但是这些并没有帮助人认识罪和罪的可怕。圣灵在人身上最开始的工作，就是把罪的感觉放到人的里面去，使人认识审判和灭亡，要寻找救恩。一个嗜赌如命的人，天天在赌桌上生活，一点都不知道自己正在不住的犯罪，反倒以为是不可缺少的娱乐，等到圣灵一作工，他就不再说什么理由了，他承认赌钱是犯罪，也承认自己的罪人。一个喜欢贪图别人便宜的人，他以这事作他的快乐，也不以为是犯罪，等到圣灵一作工，他就在神面前服下来，承认自己是贪心的罪人。不是说圣灵作工以前，人没有犯罪，绝不是这样。人是不住的犯罪，但是他们不认识罪，圣灵一作工，他们的眼睛就开起来，他们看见了罪，也在定自己的罪。这不是在道理上的说服，因为没有一个人甘心承认自己是罪人，唯有圣灵作工了，人才看见自己的丑陋。这是人接受救主的经历。先是圣灵光照人，使人知罪，然后就感动人去接受耶稣作救主。

一个人成为基督徒，是由于圣灵的工作开始，但是圣灵使人知罪的工作是不停止的继续下去。人得救了，罪的感觉恢复过来，圣灵继续作工，我们对罪的敏感程度便加增，对罪的认识的范围也扩大，对罪的恨恶和拒绝的心也提高，这些都是基督徒实际的经历，而这样的经历就是圣灵使人知罪的工作的果效。

2、重生信主的人并使人在圣灵里受浸

信主的人从神那里接受的生命，这人工作也是圣灵来负责作好的。"从肉身生的，就是肉身。从灵生的，就是灵。"（约翰福音 3:6）我们一相信主，圣灵就照着神的应许，把神的生命生到我们里面去。他怎样把生命生进来，我们不知道，但是他一把神的生命生进来，我们教能感觉到那生命，也受那生命的约束来生活。

重生了的人，对于其他信主的人，很自然的都会有亲切感，对于主自己也有极深的恋慕，也很喜欢常与同作神的儿女的在一起，远胜过自己的亲兄弟。我们从圣经就晓得，在我们一信主的时候，圣灵在重生我们的同时，也叫我们在他里面作了受浸的工作。"我们不拘是犹太人，是希利尼人，是为奴的，是自主的，都从一位圣灵受浸，成了一个身体。"（哥林多前书 12:13）在圣灵里受浸的结果，使我们所有信主的人都结起来，成了基督的身体，并且彼此在同一的身体上作了肢体，有了

生命上的相连。（这点留待「神的教会」那一章才详细的讨论。）

3、帮助人认识真理

"只等真理的圣灵来了，他要引导你们明白一切的真理。"（约翰福音 16：:1）主耶稣在这里明说，圣灵来了，我们就有可能认识属灵的真理。神和人中间的关系，神借着主耶稣所作成的救赎，还有许许多多的属灵事物，都不是人的悟性所能领会的。有一个很有学问的人，他很熟读《圣经》，但是读来读去，他还是钻不出文学和哲学的思想范围。他很会思想，对事物的分析能力很强，但是他不只没有办法认识神的救赎，并且还反对人信洋教。多年以后，神怜悯了他，他也接受了耶稣作救主。从那时起，他对过去他所熟读的《圣经》有了特别的喜爱，从其中明白许多属灵的事，都是他从前所没有领会的。人仍旧是那个人，但是有了圣灵加进来，他的眼睛对属灵的事就明亮了。

我们常有这样的经历，听一次道，不大明白，我们就祷告求主帮助，过了不久，对于那本来不明白的很自然就领会过了。或者是在读《圣经》的时候，有些地方读了多遍还是不明白，到了一个时候，你再读到那里的时候，就豁然开朗，里面就明白过来。这也是圣灵的工作。"求我们主耶稣基督的神，荣耀的父，将那赐人智慧和启示的灵，赏给你们，使你们真知道他。"（以弗所书 1:17）没有圣灵的帮助，人要明白神的事是没有可能的。"神为爱他的人所预备的，是眼睛未曾看见，耳朵未曾听见，人心也未曾想到的。只有神藉着圣灵向我们显明了。"（哥林多前书 2:9~10）人的悟性对神的事情的领会是极其有限的，只能在物质范围内的揣摩才有果效。神若不把圣灵赐给我们，我们是无从明白属灵的真理，我们现今能明白一切关乎神的事，完全是因着圣灵开启我们属灵的悟性。

4、引导

在上篇里，我们已经看过了关于引导的问题，所以在这里就不再多说，但是有一些事要再补充一下的。以前所提的引导是重在个人的道路方面，和明白神旨意的问题，但是圣灵的引导不是只限于这些，在我们祷告生活上，或者在基督徒中间的交通里，圣灵都在负引导的责任。在<哥林多前书>14 四章的教会聚会里，很明显的给我们看见整个聚会的进行，是根据圣灵的引导。祷告也好，劝勉也好，没有一个人不顺从圣灵的感动来作。

有一位主的老仆人，在一个夜里醒过来再也睡不着，心里一直有一个催促要为不久以前离开他到外国去传福音的几位年青人祷告，那时他们正在海上，他不知道他们发生什么事情，但因着圣灵的催促，他就迫切的为他们祷告。过了那个晚上以后不久，他就收到年青人的信，提到我们在航行中遇到极危险的大风浪，后来风浪突然的停止了，他们就平安的渡过危险，他们深信一定有人在神面前为他们祷告。这位年老传道人查看他们遇风的那日子，正是他在那天晚上迫切为年青人祷告的一天。

在我们日常的生活里，圣灵随时随地都在给我们引导，叫我们行走在神的旨意当中，让人去经历神的信实和他对他的儿女们的负责。

5、圣灵充满

每一个信主得救的基督徒，在他们身上都背负着一个见证，就是要彰显主自己，让别人从我们的身上看见主耶稣。因此，我们在生活上或工作中就得要显出主来。这是一件马虎不得的事，我们这些称为神的儿女的人，若是不能叫人认识神和他的救恩，我们就一定是把人绊住，叫他们不肯到主的面前来得生命。

凭着我们本身所有的，我们不可能有足够的能力来供应这一个见证的需要，他也知道我们的缺欠，他提醒我们"要被圣灵充满。"（以弗所书 5:18）他也负责按着实际的需要及时的给我们充满。在使徒行传的历史里，他借着圣灵充满来供应人作工的能力，应付恶劣环境的胆识，揭破撒但诡计的智慧，在昏黑的日子里的安慰，并在生活上显出主耶稣基督的美丽。（使徒行传 4:8，31。13：9~10，52。6：5……）

我们得救的人，都已经有了圣灵，但却不一定都被圣灵充满。圣灵充满就是我们不仅是有圣灵，而是圣灵在我们这些人的里面满溢到一个地步，可以完全的管理我们，使用我们，借着圣灵的各种恩赐来显出神的大能和基督的荣美。每一个神的儿女都该认识并经历圣灵充满，但是因为在圣灵充满这事上有很多似是而非的道理，所以对于领受圣灵充满要小心，不要作糊涂人，免得上了撒但假冒圣灵的当。这问题有好些专一讨论的书，在边里就不作详细的探讨。

四、不要叫神的圣灵担忧

圣灵一切的工作，都是带领我们向着神去，接受神的赐福，领会神的恩爱。因此，我们对圣灵的工作，都该有一个明显的态度，就是"当顺着圣灵而行。"（加拉太书 5:16）我们顺着圣灵而行，我们就行在神的安排里。

圣灵的感动在我们身上是很细嫩的，我们若不及时的接受他的感动而顺从他的带领，我们就会把圣灵的工作压下去，一次，两次，三次……的不顺从，我们对圣灵工作的敏感就会消失了，成了麻木了，不能再好好领会神的恩典和作为。所以神的话很重的提醒我们，"不要消灭灵的感动。"（帖撒罗尼加前书 5:19）因此，我们必须好好的学习顺从圣灵的感动，不叫我们的脚步离开神的道路，失落神所要赏赐的福气。

有些人好像从来就没有过圣灵的感动，这是严重的，若不是没有生命，就定规是消灭惯了圣灵的感动。这样的人是不会有里面的平安和喜乐的。人若不随从圣灵，那住在我们里面的圣灵就要替我们担忧，即使我们外面好像很快乐，但里面定规是背重担的。里面背重担的人，怎么能得安息呢？要恢复安息，必得叫那住在我们里面的圣灵没有担忧的事，叫他在我们里面先得安息。"不要叫神的圣灵担忧。"（以弗所书 4:30）这是一句份量很重的话。我们里面不舒服了，就当在神面前俯伏，求主光照，在那里跌倒就在那里起来；在那里叫圣灵担忧，就在那里借着主的血和恩典卸下重担。

第二十四章
得胜生活的依据

读经:

"……但我是属乎肉体的，是已经卖给罪了，因为我所作的，我自己不明白。我所愿意的，我并不作。我所恨恶的，我倒去作。若我所作的，是我所不愿意的；……就不是我作的，乃是住在我里头的罪作的。我也知道，在我里头，就是我肉体之中，没有良善。因为立志为善由得我，只是行出来由不得我。……我觉得有个律，就是我愿意为善的时候，便有恶与我同在。……我真是苦啊，谁能救我脱离这取死的身体呢？感谢神，靠着我们的主耶稣基督就能脱离了。"（罗马书7:14~25）

"靠着爱我们的主，在这一切事上，已经得胜有余了。"（罗马书8:37）

神的儿女定规了要照着神的心意来活的时候，就会发觉他们正在对着一个难处。越要多靠近主，越觉得有犯罪的心意或其他的心意阻挡自己不去靠近主；越要胜过某一种罪，越是跌进这一种罪的困扰里；越是注意灵里面的难处，越是没有办法对付掉那难处。曾经在一位弟兄来看我，他苦着脸说："我没有办法叫我生活得圣洁一点，我用尽了我的意志力量，还是不能使我好一点。终日在愁烦的苦恼里，我看我这个样子，恐怕我的得救很成问题。"很多神的儿女都像这位弟兄一样，要得胜反倒失败，不愿意伤神的心却是不能脱离顶撞神的事，结果不是落在自怨叹息里，就是落在对救恩的事实产生疑惑的光景里。神的儿女们在追求长进的路程上，常会碰上这类现实的困扰。要不爱主了，里面过不去；要爱主又好像跟不上来。要对付掉这一个困扰，我们要来求主给我们有新的看见。

一、属灵争战的开始

我们没有信主以前，我们在任何事上都可以自己作主。不管是什么事情，从自己作开始都没有难处，因为一切出于自己的定规都是遵循着那恶者的安排，而我们的灵是在死的光景中，背逆神走向死亡，我们没有什么感觉。我们一信主了，得救了，有了神的生命，我们的灵活过来，苏醒过来，我们的心思意念也更新了，因此，我们的选择和跟从就不再是从前一样了。正因着这一个转变，一场属灵的争战就在我们身上开始了，并且是不断的进行下去。

撒但虽然不能拦阻我们去信主，但它并不甘心人脱离它的权势而归到主的名下，所以它还是在我们这些信的人身上搅扰，叫我们跟不上主，叫我们不去顺服主，鼓动我们走回头路去顺从自己。我们要记得，神现今在救恩里赦免了我们的罪，除去我们该受的刑罚，也赏赐了神的生命，但是神在现今还没有拿掉我们的旧生命。这旧生命就是我们的天然性格，《圣经》上也称它为肉体。它的基本表现就是一切都以自己为中心，这个自我中心具体的表现就是人要追求绝对的满足人的情欲，即使是邪情私欲也得让它满足。这个肉体既然仍旧存在我们的里面，我们这些人的里面就有两个相反的吸引；一个吸引我们顺服神叫神满足，一个吸引我们远离神，单要满足自己。"我说，你们当顺着圣灵而行，就不放纵肉体的情欲了。因为情欲和圣灵相争，圣灵和情欲相争。这两个是彼此相敌，使你们不能作所愿意作的。"（加拉太书 5:16~17）在这一个继续不停进行的属灵争战中，我们顺从圣灵就是得胜，顺从肉体就是失败。"体贴肉体的就是死，体贴圣灵的乃是生命平安。原来体贴肉体的，就是与神为仇。……而且属肉体的人不能得神的喜欢。"（罗马书 8:6~8）这样看来，这一场属灵的争战是十分猛烈的。得救的人若顺从肉体，就又会活在死的光景里，就是愁苦，没有安息，心灵虚空背重担。这种死的光景虽然不会把我们坠回灭亡里，但叫我们失掉神的丰足与平安却是肯定的。因此，我们在这一场大争战里，必须要追求时刻站在得胜的一边。

二、撒但的两种武器

在争战中要得胜，必须要知己知彼，我们若不对敌情有彻底的了解，我们便无从进行争战的。所以，我们再用一点篇幅来探讨撒但是如何进行攻击的，它所用的武器又是怎样的。

1、罪的引诱（外面的）

撒但在对神儿女的进攻里，它的目的就是要牵引神的儿女重新活在罪恶过犯中。为要达到这个目的，它常把许多的事物摆在神儿女的眼前，叫你去看，叫你去想，叫你去爱慕，这样子来引动人的情欲。<创世记>3章，撒但起初引动人的始祖，就是叫夏娃看见那分别善恶树上的果子好作食物，又悦人眼目，并且是可喜爱的。<马太福音>4章，它试探主耶稣的时候，也是叫主看见他的肉身的需要并地上的荣耀与权柄。不管是什么样的事物，它一定叫你看见一些，好引动你的心去接受它的诱惑。这是它的手段柔和的一面，借着甜言蜜语把人的心腐蚀过去。

另外一面呢，像它对付约伯一样，摆出一副凶恶残酷的脸孔，叫人想到自己的安全，自己的性命和家人的平安，要逃避肉身的痛苦。人在一面受了引动，就要离开神而保存自己。历世历代以来，不少神的儿女的软弱失败，在撒但的权势面前倒下去，就是因为看见它那像咆哮的狮子的样子，心里起了惊惧，就受了它的变相的诱惑而离弃了神的道路。

不管撒但是用光明天使的样式，（参看哥林多后书11:14）或者是显出咆哮狮子的威势。（参看彼得前书5:8）它总是把一些人，事，物和环境摆在人的眼前，使人思想，考虑，生发爱慕的心情，就把人吸引过去。这是撒但在外面的作法。神的儿女若是多思念天上的事，轻看地上的和个人的荣辱，撒但的诱惑是不能起作用的。

2、挑动人的肉体（里面的）

撒但在外面的一切摆设，目的就是要叫人的情欲受挑动，激起人强烈要满足自己的欲望，不顾神的圣洁和公义，也不管永远的福乐，只要眼前的满足。肉体的活动在人身上显出来是相当强有力的，不单是保罗因着它而叫苦，我们每一个神的儿女也同样的活在这个苦里。明明晓得撒谎是不对的，为了一己的好处还是撒了谎；明明晓得贪爱世界是在神面前过不去的，肉体的情欲一发动，人就好像不由自主的进入世界的怀抱里；明明知道骄傲是使人受亏损的，但是人肉体一被触发，自然就瞧不起人。反过来说，明明知道要爱弟兄，但是就不肯

295

减少自己的舒服，结果爱弟兄就爱不出来；明明知道要好好传福音服事主，但舍不得家庭生活的温暖，就轻忽了失丧的灵魂。……总的一句话说，肉体一涨溢，人就受它辖制，不愿作的却作了出来，愿意作的却作不出来。

以前，人的肉体是听从撒但指挥的，现在仍然是任由撒但摆布的，肉体永远是站在神的对头的一面。撒但十分清楚，掌握了人的肉体，就能得着那一个人，叫他离弃神，偏离神的道路。它深深知道，肉体存在人里面一天，它仍然有机会借着肉体来辖制人。它借着外面的一切摆设，进一步的来惹动人的肉体去跟从它。人的软弱失败的根源就是人的肉体，它什么时候受了激动，它就什么时候领人站到撒但那一边去。

在属灵的争战里，肉体是主要的焦点问题。肉体停止了活动，人站在得胜的一边；肉体若肆意活动，人倒进失败的圈套里。肉体好像是一群盗贼的首领，把首领打掉了，贼群就不能为患了。肉体若失去了活动的力量，那么外面的诱惑便无能为力了。也就是说，里面的争战解决了，外面的激动就形同虚设了。因此，我们在争战中追求站在得胜的一面，就当在对付肉体的这一点来下手；把肉体解决了，整个问题也就解决了，因为肉体就是使人不能得胜的根源。

现在引出来的问题就是怎样去对付肉体。肉体不是身体。肉体是我们的旧生命，我们不能用苦待己身的方法去对付它，像那些拜偶像的人那样伤害自己的身体，或者用隐居避世的方法。肉体是在人的里头，是给罪占有又败坏了的，一切在外面作的都不是对症下药。（参看歌罗西书 2:23）对付肉体是一个属灵的问题，要解决就只能用属灵的方法，不然的话，就成了肉体对付肉体，结果只有加增肉体的活动，增强人的苦恼和自怨。我们在下面要求主带领我们去看看属灵的争战是怎样进行的，得胜又是怎样显出在我们身上。

三、基督作成了的工作

属灵的争战就是一个属灵的地位的争夺。我们作神儿女都有一个在基督里的地位，我们活在这地位里，我们就是得胜的。撒但的工作就是要拖我们离开这个地位，叫我们不活在与主耶稣联合的事实里。人在神面前是什么都没有，也不能作什么，我们一切所有的都是享用主耶稣所有和他所作成的。人在神面前有两个严重的基本问题，一个是人所犯的罪的问题，一个是罪人的问题。这两个问题都得要清楚解决了，人和神中间的隔断才能彻底的解决。感谢神，他借着主耶稣所作的已经完全替我们解决了。

1、流血——对付人的罪

"若不流血，罪就不得赦免了。"（希伯来书
9:22）"你们得赎，……乃是凭着基督的宝血。"（彼得
前书 1:18~19）"神设立耶稣基督作挽回祭，是凭着耶稣
的血。"（罗马书 3:25）犯罪的结果就是刑罚，刑罚的
程度是要求犯罪的人死，流血就是表明死。主耶稣的死
是流血的死，流掉了他的血。唯有流血，犯罪的案件才
得清理。我们的罪案要清理，我们自己是不可能用流血
的方式，因为我们若流血，我们就甚么都完了。因此，
我们所要得的清理是赦免，而不是流血，因为我们不能
流血。但若不流血，罪案就不得清理，我没有办法流
血，主耶稣就替我流血。他既然站在我的地位上去流
血，代表我去流血，那么他的流血就等于我的流血，因
为他是为着我来作的。

血既然流过了，罪案当然也就清理了。罪是我们
犯，血是主耶稣流，但在神眼中看来，主所流的血就是
我们的罪的了结。神今天只看人有没有主的血，没有主
的血的人仍旧在定罪里，有主的血的人不仅是不定罪，
并且连罪的玷污也洁净了。神看见主流的血，就赦免了
犯罪的人，血是解决罪的办法，主耶稣流了血，我们的
罪就得了赦免，不单是一次的赦免，而且是永远不断的
赦免，随时随地的赦免。有了主的血，人所犯的罪就有

了解决。在解决人所犯的罪上，我们人没有作过什么，只是单单的享用主耶稣流血的果效。我们现今时刻享受赦罪的平安，绝不是我们自己解决了罪，而是接受了主耶稣血的救赎。靠着血来对付了罪。

2、钉死——对付罪人

血解决了人在神面前所犯的罪，但是血却不能同时解决罪人，神也没有定规要用血去解决罪人。在救恩的部份，我们已经提过了，人所以成为罪人，并不是因为人本身所犯的罪，而因着人犯罪的天性和血统，也就是说即使有一个人从来没有犯过罪，（当然是绝不会有这样的人。）他也不能不是一个罪人。（参看罗马书5:19）因此罪人的问题的本质就是人犯罪的天性问题，也就是犯罪的生命的问题。

生命是活的东西，要对付犯罪的生命只有不给它活，也就是叫它死，它若不死掉，它的活动就不会停止。肉体的活动不停止，人犯罪的根源仍旧存留，犯罪的苦恼还是不住的困扰人。所以肉体——犯罪的生命——一定不可以再有活动，一定要死。神给我们看见，主耶稣为我们所成就的救赎，不单解决了人的罪，也解决了罪人这个问题，因为他不单是在十字架上流血，也在十字架上被钉死。"因为知道我们的旧人和他同钉十字架，使罪身灭绝，叫我们不再作罪的奴仆。"（罗马书

6:6）"凡属基督耶稣的人，是已经把肉体，连肉体的邪情私欲，同钉在十字架上了。"（加拉太书 5:24）钉十字架就是死。不叫肉体活，就把它钉在十字架上叫它死，不许它活。我们总要记得，主耶稣是代表我们钉十字架，也是带同我们一起钉十字架，他在十字架上死了，我们的旧人也与他一同钉死了。主耶稣被钉死也就解决了罪人的问题，在神面前对付了罪人这一个事实。

流血是死，钉死也是死。从外面来看，两样都是说到一个死的事实，但在属灵的功用上来看，它们的意义就完全不同了。流血是为着罪，钉死是为着解决罪人。借着主耶稣被杀这一件事，人在神面前的那两个严重的问题完全解决了，没有一点留下来要我们自己去对付。在主流血的事实里，我们的罪案清理了，在主钉死的事实里，罪人的问题也对付掉了。

四、得胜的途径

我们在神面前一切所有的既是享用主耶稣所作成的，那么在追求站在得胜里的方法仍然是享用主耶稣所作成的。不少神的儿女追求得胜却没有得胜，就是不会享用这个属灵的原则。我们得救是享用主所作的，我们得胜也是同样的享用主所作的。不在属灵的原则里解决属灵的事，就不能得着属灵的安息。我们来看一看享用得胜的几件该注意的事。

1、不是人的挣扎

在属灵的事上，最使人受亏损的，莫过于人凭着自己去挣扎。事实上，一个一贯以自己作中心的人，就是相信自己过于相信别的，一碰到事情，立刻就是自己去应付。但是我们不要忘记，在属灵的事上，我们是全然无有的，若是要凭自己去得胜，我们所能用上的，不过是人的意志力。对付物质环境里的事，意志或许还可以派一点用场。但是人所有的意志力仍旧是旧生命里的东西，若是用来对付肉体，那就毫无用处，只不过表现出人的挣扎，挣扎来挣扎去还是跳不出肉体的圈子里。比方说，人要作一个谦卑的人，他就得常常在意志里提醒自己要谦卑一点，也用意志来约束自己不骄傲。当然这种出于约束的表现，很不自然，也叫人的精神紧张，使人吃不消。等到意志力一松弛下来，马上就看见，那些逼出来的谦卑都不见了，人徒然在受精神的折磨。我们在神面前一切的问题都不能借着自己挣扎去解决的，事实上，人越要自己挣扎，就越觉得痛苦。"这都是照人所吩咐所教导的。……这些……使人徒有智慧的名，用私意崇拜，自表谦卑，苦待己身，其实在克制肉体的情欲上，是毫无功效。"（歌罗西 2:23）

我们在得救的事上不能靠人的挣扎，只是把自己摆在一个无望的地位上等候拯救；在追求得胜上，我们也该有同一的看见；我们仍然是需要拯救。许多神的儿女凭借着自己的挣扎去得胜，弄到头崩额裂，结果还是要承认自己无能为力，单单等候神的拯救。得救是神救我们脱离罪的刑罚，得胜是神救我们脱离自己。

2、要看见接受主所作成的

得胜既然是享用主所作成的，我们就得求主给我们在这一点上有看见，不单是看见，也接受过来作为我作过了的事实。

对付肉体唯一的方法是钉死，我们必须看见在主被杀的时候，我们的旧人也是与他一同被钉的。"我已经与基督同钉十字架，现在活着的不再是我。"（加拉太书 2:20）我必须要看见，不单是主钉十字架是一个历史的事实，并且我钉十字架也是一个历史的事实。要明白这一个，就不能单凭道理上的接受，必须在圣灵的启示里看见这个事实。人一看见了，就很有把握知道我的旧人早就与主一同钉死，我的旧人已经死了。

我们接受这个钉死的难处，就是我们眼睛看见自己是活的，也感觉到旧人在我里头仍然有活动，脑子就没有办法装得下这个钉死的事实。但是，我们要记得，钉死是一个属灵的事实，不是脑子里想出来的。举一个例子来说，第二次大战结束以后，在太平洋的一些岛上，还有一些日本军人在抵抗，因为通讯断绝的缘故，他们不知道他们的国家已经投降了。那时他们生活得很苦，吃的穿的都没有，但是他们还是不投降，直到后来人用了许多方法使他们知道他们的国家已经投降了，他们才停止抵抗。这几个日本兵的故事正好说明钉死的事实；我们有时看见旧人在我们里面仍旧有活动，正像那些日本兵的光景，只是一些残余的势力，并不是真实的力量，等到人看见了死的事实，这些残余的力量也就结束了。

另一个难处，就是无法接受主的死作我的死，因为这事只是在主的身上发生。我记得在读书的时候，学校里常有各项体育运动的比赛，我的那一年级，常常夺得冠军的锦标，全级的同学都高兴，看成是自己的荣誉。你要问，是不是全级的同学都参加竞赛呢？当然不是，只是少数的人代表那一级的去参加，但是因为是代表，他们所作的，就等于全级作的，他们所得的，就等于全级所得的。主既然代表我们钉死，也就是我们也钉死了。

钉死这个事实，人的脑子是不容易想通的，但是神给我们一看见，我们在信心里一接受，钉死就在我们身上显出它的真实性来。人接受了钉死的事实，就是把旧人的活动停止下来；旧人的活动停止了，人就不会受搅扰。一位弟兄过去十分贪爱世界的享受，以后受主对付过了，他也接受了与主同死的事实，这时在他身上不再有世界的吸引，他走过百货公司的橱窗，那些五光十色的东西也没有摸到他的心。许多他从前的朋友在社会上有了名誉和地位，他心中也没有半点的羡慕和自怜。因为他看见了他已经与主同死了，他就看自己是死的，向自己死了，也向世界死了。既然死了，就什么也不相干了。"他死是向罪死了，只有一次。……这样，你们向罪也当看自己是死。"（罗马书 6:10~11）看见主死了，也接受了与主同钉死的事实，就看自己是死的，这样，肉体的活动在我们身上便发动不起来了。

3、顺服圣灵

"我已经与基督同钉下字架，现在活着的不再是我，乃是基督在我里面活着。"（加拉太书 2：20）这节经文清楚的说出了得胜的秘诀。有了钉死的事实，再让基督在人里面活，就是基督领着我们活，这就是得胜。

怎样才是基督在我里面活呢？以前我们已经从别的一些角度来提到这一件事了。顺服圣灵，或者顺服生命，那个结果就是基督在人里面活。人顺从了圣灵，肉体便不能有所动作。所显出来的就是生命，就是主耶稣的荣美，就像主耶稣，这就是得胜。没有钉死的事实，人要顺服圣灵就大有难处，有了钉死的基础，顺从圣灵就成为可能。靠着圣灵，便能治死身体的恶行。（参看罗马书 8:13）因此，追求得胜的人都要好好的接受圣灵的管理。

归纳起来说，人要追求得胜，胜过罪和自己，一点不能靠人所有的，也不能凭着人的挣扎。只要让主来替我们去应付一切，享用主所已经作成功了的，不必自己加添什么，只是顺服圣灵的管理。这样，主已经有了的得胜就显在我们身上，成为我们的得胜。

第二十五章
抵挡魔鬼

读经:

"务要谨守，儆醒。因为你们的仇敌魔鬼，如同吼叫的狮子，遍地游行，寻找可吞吃的人。你们要用坚固的信心抵挡它。"（彼得前书 5:8~9）

"故此你们要顺服神。务要抵挡魔鬼，魔鬼就必离开你们逃跑了。"（雅各书 4:7）

"弟兄胜过它，是因羔羊的血，和自己所见证的道。他们虽至于死，也不爱惜性命。"（启示录 12:11）

神的对头魔鬼有一个名字，称为撒但。意思就是敌挡。（参看马太福音 4:10 小字注）<启示录>12:9 对它有这样的描述，"大龙就是那古蛇，名叫魔鬼，又叫撒但，是迷惑普天下的。"明显的指出了它的工作就是要迷惑人，叫人不要神，远离神，对神生发疑惑的心而不拣选神。我们祖宗的堕落，就是撒但的杰作。

我们借着耶稣基督的拯救脱离了魔鬼的手，不再听从它，也不随从它走灭亡的路，它当然是不会甘心就此罢手。我们一再的提起过，虽然它不能再使我们走回灭亡的路，但它却能给我们各种各样的搅扰，叫我们不能好好的享用神的恩惠，重新落在愁苦虚空里。虽然是如此，神也给我们知道撒但的各种搅扰人的方法，借着信靠主耶稣和他所作成的，我们可以向撒但夸胜。

一、撒但的各种工作

晓得了撒但在人身上所作的各样搅扰，我们就能认识它的诡计，不给它有胜过我们的机会。"免得撒但趁着机会胜过我们，因我们并非不晓得它的诡计。"（哥林多后书 2:11）在下面，让我们看一看撒但对付人的各种手法：

1、试探人

试探就是撒但给人一些诱惑，叫人接受了它的诱惑，就陷入了它使人犯罪的圈套里，听从了它的话而背弃神。我们的始祖犯罪堕落，正是上了撒但试探人的当。它一直给人看见要追求满足人肉体的情欲，眼目的情欲和今生的骄傲，而不理会这样追求的结果是犯罪。

撒但对人进行试探的地方是在人的心思里，它把一个能使人离弃神的思想放进人的心思，人不拒绝这种意念，反倒接受了这种意念，撒但在试探人的工作上就成功了。我们从撒但试探主耶稣的经过来看试探的内容，请看<马太福音>4：1~11，这里记载撒但给主耶稣三个试探。第一个是叫主耶稣去注意人肉身上缺乏，第二个是叫主耶稣注意人的名誉和地位，第三个是叫主耶稣注意世界的财富和权势。在这三个试探里都有一个基本相同的原则，就是听从撒但的指导去满足人自己的欲望。撒但十分清楚人的弱点是在于贪爱眼前的好处，因此它不明明的叫你不要爱主，它只要告诉你世界的美丽可爱；它也不明明的叫你去犯罪，它却使你晓得满足人的情欲能使人感觉十分舒服的。它把各种各样的心思放进人里头，如同自义，爱世界，专爱自己……，人一接受从撒但出来的心思，人很快就在它面前倒下去。它对神的儿子耶稣也有胆量去试探，对于我们这些跟随主的人，它更要张狂的来进行试探了。我们感谢主耶稣，他留下一个对付试探的好模样，他在受试探的时候，他持着神的话坚决的拒绝一切从撒但来的意念，就叫撒但的试探完全失败了。

撒但的试探是不住的朝向神的儿女们，"魔鬼用完了各样的试探，就暂时离开耶稣。"（路加福音 4:13）因此，一次胜过了试探，不要以为以后不再有试探了，这是愚昧的想法。我们得时刻学习拒绝一切使我们的脚步转离神的意念，试探就不能在我们身上显出果效来。

2、控告人

撒但还有一种在人心思里对付人的武器，就是把人带入受控告的光景里。因为它是称为"那在我们神面前昼夜控告我们弟兄的。"（启示录 12:10）它不单是抓住我们的软弱去控告神，更利害的是在人的心思里去控告人自己，叫人怀疑神的恩典，怀疑自己蒙恩的事实，叫人落在灰心绝望和自怨自怜的里面。

一些在神面前有过软弱或失败的弟兄们，常是受撒但控告的对象。它将我们从前的愚昧或罪过摆在我们眼前，同时告诉我们说："你看你是这个样子，这样的得罪主，主不会悦纳你的。"或者说："看你常常这样的软弱，恐怕你还没有得救。"这些心思一被挑动起来，人就陷在极深的黑暗与愁苦里。撒但叫我们感觉神离我们是何等的远，又叫我们看见自己是何等的不义和不洁，而这些不义和不洁都是我们在主的血里已经对付的，是神已经赦免了的。它叫我们看见那些已经在神面前了结了的事如同新鲜的事实，我们若是接受了它的控告，我们就落在它的摆弄里，享用不到神的恩典。"谁能控告神所拣选的人呢？有神称他们为义了；谁能定他们的罪呢？有基督耶稣已经死了，而且从死里复活，现今在神的右边，也替我们祈求。"（罗马书 8:33~34）"他的血岂不更能洗净你们的良心。"（希伯来书

9:14）神不控告在基督里的人，也不定他们的罪，并且洁净了人的良心，使他们不再觉得有罪。（参看希伯来书10:2，10:22）因此，一切的控告都是出于魔鬼，我们不要接受，倒要凭着充足的信心站稳在神的应许里。

叫人心里有点困扰的，就是怎样分别控告和圣灵的光照。我们简略的提一下：第一，控告是翻出已经蒙了赦免的事来搅扰人，光照是显明人还未有对付过的罪。第二，控告是叫人只看见自己的罪过而在黑暗里打滚，光照是叫人看见神赦免的恩典而使人俯伏认罪，重新活在赦罪的平安里。第三，控告是叫人疏忽或忘记神的应许和信实，光照却引人进到神的应许里得安息。

3、折磨人的身体

撒但不只在心思上对付人，也在人的身体上给人折磨，叫人生病，叫人受苦。《圣经》上好多处记载着被鬼附的人的事，他们不由自主的伤害自己的身体，心思充满了黑暗与愁苦，完全是非人的生活，跳进水里和火里，住在坟茔里。（参看马可福音 5:1~5，路加福音9:39，马太福音 17:14~15）撒但这样的折磨一个人，叫许多人陪伴这人受苦；它折磨神的儿女，为要叫多人有借口而不要神。

我们又看<路加福音>4:39，主耶稣斥责热病，就治好了彼得岳母的病。照道理说热病又不是人，又不是兽，是没有位格的，为何要斥责它呢？主在这里看见她的病的来源，是由于魔鬼的折磨，因此他就斥责躲在热病后面的魔鬼。我们不是说，凡人生病都是出于魔鬼的攻击，但我们不能忽略魔鬼有可能这样对付人。因此，若人生病不是出于自然的原因，也不是因为犯罪而招来神的管教，或者是按着正常的治疗而没有果效，我们都得查察，究竟是不是魔鬼的折磨。如果是，我们就当拒绝接受这病，也抵挡魔鬼。有一位弟兄，莫名其妙的病倒了，医生来看过，也诊断不出病症，就是这样拖了很长的日子，这弟兄也苦透了。有一天，另一位有属灵经历的的弟兄来看他，了解了这种情形，就对生病的弟兄说："恐怕这病是出于撒但。"他们就一同祷告，求主除掉魔鬼的作为。希奇的是，第二天，这位弟兄的病就没有了。"务要抵挡魔鬼，它就必离开你们逃跑了。"

4、兴起环境来恐吓人

< 路加福音>8:24，主耶稣又是以斥责来平静风浪。这事实也说出了撒但躲在风浪的背后来对付人。<使徒行传>里好多处记载了使徒们当时所处的凶险的环境，我们不能忽略这些环境是由于撒但的鼓动而兴起的。借着环境上的凶险，甚至是威胁着人的性命，叫信主的人不再跟从主，或者不敢明明的承认主。"主又说，西门，西门，撒但想要得着你们，好筛你们，像筛麦子一样。"

（路加福音 22:31）撒但用什么方法来筛神的儿女们呢？就是借着它所兴起的环境。历世历代以来，撒但没有停止过这种借环境来对付人的工作。有些时候不单是给人恐吓，并且是实在的置人于死。但是，我们有一个极大的安慰，神是管理一切环境的神，连撒但的动作也在它的管理的里面。神所不许的，什么样的环境也不能伤害我们。

"人的忿怒，要成全你的荣美，人的余怒，你要禁止。"（诗篇 76:10）即使撒但能兴起各种凶险的环境，我们深信神是时刻在鉴察着，我们仍然凭着坚固的信心站立在主面前，死在神的旨意里也甘心，这样就叫一切的凶险成全了神的荣美。另一方面，神也给撒但的活动划上了界限，不许它在神的旨意以外伤害神的儿女。

5、压制人的心灵

神的儿女们常常会感到心灵受捆绑，受压制，叫我们得不着释放，交通的生活受打岔。我们不要轻忽这一点。在神面前受光照，若不是还有罪没有对付，就当留心这种压制的来源。

一位弟兄曾经遭遇这样的事，有一次他要领一个聚会，在聚会前，莫名其妙的在他身上有了一个极大的黑暗，叫他等候事奉主的灵好像泄了气一样，完全没有劲。这弟兄马上在主面前俯伏求光照，主没有给他看见什么，但是这黑暗的压制没有过去。后来这弟兄里面受了提醒，他确信这压制是出于黑暗的势力。他就奉主的名宣告他不接受从神以外来的一切，马上那压制就过去了。有些时候，撒但把一些害怕的情绪放进人里头，或者把一些烦乱的情绪注射进人的心思里，不管是怎样，它的目的就是要压制人，使人不得安然的亲近神。

6、假冒圣灵来欺骗迷惑人

撒但最阴险的手段，就是假冒圣灵来欺骗人。圣灵所作的事，它都来假冒。"因为假基督，假先知，将要起来，显大神迹，大奇事，倘若能行，连选民也就迷惑了。"（马太福音 24:24）"因为连撒但也会装作光明的天使。"（哥林多后书 11:14）神的儿女若是只注意外面的表显，很容易就受了欺骗。所以，对于一切神奇的事，都不要太单纯的以为都是圣灵的工作，特别在追求圣灵充满和圣灵恩赐的事上，格外要留心。

撒但的诡诈是够狠的，它装作光明的天使，外面很不容易分辨出来，它借着一些人行一些神奇的事，传讲一些似是而非的道理，叫神儿女们跟随主的路走歪了，还自以为是火热的拣选主。历史上已经有不少人受了欺骗，现在撒但仍然进行这一种蒙蔽，结果败坏了人的信心，也叫一些人一生尝尽愚昧的苦果。

神的儿女们若是都按着正意来领受神的真理，撒但的假冒便没有机会出现。不管它外面装得怎样像，神的话都能把它的真面目揭露出来。

二、务要抵挡撒但

从外面来看，撒但的工作好像很凶狠，《圣经》也说它如同咆吼的狮子，但是主却提醒我们说："务要抵挡撒但，它就必离开你们逃跑了。"这样看来，它也不能说是了不起的东西，我们用坚固的信心去抵挡，它一定要退去的。所以我们这样说，凭着我们自己，我们万不是它的敌手，但是我们在信心里靠赖主去抵挡它，它就要失败在我们面前，不管它用甚么方法，它的失败是不能改变的了。为甚么它注定是失败的呢？关于这一点，我们就要来认识我们能抵挡撒但的根据。提到这一点，我们还是把握住争战得胜的原则，就是享用主耶稣已经作成的。我们来看主是怎样的对付了撒但。

1、除灭了魔鬼的作为

"全世界都卧在那恶者手下"，这本来是一个事实，但是当主耶稣来了以后，撒但就不能像以往那样张狂，因为"神的儿子显现出来，为要除灭魔鬼的作为。"（约翰壹书 3:8）主已经显现了，并且继续的显现在信的人身上。主在那里，撒但的作为就要停止在那里。我们若是常让主从我们身上显出来，撒但在我们身上就没有作工的余地。

2、败坏了掌死权的魔鬼

撒但借着死来辖制人，使人脱不出死的权势。但是神的儿子"也照样亲自成了血肉之体，特要借着死，败坏那掌死权的，就是魔鬼。"（希伯来书 2:14）撒但指着人的罪要人死，主就替我们进入死，叫那掌死权的魔鬼不能再借着死来吓人，也叫死亡在信他的人身上不再是一件可怕的事。死亡既不能再威胁人，撒但就失去了辖制人的凭借。

3、摧毁了撒但的权势

主耶稣不单是借着死来败坏了魔鬼，也借着他的复活摧毁了撒但的权势，并且将死亡和阴间的钥匙也从撒但的手上夺取过来。（启示录 1:18）主复活把撒但和整个黑暗的权势击倒了。"天上地下所有的权柄，都赐给我了。"（马太福音 28:18）主既得尽了所有的权柄，就不会有任何的权势可以超过他。主没有经过死而复活以前，它的名已经叫撒但的阵营震惊。（参看路加福音 10:17~19）现今因着复活的大能，得着了一切的权柄，把撒但践踏在他的脚下，叫它绝对的处在失败的地位上。主耶稣完全的胜过了撒但。

因着主所作的，叫魔鬼的权势完全的倾倒了；因着主所是的，我们更清楚的看见，撒但本来就是在主耶稣身上毫无所有。（参看约翰福音 14:30）我们这些在基督里的人，因着主所作的和主所是的，就不会让撒但有活动的余地。因为"那在你们里面的，比那在世界上的更大。"（约翰壹书 4:4）

三、怎样支用主的得胜

主胜过了撒但是一个属灵的事实，我们借着信心支用这个得胜来抵挡撒但，就叫撒但立刻逃跑。我们怎样来取用呢？"弟兄胜过它，是因羔羊的血，和自己所见证的道。他们虽至于死，也不爱惜性命。"这里指出胜过撒但的秘诀：

1、信心接受主的血，叫我们时刻洁净自己，不给撒但留下攻击我们的破口，也深信主的血必把神赦免的恩典带到我们身上，叫撒但不能得着控告的借口。

2、按着正意领受神的话，领受过来就紧紧的持守，一切与神的话合不上来的，都绝对的拒绝。

3、最要紧的一个态度，就是轻看自己的性命，肯付代价来守神的道，至死也要站在神的一边。个人的得失并不要紧，神的旨意才是我们该注意的。这样子就叫撒但得不到击倒我们的可能。

317

我们借着这样的信心来抵挡撒但，神告诉我们，它必定逃跑，主的得胜就显在我们身上。

四、不可给魔鬼留地步

不单是抵挡撒但，我们还要进一步来对付它。撒但能攻击我们，多是因为我们这边有了破口，给它留下了地步。我们若没有破口留下，它要向我们发动攻击就不容易。因此，我们常常提醒自己，不要制造破口。该对付的罪，不要让它拖延下去；存留下来的亏欠，赶快清理掉；不合《圣经》真理的事，不要马虎的处理；对神给我们的应许，得要牢牢的守住，也不要为着人的情面的缘故，叫自己不照着神的话来生活，……对于这些事，我们不随随便便，便不致给魔鬼留下地步。弟兄们千万不以为一点小小的事不要紧，一道堤坝的坍塌也不过是从一个小小的漏洞渗水开始。同样的，一个神的儿女本是与撒但无份无关的，但是若留下一点地步，就会成了撒但眼中的可吞吃的人。

神的话既是这样重的提醒我们，"不要给魔鬼留地步。"我们也要靠着主的怜悯来操练自己，时刻站在主的一边向撒但夸胜，就是举起基督的得胜，叫撒但退去。

第二十六章
事 奉 神

读经:

　　"你们去招聚以色列的长老，对他们说，耶和华你们祖宗的神，……要将你们从埃及的困苦中领出来，往……流奶与蜜之地。……你和以色列的长老要去见埃及王，对他说，耶和华希伯来人的神遇见了我们。现在求你容我们往旷野去，走三天的路程，为要祭祀耶和华我们的神。"（出埃及记 3:16~18）

　　"耶和华吩咐摩西说，你进去见法老，对他说，耶和华希伯来人的神这样说，容我的百姓去，好事奉我。"（出埃及记 9:1）

　　"要心里火热，常常服事主。"（罗马书 12:11）

　　以色列人出埃及的历史，正好作现今神的儿女蒙拯救，脱离黑暗的权势，进入神的荣耀恩典里的表明。神要领以色列人出埃及的时候，就借着摩西向以色列人宣告神的心愿，一面叫以色列人去享用神所预备的美好与丰富的迦南地，另一面又让他们去事奉神。对于享用神的预备，许多基督徒都懂得，但是对事奉神的需要，大多数都是模糊得很。以色列人当日所接受的带领，在属灵的原则上，也是我们所该接受的。我们接受了神救恩的人，也该切实的去学习事奉神。"若有人服事我，我父必尊重他。"（约翰福音 12:26）这是主清楚对我们说的话，天上的父所尊重的人是服事主的人，不事奉神的人就失去了父的尊重，这是无可补尝的亏损。

一、两个对象

每一个人，不管是信主的，或是不信主的，都必定有他自己所事奉的主人。一些基督徒是这样想："我不事奉主，不过是我不热心而已，没有什么了不起的问题。"这个想法很不对，"一个人不能事奉两个主，不是恶这个爱那个，就是重这个轻那个，你们不能又事奉神，又事奉玛门。"（马太福音 6:24）主的话很清楚，在事奉的事上没有中间的路线可走，若不是事奉主，必定是事奉撒但。从基督徒的属灵经历来看，一个不追求事奉主的人，必定是在主以外有所追求的人，或者是给罪和各种卑贱的事捆绑起来的人。

玛门的意思是财利，玛门的背后就是撒但。撒但借着财利来管制人，不叫人去事奉主，实际就活在它的权下去服事它。撒但操纵人，不叫人服事主的方法很多，有时它叫人专一注意肚腹的满足；有时叫人贪爱世界；有时又叫人追求地上的安逸和虚浮的荣耀。……它一直使人看重个人肉体的满足，就把事奉神的心和生活一古脑儿的扔掉。

不事奉主就一定事奉神的对头，不爱慕事奉主就爱慕接受撒但的诱惑而冷淡主。我们作神儿女的人，非要如此严重的认识这个事实不可，不要作一个天父不尊重的人，以致失去许多属灵的福气，又为自己加添亏损。

二、事奉的催促——爱的吸引

事奉神不该是出于道理的教导。一个活得正常的基督徒，在他的里面就有着事奉主催促，用不着人教导，就会有事奉主的要求。保罗给帖撒罗尼迦教会的信里，就提到他们"离弃偶像归向神，要服事那又真又活的神。"（帖撒罗尼迦前书 1:9）这是很自然的趋向。认识了恩典，认识了恩主，我们就无法不爱主；有了爱的吸收，就催促我们去服事主。没有爱就没有服事，有了爱就有甘心的服事。作母亲的人，劳瘁的服事自己的孩子，心里没有怨言，反倒觉得服事是享受，因为中间有着爱的吸引。若是换了别人的孩子，那个甘心的程度就要打折扣了；若是又换上了几块没有感情反应的砖头，就更谈不上服事了，因为缺少了爱的吸引。

"你弟兄中若有……人……或女人被卖给你，服事你六年，到了第七年就任他自由出去。……他若对你说，我不愿意离开你，是因他爱你。……他便永为你的奴仆了。"（申命记 15:12~17）这是旧约的律法中释放奴仆的条例。因着主人的爱，那作奴仆的说："我爱我的主人，……不愿意自由的出去。"（出埃及记 21:5）这样他就永远服事主人。爱使人产生甘心的服事。但是人能显出的爱有多少呢？能比得上主对我们的爱的万一吗？倘若人的爱能感动人产生甘心的服事，那么主舍了自己，替我们死，又赏赐生命，并领我们进到神面前与他一同作后嗣，这一个大爱还不够冲激我们，使我们甘心俯伏下来说："主啊，你在我这个不配蒙恩的人身上所显出的大爱，叫我不能保留自己，我要服事你，永远的事奉你。"我们若是真认识神的爱，我们必定会爱神，也决不会推却事奉神的催促。

三、事奉是一个恩典

事实上，我们若是看得清楚一点，我们就领会到事奉神是一个恩典。不少人接受了一种坏的影响，以为事奉神是我们的牺牲，是我们的重担，其实刚好相反。在旧约的时候，神的百姓中间只有神特许的祭司和利未人有资格事奉神，其他的人即使是尊贵如君王，也不能摸事奉的事，因为没有一个罪人能见神的脸光。许多人渴慕事奉神，但是没有机会。作王的大卫这样说："在你的院宇住一日，胜似在别处住千日，宁可在我神殿中看门，不愿住在恶人的帐棚里。"（诗篇 84:10）大卫的渴慕是够深的，宁愿在事奉神的事上作最微小的事，但是，他所能作的只不过是渴慕，却没有办法在神的殿中事奉神。

主耶稣的救恩不单替我们打通了到神施恩宝座去的路，也给了我们一个事奉神的资格。我们可以坦然到神的面前去，享用他的丰富，也事奉他。他是全宇宙的主，住在人所不能近的光中，而我们竟能事奉他，这是何等奇妙的事！人为人间的尊贵人工作，就觉得万二分的荣耀。我在好些地方看过同一的事，那些守卫国家元首或地方长官邸的军人总比其他的军人神气，他们所以神气是因为他们服事的对象是人中的尊贵人。若是以此相比，我们事奉神就是顶尊贵的工作。旧约的君王所渴慕不到的，我们却在恩典中得着了。

1、永不止息的事实

"所以他们在宝座前，昼夜在他殿中事奉他。"（启示录 7:15）

"以后再没有咒诅，在城里有神和羔羊的宝座，他的仆人都要事奉他。"（启示录 22:3）

"爱是永不止息"，在爱里事奉神也是永不止息的。神也给我们看见，在永远的里头，人所有的一切，除了事奉神这一件以外，都没有存留的价值。人在永世里能作的也只有事奉，在那时，人是面对面的活在荣耀丰富的神面前，除了事奉以外，还有什么是我们好作的呢？我们这些微小的人竟能作永存的事，神给了我们这么大的恩惠，难道我们还要浪费我们的年日不事奉神吗？

2、永远蒙记念的事

马利亚用香膏膏主，这是一个事奉。主就对众人宣告说："我实在告诉你们，普天之下，无论在什么地方传这福音，也要述说这女人所作的以为记念。"（马可福音 14:9）这个记念不单在地上的时候这样真实，就是在永世里也是这样真实，因为神的话永不废去。<使徒行传>里的记载也可以说是基督徒事奉的记录，我们有把握说，他们的事奉也是永远的蒙记念，因为这些事已经给收集在《圣经》里。神儿女的事奉，无论大小，都在神的记念里。"所以我亲爱的弟兄们，你们务要坚固不可摇动，常常竭力多作主工，因为知道你们的劳苦，在主里面不是徒然的。"（哥林多前书 15:58）为什么事奉不是徒然的呢？因为是在主永远的记念里。

弟兄啊，你的年日有多少在神的记念里呢？你将来站在主面前的时候，有多少事会给主数算而蒙记念呢？我们微小的人却能在事奉上蒙神记念，这太宝贝了。我们若不事奉神，我们实在亏欠了神，也亏负了主。

四、奉献的出路——事奉

奉献的实际就是顺服，但是奉献是要有出路的。一个奉献的人没有让他奉献的心志找着出路，他的奉献就会慢慢完结了。许多曾经奉献了的基督徒没有活在更深的蒙恩里，甚或是倒退到看主是陌生人，原因就是在这里。事奉神就是奉献的出路，不单是在事奉里流出了奉献的心，也同时在加添了奉献的高度。死海是十分丰富的，只因缺了出口，没有流通，就使它成了死的地方，没有生命的活动。没有事奉跟上去的奉献是死的奉献，奉献要引出事奉才是活的奉献。<罗马书>12 章一开头就说出奉献的需要，接着就很具体的引出了事奉的生活。

1、心里火热

事奉是借着各种外面看得出的工作表明出来，但是光有外面的工作还不能说是事奉，因为在神面前的事奉也是从人的里面开始。人先认识恩典和自己不配蒙恩的事实，里面有了事奉的感动和催促，然后就作外面的事奉工作，这才是神所承认的事奉。有些人在工作上很劳苦，但在里面却没有事奉主的心意，这些劳苦只不过是雇工式的劳苦，不是神所悦纳的事奉。人的里面火热了，就把这火热引进事奉里，好让它燃烧得更旺盛。别让我们里面的火热没有出路而冷却下来。

2、常常服事主

事奉主不是以次数来计算的。"要心里火热，常常服事主。"这一个"常常"就是说明了我们是尽我们一生来服事主，没有间歇，也没有向神请假的事情。我们既然承认或活或死都是主的人，我们就从认识这个事实的那一刻起开始事奉神的生活。许多弟兄们都见证同一的事实；在事奉的生活里，他们看见了自己的缺欠，经历了主的主实，尝到了神的丰盛，不单是让他们领受更深的造就，也叫他们更有劲去追求得着主。事奉主实在是一个顶宝贝的属灵享受，不是一件苦差事；越活在事奉里就越享用主的同在和负责。神的儿女们要求主给自己看得见，我们还活在世上的时候，服事主是我们中心的工作，我们活着的目的不是像没有指望的人一样，拼命去寻找世界的好处，而是为了服事主，尽我们一生的年日服事主。

五、全教会事奉

事奉不是少数人的事，而是每一个神的儿女都有份的事。只要你是一个得救了的人，你就该学习摸事奉主的事。按着主的安排，"全身都靠他联络得合式，百节各按各职，照着各体的功用，彼此相助，便叫身体渐渐增长，在爱中建立自己。"（以弗所书 4:16）这话就给我们看见事奉不是少数人的事，而是所有信主的人一同来作的事，这样就完成了神为我们所定的旨意。因此我们不要躲开，也不要推诿，不肯事奉神的理由在神面前是站立不住的。

1、圣品人制度的坏影响

基督徒在事奉的认识上并不是没有阻力的。许多信了主多年的人没有事奉，我们不能不注意到在基督教的范围内所给这些人的影响。教会从天主教的黑暗恢复出来以后，还有或多或少不合真理的东西还没有脱得掉。在某些公会里仍然保留着圣品人的制度，就是说，所有属灵的事奉只有圣品人才有资格去作，其他称为"平信徒"的人是无法摸属灵的事奉。因着这个制度的存在，信徒的心里就自然而然的有了这一种观念，"事奉是主教，牧师，长老，执事和圣品人们的事，和我们是没有关系的。"这种观念就叫一般的信徒没想到要事奉神。事实上，我们从《圣经》里没有办法找出"圣品人"和"平信徒"的分别来，这个制度根本就没有正确的根据，结果把神儿女们事奉的门关闭了，剥夺了神儿女事奉的权利。近年来，这种制度虽然没有像过去那样严格执行，但是它的影响却仍旧存留在一些信徒的心中。

在另一些公会里虽然没有"圣品人"的制度，但却在这种原则下产生了"牧师制度"，给牧师一些特权，如讲台，派"圣餐"，施浸和聚会的祝福……等，俨然是一个神与人中间的居间人，也就造成许多信徒把事奉的事都堆到这些称为圣工人员的身上去，甚至有人连祷告都不肯。我们要看见"牧师"只是神给教会的一种恩赐，（参看以弗所书 4:7~12）并不是一种制度里的职份，也不是神与人中间的有特权执行事奉的人，像旧日的祭司一样。因为"在神和人中间，只有一位中保，乃是降世为人的耶稣基督。"（提摩太前书 2:5）。有牧师恩赐的人，我们应当尊重他们的事奉，但却不能让人为的"牧师制度"挡住我们，叫我们推卸事奉。（参看马太福音 23:8~12）

2、我们的职份——有君尊的祭司

我们要看清楚我们在神面前是什么人。"惟有你们是被拣选的族类，是有君尊的祭司。"（彼得前书 2:9）在《旧约》里，只有祭司和利未人才可以事奉神，"圣品人"的产生也许就是根据旧约犹太教的历史。但我们在新约里就没有祭司和百姓的分别，因为神叫我们每一个得救的人都成为有君王尊荣的祭司，就是直接在神面前的事奉神的人。神给我们的这一个职份是极其尊贵的，比什么所谓"圣品人"更尊贵。在我们的身上不再是有没有资格事奉神的问题，而是我们在事奉上忠心不忠心的问题。弟兄们，把自己摆进事奉里，这样作是绝对对的。

3、按各人的恩赐来事奉

事奉主的范围是很广的。一些开始学习事奉的弟兄常有这样的难处，他们觉得事奉的范围太狭小了，在他们的心思里，好像除了站讲台，或者作个聚会的负责人才算是事奉，这个想法是错了。只要我们事奉神的心意对，事奉的范围是太大了，任何一个神的儿女要事奉都能容得下；看望同作肢体的弟兄，向个别的人见证主耶稣，与教会同心的祷告，邀请并陪伴未信的朋友参加聚会，扶助软弱的肢体，带领初信的人和年幼的弟兄姊妹追求，甚至在聚会的地方里作清洁的工作，擦地板，揩坐椅，都是向神的事奉，接待弟兄，供给有缺乏的信徒，……如果我们的心火热的要求事奉，事奉的内容是够丰富的。我们不必担心没有事奉的机会，我们该担心的就是自己没有事奉的心。主若给我们看见得更准确，我们就会领会连我们自己的生活和工作都是一个事奉。（参看歌罗西书 3:22~24）因为我们本身就是一个事奉主的人。

所有的弟兄姊妹一起事奉主，在事奉的分配上就根据各人所得的恩赐。恩赐就是神给我们的特长，我们就照着我们所长的来服事主。我们各人的恩赐，有些是我们本来有的，主就使这恩赐更明显；有些是我们根本没有的，主完全的赏赐。神不会把各种恩赐集中赐给一个人或少数人，神却是把各种恩赐分散赐给每一位信徒，叫每一个都有恩赐来服事主。（参看哥林多前书 12 章全章。）"各人要照所得的恩赐彼此服事，作神百般恩赐的好管家。"（彼得前书 4:10）因此，我们所面对的不是有没有恩赐的问题，而是在事奉上忠心不忠心的问题。全教会一起在事奉上忠心，众人都要在恩典上长进，神的心也感到满意。

4、按着神的心意事奉

　　事奉不仅是一个工作的问题，也要注意所作的工是否合神的心意。不合神心意的工作，虽然人在劳苦，但却不是事奉。比方说，一个作主人的吩咐仆人给他预备一点水来洗澡，那仆人花了好多时候烧了许多沸水倒满了浴盆，就让主人去洗澡。主人对这个仆人的工作满意吗？当然不满意，这样沸的水可以把人烫死。这仆人工作作了许多，但不能说是事奉，简直是开玩笑。因此，一个事奉主的人不单是有工作，并且一定要按着神的心意来作，不作神不喜悦的事。"因为你们立志行事，都是神在你们心里运行，为要成就他的美意。"（腓立比书 2:13）在旧约的时候，亚伦的两个儿子不照神的心意献上凡火，结果就死在神的面前。（参看利未记 10:1~2）这事可作我们追求事奉神的人的鉴戒，我们的事奉要作在神的心意里，不按真理的作法只会给人招惹亏损。

5、不许可事奉的人

神是圣洁的神，到他面前来的人都该是圣洁的，"非圣洁没有人能见主。"（希伯来书 12:14）因此事奉的人更要圣洁。在这一个原则下，我们就认定了，一个没有得救的人是不能给他事奉的，不管他在世人当中如何有地位，有面子，也不能让他碰事奉的事。许多教会的堕落与混乱，其中一个主要的原因就是教会不单收纳了没有得救的人，并且还让这些人去摸事奉，教会那能不败坏？

犯了罪而不肯悔改的弟兄也不该让他有事奉。带着罪的人事奉，不单顶撞了神的圣洁，他自己也招惹神更重的管教，所以为了敬畏神，也为了他本人，都不该叫他再事奉，直到他悔改归向主。不管他如何有恩赐，如何给主使用过，我们都该学习敬畏主，不顾人的情面停止这位弟兄的事奉。

六、一点劝勉

事奉神是恩典，是极讨主喜悦的事。神的儿女们若不事奉就定规失去神极大的恩福，所以每一位得救了的人都该爱慕事奉主。开始学习事奉的时候，一定会觉得生硬，不习惯，也常会作错了事，但是不要害怕，没有一个学习事奉主的人不经过作错事的阶段。错了就知道自己的不行，就更多的仰望倚靠主，错了就会认识主的正路而掉转自己的脚步。初学事奉的弟兄们，不要看自己有什么，也不要害怕自己会作出什么，只要好好的祷告求主带领自己，也和在灵里长进的弟兄们有交通，这样就叫自己在学习事奉的功课上有了保护，在事奉上更好的经历和认识主。放心把自己摆进事奉里吧！

第二十七章
传 福 音

读经:

"耶稣进前来,对他们说,天上地下所有的权柄,都赐给我了,所以你们要去,使万民作我的门徒。……"(马太福音 28:18~19)

"因为'凡求告主名的,就必得救。'然而人未曾信他,怎能求他呢?未曾听见他,怎能信他呢?没有传道的,怎能听见呢?……如经上所记,'报福音传喜信的人,他们的脚纵何等佳美。'"(罗马书 10:13~15)

"务要传道,无论得时不得时,总要专心。"(提摩太后书 4:2)

"这福音本是神的大能,要救一切相信的人。"(罗马书 1:16)

神给我们指明,所有的人都是死在罪恶过犯中,唯有相信福音的人才能脱离神的定罪与刑罚。我们这些借着福音得救了的人,应当更清楚的知道在福音以外,世人是没有指望的,他们的结局就是永远的灭亡,他们所走的路是朝向地狱里去。这些人有些是你的亲属和朋友，有些却是你根本不认识的。不管他们和你有点什么关系，如果替他们设身处地想一想，你有无动于衷的看着他们向灭亡里行进吗？这是对所有信了主的人的一个极严重的警告。神所拯救的只是那些相信的人，但是你若不把福音告诉别人，带领他们信主，他们怎么能成为相信的人呢？如果不是别的弟兄把福音告诉你，你又怎会成为相信的人呢？现在你在救恩里已经是事实了，但你却不能让你周围的人没有听见过主的名字就死去。你必定要看见传福音的需要，在传福音的工作上事奉主。

一、主的命令

我们不单是在道义上有传福音的催促，我们这些追求学习顺服和事奉的人，更要看见传福音是主的命令，是主心里一件很重的事，因为主"不愿意有一人沉沦，乃愿人人都悔改"信主得救。（彼得后书 3:9）主自己亲身来作成这救恩，就是为着不叫有人沉沦。主在地上作完了救恩回到天上去以前，就把他的心意向门徒宣告说："你们往普天下去，传福音给万民听。"（马可福音 16:15）这是主的命令，也是主对信徒的要求。他要求我们在传福音的事上服事他，在拯救人脱离罪和死的工作上来体贴他。我们若是顺服主又愿意事奉主，我们就没有理由推却传福音的托付；我们若是不愿意接受这个托付，主的命令早已向我们发出了。保罗深深体会主的心，所以他说："若不传福音，我就有祸了。"（哥林多前书 9:16）他若不传福音，他就要成了一个不顺服的人，得罪了爱他的主；他不敢这样刺伤为他舍己的主，他就甘心作一个在福音事奉上体贴主的人。

我们不要以为传福音只是传道人的专利品。我们真正认识了事奉，就会明白每一个信主的人都是福音的见证人。当然，神把一些弟兄姊妹呼召出来作传道人，叫他们"专心以祈祷传道为事。"（使徒行传 6:4）但却不是说叫其他的弟兄姊妹可以不传福音。我们若留心主的命令内的"你们"是包括了古今所有信主的人，我们就当求主给我们一个爱慕传福音的心，尽我们所能作的去传福音。

二、初期教会的见证

我们读<使徒行传>的时候，我们很清楚的看见当日的教会是十分蒙恩的，神也把"得救的人，天天加给我们。"（使徒行传 2:47）教会在那时受到的反对和残害也很凶，但那些逼迫并没有除掉教会，反倒叫教会更成长。这一面是神自己的同在，另一面却是信主的人都热切的传福音，没有人放弃福音的事奉。没有逼迫的时候，他们传福音；就是逼迫来了，他们逃难去，在逃难的途程里，他们也没有停止传福音。"从这日起，耶路撒冷的教会大遭逼迫，除了使徒以外，门徒都分散在……各处 。……那些分散的人，往各处去传道。"
（使徒行传 8:1~4）"那些因司提反事遭患难四散的门
徒，直走到腓尼基，和居比路，并安提阿，他们不向别
人讲道，只向犹太人讲 。但内中有居比路和古利奈人，
他们到了安提阿，也向希利尼人传讲主耶稣 。"（使徒
行传 11:19）逃难是一件顶伤脑筋的事，但是门徒却把传
福音摆在顶重要的位置上，只要留得性命，福音还是要
传出去。他们拼命的传福音，就叫无数的人得了拯救，
许多的教会得了建立。

在教会的历史里也有同样的记载，初期教会的信徒
因着各种的原因到处迁徙，在他们所到之处，他们都向
当地的人传福音。在教会大受逼迫的时期，许多信主的
人不单用言语传福音，也用他们的性命来见证福音，因
为他们深知人的肉身生活不是最重要的，唯有借福音叫
人脱离永死才是最重要的，拼死去传福音也是值得的 。

腓立比的教会是一个传福音的教会，《圣经》上的
话也见证他们"从头一天直到如今，你们是同心合意的
兴旺福音 。"（腓立比书 1:5）"知道他们同有一个心
志，站立得稳，为所信的福音齐心努力。"（腓立比书
1:27）从整体来说，他们是个传福音的教会；从个人来
讲，他们都是传福音的人。现今的教会多是失去了传福

音的见证，基督徒也失去了传福音的火热，我们该求主在我们身上恢复传福音的见证。

三、一些凄厉的呼喊

在<路加福音>16 章 19 节起，主说了一个比喻：那一个在生前不肯寻求神的财主，在阴间受苦的时候，给火焰煎熬到受不了，那时他才后悔了，也想到他还活着的弟兄们，他就说："求你打发拉撒路到我父家去，因为我还有五个弟兄，他可以对他们作见证，免得他们也到这个痛苦的地方。"在火湖里的人，他们受着永刑的时候，痛苦使他们发出凄厉的呼喊，但是呼喊也没有减轻他们的痛苦。假如在火湖里有许多人，他们是你所认识的，当他们在那里凄厉的喊叫时，你以为他们会不会想起你来呢？他们会不会埋怨你和他们作了多年的朋友，而你竟没有向他们讲到主耶稣的福音呢？我想他们一定会的。那时，你在天上享受救恩的福乐，你看到你的亲友在火湖里受刑，你心里能安然吗？不要把不安的心情带到天上去，也不要让在火湖里有埋怨你的声音。

我们今天能安稳在救恩里，不受永刑的威胁，我们不得不回想，我们蒙恩得救，除了神的怜悯外，还有着如下的一个事实，就是有许多的基督徒放弃了他们该有的安逸和福乐，专心的作着传福音的工作，以致我们有机会听见福音。就拿我们中国来说，先是一些外国的弟兄因着顺服主，离开了他们的祖国，温暖的家园，熟悉的亲友，孤单的来到陌生又存着敌意的中国来，整年生活在帆船里，经过多少的惊风骇浪，多少人把他们的性命也丢在中国的土地上。他们这样作是为了什么？还不是要我们得听福音信主而脱离永刑的痛苦，叫我们不在火湖里与那些灭亡的人一同发出凄厉的呼喊。那些陌生人这样的向我们传了福音，我们岂可不向我们周围的人传福音呢？我们岂可让他们没有听过福音就到火湖里去凄惨又绝望的喊叫呢？

四、我们该怎样作

传福音的事奉是每一个基督徒都该作的事，我们不必再犹豫，尽快的参加到传福音的事奉里去，在这里就要开始提到一些关于传福音的具体的事情来，好让我们在开始操练自己的时候有点门径。

1、先从祷告开始

一切的事奉都该从祷告开始，传福音更该从祷告开始。"你们要恒切祷告，在此儆醒感恩，也要为我们祷告，求神给我们开传道的门，能以讲基督的奥秘。"（歌罗西书 4:3）保罗在好几卷书信里都提醒信徒要好好的为传福音祷告。事实上，传福音是顶利害的属灵争战，要把在撒但辖制下的人释放出来，撒但岂肯轻易就放人呢！所以，我们在这样的争战里，一定要使用祷告的兵器去攻击仇敌，释放受捆绑的人。

记念传福音的弟兄，记念听福音的朋友，又求主管理着传福音的环境，更求主加添自己传福音的负担，顶好把自己要领他们信主的人的名字记下来，常常把他们的名字提到主的面前去，求主借着圣灵的工作把他们得过来。

2、个人作见证

传福音不单是全教会的事，也是个人的事，个人若不作见证，教会的传福音也不会有果效；或者说，教会的传福音事奉就没有见证的根基。

首先，我们要在人面前承认主的名，别让人家跟我们交了十年的朋友也不知道我们是基督徒。"我不以福音为耻。"（罗马书 1:16）这是我们作福音见证的态度。这个世代是个好讥嘲的世代，尤其是对待神的儿女。但是，我们作福音见证的人决不要因人的讥嘲而退缩，我们用口向人讲福音，我们也用生活行为来证实主的道，使我们摆在人面前就是个活的福音见证。

要记得我们若不作见证，人就少有机会认识神的救恩。个人的见证常为神成就大事，安得烈把彼得引到主的面前去就是一个好例子。（约翰福音 1:40~42）也许你就是今天的安得烈，神要用你在现今成就他的旨意，带领现今的彼得到主面前来，所以你不要以福音为耻，也不要闭口不言，反要抓紧机会常作个人的见证。

3、参加教会的传福音聚会

传福音的聚会常常被神的儿女忽略掉，我们要纠正这样的观念，传福音聚会的对象是未信的朋友，我们参加聚会是为着事奉，而不是为要听讯息。所以在传福音聚会里，我们要站对我们事奉的岗位。

领人来听福音是一件很重要的工作，基督徒不领人来听福音，就不会有人来听福音，这样教会要向谁传福音呢？在平日个人作见证，聚会的时候就领他们来听福音，倍伴他们听道，暗暗的为他们祷告，直到他们接受主。领人信主是要付代价的，但是这些代价不管是时间的，精神的或是钱财的，都是对福音的投资，我们得好好的学习在福音上投资。

在传福音的聚会里，还有各种各样的事奉工作，我们按着我们所能作的去作，那怕是只坐在聚会里，也能叫听道的朋友感到温暖，不觉冰冷和孤单，能够安心的听道，这就是一个很好的事奉，也是不可缺少的事奉。只有全教会的人都同心在传福音上服事主，才能大大的显出福音的效果。

4、从最近的地方作起

"并要在耶路撒冷，犹太全地，和撒玛利亚，直到地极，作我的见证。"（使徒行传 1:8）这话给我们一个很好的传福音原则。在心里面要容下全世界的福音工作，实际上就在自己所居住的地方作起。也就是说，先向我们最接近的人传福音，比方说是父母，妻儿，邻舍，同学或同事，这些都是最优先的传福音对象。

有些弟兄，甚至是一些念神学的人，他们有着这样的心志，要到远方去传福音，或是要到最艰苦的地区去传福音。这样的心志是好的，但是很可惜他们在本地却放下传福音的事，他们以为本地不是他们的工场，这就错了。一个真,正传福音的人是不会忽略自己所在的地方，传福音的操练一定是从本地开始。在本地不传福音的人，在远方也不会传福音的，因为现今的远方就是将来的本地。方便的时候不传福音，有困难的时候更不要传福音了。从最近的地方作起，你所在的地方就是传福音的工场，你所接触的人就是传福音的对象。

五、不要让福音在你身上停止

奥林匹克运动大会有一样传统，就是在运动大会的会场内燃烧"圣火"，不管会场在世界的那一个角落，火种一定是要在希腊奥林匹克山燃点，然后用火炬一站一站的传到大会的会场，这一种接力跑式的传递是不允许在中途有火炬熄灭的事，因为只要有一枝火炬在中途熄灭，会场的火就燃不起来。福音的见证，或者说是神的恩典，从五旬节那日开始，如同火炬一样一代一代的传下来，一直传到我们这一代，并且还要继续的传下去。过去的基督徒很好的跑完了他们的路程，把福音的见证交给了我们，我们现今在跑，并且一定要跑得好，再把这见证交给下一代。如果我们跑不好，跑不上来，那么福音的见证就会停滞在我们身上，我们就会中断了神向世人所显出的恩典。但这事是不允许发生的，因此我们就得好好的作传福音的工作，免得神的计划受阻延，我们自己也受亏损。

"我告诉你们，一个罪人悔改，在天上也要这样为他欢喜，较比为九十九个不用悔改的义人，欢喜更大。"（路加福音 15:7）叫神感到极大的欢喜的就是福音引出果效来，我们若是体贴父神的心，一面我们不让福音停在自己身上，另一面我们就积极的在福音工作上献上自己和自己所有的，抓住机会去传福音。

再讲一遍

有一首诗歌，是它的作者根据事实写出来的。在一天黄昏的时候，一队传福音的人进到吉布赛（一种过流浪生活的民族）人的帐幕里，那里躺着一个患重病垂死的小阿子，他们就向他传福音，这小孩用微弱的声音问说："神真是这样的爱人么？像我这样穷苦的小孩他也肯爱么？请你把这事再讲一遍给我听。"他听了第二遍以后，眼睛闪着光彩，断续的说："耶稣真是这样爱我，我要信他，可是从来没有人告诉我。"就在得救的喜悦里，这可怜的小孩离世了。这小孩的两句话真是发人深省："神这样爱我，可是从来没有人告诉我。""再讲一遍给我听吧!"

弟兄呀，这世上有多少人愿意听到福音，但是没有人告诉他们，他们在死荫里等着要听神救人的道，你肯去告诉他们吗？神肯舍弃自己的儿子叫你得救，你竟不肯去把福音告诉人吗？"再讲一遍"，"从来没有人告诉我"。这些话该催迫我们不停的传福音，一遍一遍的传下去，献出你的言语，献出你的时间，献出你的祷告，献出你的财物，献出你自己，叫福音在本地和远方各处不止息的传出去，让更多的人听见主的名字和他的救恩。

第二十八章
钱财的奉献

读经:

　　"耶稣抬头观看，见财主把捐项投在库里，又见一个穷寡妇，投了两个小钱，就说，我实在告诉你们，这穷寡妇所投的比众人还多。因为众人都是自己有余，拿出来投在捐项里，但这寡妇是自己不足，把她一切养生的都投上了。"（路加福音 21:1~4）

　　"我们的神啊，现在我们感谢你，赞美你荣耀的名。我算什么，我的民算什么，竟能如此乐意奉献。因为万物都是从你而来。我们把从你而得的献给你。"（历代志上 29:13~14）

　　基督徒对财物的奉献可以表明他爱主的程度，一般而论，人对财物的贪爱是不容否认的事实。人以为有了财物就可以在各方面来满足自己。若不是主怜悯，基督徒也会像世人一样掉在贪爱财宝而不爱主的陷坑里，宁愿浪费大量的钱财来满足肉体的私欲，也不肯甘心把些微的财物献给主。

信主的人若是体贴主的心意，不受财物的捆绑，在奉献上显出自己的甘心，神是十分欣赏这样的人。主在地上的时候，看见一个穷寡妇奉献了两个小钱，主感觉十分满意而称赞她。从人看来，她所献的是很微小，但是在主看来，她所献的比众财主所献的都多。不单是因为她所献的与她所有的那个比例是个很大的比数，更深入的是因为主看见了她里面那颗火热爱主的心，这颗爱主的心就在那两个小钱上表现出来。真正爱主的人是不计较自己所有的。

一、财物的奉献是根据人对恩典的认识

神并不是因为有短缺，因此就给人一个奉献的制度，硬迫着人去献上财物。神自己明说："树林中的百兽是我的，千山上的牲畜也是我的，……我若是饥饿，我不用告诉你，因为世界，和其中所充满的，都是我的。我岂吃公牛的肉呢，我岂喝山羊的血呢。你们要以感谢为祭献与神。又要向至高者还你的愿。"（诗篇50:10~14）。神愿意人认识恩典因而产生感恩的心。神不喜欢人活在糊涂里，他要我们明白我们与他的关系，他要我们知道若是没有恩典，我们不能活在他面前；又要我们真知道神作成这个恩典是付上何等的代价，连他自己的独生爱子也不吝惜。

认识了恩典就引出了感恩的心。人用什么来表明感恩的心呢？除了口说以外，还该有实际的行动，那就是借着财物的奉献。一面表明自己感恩的心，一面表明不让财物作自己的主人，而让主作自己的主人。

1、旧约里的十份纳一的规定

在旧约的时候，神借着摩西传给以色列人的法例里，硬性规定要把人所得的十分之一归给神，"地上所有的无论是地上的种子，是树上的果子，十分之一是耶和华的。……凡牛群羊群中，一切从杖下经过的，每第十只要归给耶和华为圣。"（利未记 27:30~32）认真的说起来，以色列民在神面前所献的，若加上初熟之物，献祭与供献，实际上就超过了十分之一。但是这十分之一是人必需献的，人若是不献上这十份之一，神的赐福就停止。"万军之耶和华说，从你们的列祖的日子以来，你们常常偏离我的典章，而不遵守。现在你们要转向我，我就转向你们。你们却问说，我们如何才是转向呢？人岂可夺取神之物呢？你们却夺取我的供物，你们却说，我们在何事上夺取你的供物呢？就是你们在当纳的十分之一，和当献的供物上。因你们通国的人，都夺取我的供物，咒诅就临到你们身上。万军之耶和华说，你们要将当纳的十分之一全然送入仓库。使我家有粮，以此试试我，是否为你们敞开天上的窗户，倾福与你们，甚至无处可容。"（玛拉基书 3:7~10）旧约里的百姓若不遵守十分纳一的条例，就一定失去神的赐福。

为什么神要这样定规呢？我们看一看大卫奉献的祷告，就可以了解神的心意了。"万物都是从你而来，我们把从你而得的献给你。"（历代志上 29:14）从他祷告的上文里，我们看到他承认了神的尊贵，荣耀，能力，丰富，智慧，并统管万有的事实，又承认了人的卑微，而神却把各样的好处赐给微小的人。这样他借着奉献，承认了万物本来是神的，人都是享用神所有的，这就是恩典。虽然那时救赎的恩典还没有显出来，但是生活的恩典却是丰丰足足显在神的百姓里。神垂顾卑微的人，给人享用他所有的，这就是恩典。神把九分留给人，而要求人把一份献上，就是为了让他们认识恩典而寻求赐恩的主。

2、现今是否也采用十份纳一呢？

现今许多教会还奉行着十一奉献，我们承认这个作法也许对一些初信的人有些微操练上的好处，但是若把它作为教会的规条就缺乏依据了。在新约的教会里，因为神的恩典毫无保留的显明出来，在奉献的真理上与旧约的原则就不完全一样。在旧约的时候是遵守规定，不管人愿意不愿意，在新约的时候却是基于人的感恩与甘心。所以，在财物的奉献上的操练，就该先明白在新约教会里的原则和事实。

（1）全所有奉献

在"奉献"那一章里，我们已经明白了，我们是主的人，连我们所有的也全是主的，所以我们就该认定，我们是全所有奉献的，我们不能说：我们是属神的，但我们所有的却不是神的。我们既是主的人，我们所有的也是给主来支配；我们也承认我们所有的全是主的。所以说十一的奉献不是新约教会奉献的依据。现今不是十分一，或者十分二，或是十分几的问题，而是全所有奉献。

（2）我们是神的管家

"作神百般恩赐的好管家。"（彼得前书 4:10）借用这节经文的事实，我们得认识我们在神家里的职份——神的管家。从一方面看，我们是全所有献给主；从另一方面看，神把我们手上所有的交托给我们保管，叫我们为他处理这些财物。所以我们就该学习照着神的意思来处理在我们手上的财物，照着神的时间来献上。有一位弟兄，为着他自己的生活，他是十分的节省俭用，但是他在财物的奉献上却是毫不吝啬，他的房子，和其他所有的都甘心为主使用。别人看他这样作都感觉希奇，但他却很谦卑的说："我只是神的管家呀。"是的，我们都是神的管家，我们都该学习按时供应神家的需要，不是以十一的奉献为指标。

3、要看见奉献是归到主的账上的事实

财物的奉献是向着主而献的，这一点我们要认准。虽然收受奉献的是教会，或者是人，但是主看这些奉献都是归到他那里去的。保罗接受了腓立比教会的馈送，他按着主的心意说明了这一个有福的事实，"我从以巴弗提受了你们的馈送，当作极美的香气，为神所收纳所喜悦的祭物。"（腓立比书 4:18）实际上收受奉献的是保罗，悦纳并记念奉献的却是主。"怜悯贫穷的，就是借给耶和华，他的善行，耶和华必偿还。"（箴言19:17）戴德生弟兄在他极穷困的时候，把他仅有的两顿饭钱都送给比他更缺乏的弟兄，神记念他所作的，数倍的偿还给他。（参看<戴德生传>38~42 页。）财物的奉献是归到神的账上，这是个有福的属灵功课，我们要求主给我们看见，也叫我们好好的学习。

（1）天上的积蓄

财物的奉献就是在天上的积蓄。许多不明白这个事实的人，常把奉献看作是自己的损失，或是自己所有的减少，宁愿胡乱的为自己花费，也不愿意奉献，这样的人是太愚昧了。"不要为自己积攒财宝在地上，地上有虫子咬，能锈坏，也有贼挖窟窿来偷。只要积攒财宝在

天上，天上没有虫子咬，不能锈坏，也没有贼挖窟窿来偷。"（马太福音 6:19~20）主的话很清楚的提醒我们，只注意地上财宝的加增，终竟使人落在无有里。这些年来，因着世局的动乱，让我们看见了无数这样的事实，转眼之间，本来有财有势的人成了街头的流浪汉。唯有懂得把财宝积蓄在天上的，不单现今有神的记念，神也叫他活在神丰富的赏赐里。

（2）不是为着做给人看

奉献是向着神作的，是要人在完全奉献的基础上甘心情愿的作，所以献上财物绝不是为着人而作，或者是为了给别人看而作。"你们要小心，不可将善事行在人面前，故意叫他们看见，若是这样，就不能得你们天父的赏赐了。……你施舍的时候，不要叫左手知道右手所作的。要叫你们施舍的事行在暗中，你父在暗中察看，必然报答你。"（马太福音 6:1~4）人向神奉献是出于感恩，出于甘心，就不该求人的荣耀，向人眩耀；若是求人的荣耀就不会是出于甘心和感恩。许多人作事若不能得回人的荣耀作代价，他们就宁愿不作，神的儿女一定不能学他们一样。我们在暗中作，是作给天上的父看，不是作给人看。

有些教会在聚会中用口袋收献金，这样作法很值得考虑。我们以为这不是一个好方法，因为这样不够给信徒表明他们的自动和甘愿。其次，这样作就勉强了一些在聚会中还没信主的朋友，不作就感到难为情，要作又实在不甘心。再次，又会使一些人觉得到聚会去要收钱，叫他们不愿参加聚会。总起来说，还是要信徒学习甘心的自动向神献上财物为好，教会安设献金箱，不要人提醒，信徒们自动的把奉献之物放进箱子去，这是一个很好的方法给信徒们操练奉献的功课。

教会为了不留下破口，对于收入的奉献要有徵信录刊行，这事好像无可避免的刊出人的名字来，但这只是技术上的问题。有一处教会刊行徵信录，他们只刊出收据的号码，而不刊出人的名字，这是可效法的方法。我们学习财物奉献的功课的人，无论是授受方面，都该记得要行在暗中，单让天父来察看。不要购买地上的荣耀，只要神自己的记念。

（3）要更正的一个观念

因为习惯了的缘故，许多信徒把财物奉献喊作捐钱，这个观念不正确。"捐款"是带着帮助或救济的性质，这和奉献是完全两样的事。第一、我们的神是绝对丰富的，不需要人的救济。第二、我们献金的动机是因为爱主，也是因着感恩，并不是因为神有短缺，我们就去帮助他。所以，我们别要以为神要沾我们的光，神肯悦纳我们的献金也是一个恩典。虽然中文《圣经好些处把这事译作捐项或捐钱，但我们却要有一个正确的观念，是"献"不是"捐"。

（4）随本心所酌定的献上

奉献"是出于乐意，不是出于勉强。……各人要随本心所酌定的，不要作难，不要勉强，因为捐献得乐意的人，是神所喜爱的。"（哥林多后书 9:5~7）献上给主不应该成为我们的重担。在新约的信徒，既不受十一奉献的限制，那么该如何学习奉献呢？上面所提的经文是关于帮补缺乏的圣徒的，其中的原则也就是奉献的原则。出于勉强与作难的，神不承认那些是奉献。神要人的奉献是从里面作出作来的，神不定规一个数字，但神却要人按着各人所能的献上，按着本心所酌定的献上。爱主多的献上的比数自然就多，像那个穷寡妇一样，少爱主的献上自然就少。不管怎样，神告诉我们一个结果，就是神喜爱乐意奉献的人。

二、接受奉献的三个对象

奉献是向着神的，但是直接收受的却有三个不同的对象。我们对这个该有认识，才能具体的学习奉献的功课。有一个传道人为他所带领的信徒不懂得奉献而叹息，事实上他并没有带领信徒学习奉献，信徒对奉献没有认识，当然是不会奉献。

1、教会

接受奉献的头一个对象是教会，包括那些作主工作的属灵团体。教会是在地上作神的见证的，神用着教会传福音和造就信徒。神也就让教会接受奉献来供给各种见证工作的需要。我们爱主就记念主的工作，也就记念到教会的需用。我们学习奉献，首先就学习把奉献送到教会去。

2、神的工人

按着《圣经》上的原则，神的工人应当是用信心仰望神供给，信徒也应当按着爱心来记念神的工人。现今许多教会用固定的薪金制度来聘请传道人，这个作法很值得再商榷。虽然"工人得工价是应当的。"（提摩太前书 5:18）但神却要工人学习信心，信徒学习爱心，不叫工人有所倚赖，也不叫信徒在爱心上不长进。"在道理上受教的，当把一切的需用供给施教的人。"（加拉太书 6:6）"那善于管理教会的长老，当以为配受加倍的敬奉。那劳苦传道教导人的，更当如此。"（提摩太前书 5:17）"亲爱的弟兄阿，凡你向作客旅的弟兄所行的，都是忠心的，他们在教会面前证明了你的爱。你若配得过神，帮助他们往前行，这就好了。因他们是为主的名出外，对于外邦人一无所取。"（约翰三书 5~7）神告诉众圣徒，该供给神的工人的需用，因为他们蒙召全时间服事主，对外邦人无所取。我们爱主也就记念神的工人，把奉献送给神的工人，不单供给在本地的神的工人，也记念在别处的神的工人。我们这样作是奉献给主，不是给人，主的工人收受过来也不是从人手里收下来，而是从主手中接过来。我们都该一同学习这样的功课。

3、有缺乏的弟兄

有缺乏的弟兄也是我们的奉献使用的对象。虽然他们不是神的工人，但却是我们在主里的肢体，我们供给弟兄的缺欠，也是主所悦纳的奉献。也许有人以为这样不能看作奉献，但是我们看<哥林多后书>8:1~5，马其顿众教会供给在犹大有缺乏的圣徒，他们是先把自己献给主，然后才供给有需要的圣徒，这明明是奉献。神把一些有缺乏的弟兄摆在我们眼前，为要试验我们爱主的心。爱主就记念弟兄，不爱主就不会记念弟兄。"这些事你们既作在我这弟兄一个最小的身上，就是作在我身上了。"（马太福音 25:40）记念缺乏的弟兄是一个顶深的爱心功课，也是学习奉献所不能少的内容。

一件该注意的事

在学习奉献的功课上，也该有一些分辨。因着人的败坏，叫我们在奉献上要谨慎。不少自甘堕落的人利用信徒爱心奉献，"以敬虔为得利的门路。"（提摩太前

355

书 6:5）对这样的人或团体，我们不要把奉献送出去。我们损失了金钱还是小事，助长了罪恶却是大事。求主帮助我们不要作糊涂人。

三、不能接受的财物

"对外邦人一无所取"又是接受奉献的一个原则。教会对于不信的人的赠送，不管是何种方式，都是绝对不能接受的。不管那人在社会是如何的地位，我们总要记得，神不悦纳在基督以外的人，那么，那些人所有的和他所作的也是神所不要的。所以若有不信的人请你代为赠送财物给教会，你就当婉拒。

犯罪所得的财物，也是神所不要的。教会或神的工人并神的儿女都当保守自己的洁净，不要不分好歹的接受财物而在别人的罪上有份。

财物的奉献是神的儿女属灵份量的大考验，也是对自己破碎的程度的表现，因为这样作，从表面上看来是人的损失。我们得求主帮助我们，叫我们真正的看见这样作不单不是损失，而且是属灵福份的积蓄。也求主激励我们有大的爱心，记念主的事，就在奉献的操练上把我们的爱供献给主。<哈该书>1:3~11 说明，当日神的百姓只求自己的安逸舒服，而忘了在神面前该作的事，结果叫神不让他们得着福气，却叫他们受了大亏损，因为他们在事奉和奉献上亏欠了主。我们求主救我们脱离人的愚昧，让我们会体贴主的心，在奉献的功课上长进，叫我们长久活在神所赐的福份里。

第二十九章

受 浸

读经:

"耶稣进前来,对他们说,天上地下所有的权柄都赐给我了。所以你们要去,使万民作我的门徒,奉父子圣灵的名,给他们施浸。凡我所吩咐你们的,都教训他们遵守。"(马太福音 28:18~20)

"岂不知我们这受浸归入基督耶稣的人,是受浸归入他的死么。所以我们借着浸(礼)归入死,和他一同埋葬。原是叫我们一举一动有新生的样式,像基督藉着父的荣耀,从死里复活一样。"(罗马书 6:3~4)

"你们既然受浸与他一同埋葬,也就在此与他一同复活。都因那叫他从死里复活神的功用。"(歌罗西书 2:12)

　　每一个人决心信主得救以后,除了特殊情形之外,他们都要接受教会给他们施浸。这是主在复活升天以前对门徒的吩咐,这个吩咐是非常严肃的,因为主把这个吩咐摆在他已经得了天上地下所有的权柄的事实的基础上。因此,我们信主得救了的人,不要把受浸看作平常的事，等闲视之。主亲自吩咐人在教会中必要作的事，受浸和擘饼记念主是其中的两件。主要我们去作的必定不是徒具外表的仪文，并且在《新约》里神要我们注重灵（实际），而不注重仪文，（参看罗马书 2:29）所以我们该认定，主既吩咐信徒受浸，我们就照着主的吩咐受浸。事实上，我们从使徒行传的记载里，也能看见每一个信主的人都遵着主的吩咐受浸。

一、对受浸的误解

不少人对受浸这件事没有正确的认识，甚至是糊里糊涂的受了浸。神不喜欢我们作糊涂人，我们也不该在属灵的事上胡乱来作。一般人对受浸的误解大概是这样：

1、不是作基督徒的界线

有人听了福音，也信了主，但是还没有受浸，别人就看他还不是基督徒，甚至这人自己也看自己还不是真正的基督徒，所以在生活上还可以随便一点，犯罪和世人同流合污也不要紧。这个认识很错误。受浸不是作基督徒的界线。我们成为基督不是因为受浸，而是因为信了主，信了主的人，不管他是受了浸，或是还没有受浸，他已经是属主的人，决不能因为没有受浸就可以在生活上随便。有这样心的人，即使他口中说是信主，恐怕他实际还没有得救。

2、不是加入教会的礼仪

受浸常给人称作"浸礼"，中文《圣经》也有几处把受浸译作"浸礼"，再加上人受了浸就得着教会的接纳的事实，因此就给人一个印象，受浸是为了加入教会而有的一个礼仪。严格说来，受浸不是一个礼，而是一个活生生的见证，或者说是借着受浸来宣告一个属灵的事实，我们不该把它看作一种例行公事的礼仪。信徒成为教会的一份子，不是在受浸的时候，而是在信主得救的时候，所以把受浸看成是加入教会也是不正确的。信徒受浸以后，就可以完全摆进教会生活里是一个事实，但并不等于他是在那时才成为教会的一份子。从教会这一面看，施浸是承认一个已成的事实，就是神已经接纳了那一个人。所以，我们不该把受浸看作是加入教会的礼仪或手续。进入教会的手续只有一样，就是接受主耶稣作救主。

3、不是在信主的事上毕业

常常看到或是听到有一些人在受浸以后就绝迹不参加教会聚会和事奉。你若是有机会碰到这样的人，你就会明白他们以在学校念书的过程来看受浸，他们以为参加过了初信造就聚会以后，等到受了浸就是毕业了，一切属灵的事都已经作完满了，这是很错的观念。我们活在肉身中的年日，对于属灵的事是永远没有毕业这一回事的。受浸可以说是教会生活的开始，而不是属灵的事的结束。

二、受浸的意义

主既然不要我们作没有属灵意义的事，那么他所要我们作的就一定是有属灵的目的的。我们要受浸，我们就该要明白受浸的属灵意义。明白了神的心意，又按着神的心意去受浸，这样的人才能活在神的恩福里。

从<罗马书>6:3 起的记载，并<歌罗西书>2:12 的说明，我们能很清楚的得着一个关于受浸的属灵认识。神要我们借着受浸来归入主的死，也归入主的复活。说清楚一点，神要我们借着受浸的动作来显明我们在救恩里的事实；就是我们与主一同死，一同埋葬，又一同复活。这是一件顶宝贝的事实，说出我们与主耶稣的联合，神虽然没有直接在我们身上施行审判，定罪和刑罚，但是因着我们是与主耶稣联合的，他在十字架上所受的刑罚和死就是我们所受的刑罚和死，他的埋葬也是我们的埋葬，他从死人里复活也就带着我们一同复活。我们受浸就是我们的行动来显明这个救恩的事实。因为这个属灵的事实，我们可以从几个方面来认识受浸的意义了。

1、在神、人、鬼面前的见证（宣告）

"你们受浸归入基督的，都是披戴基督了。"（加拉太书 3:27）受浸在里面是与主联合，外面是披戴基督。披戴就是穿上衣服，披戴基督就是把基督当作衣服穿上，给人从我们身上所看到是基督，并基督和我们的联合。所以，我们受浸就是向神表明我们是与基督联合的，向人见证我们是归于基督的，也向撒但宣告我们不再在它的权势下，借着与基督同死，永远脱离了它的辖制，与它无份无关了。

2、信心接受与主联合的事实

"岂不知我们这受浸归入基督耶稣的人，是受浸归入他的死么。……我们在他死的形状上与他联合，也要在他复活的形状上与他联合。"（罗马书 6:3,6:5）。受浸不单是表明与主联合，并且也是藉着信心作受浸的动作来归入主里面，叫主所有一切成为我的，主所作的也成为我的，受浸有外面的动作，也有里面的信心，外面的动作表明受浸的人归入主，里面的信心叫受浸的人接受与主联合的事实。人在信心里行主这一个吩咐，就实在接触到与主联合的恩福。

3、新生样式的记号

受浸了，从水里上来，正说出在主复活的形状上与主联合，"叫我们一举一动有新生的样式"。受浸这一下动作在我们一生的年日中作了一个明显的记号，表明我们的旧人已经与主同死了，我们向罪已经死了，从水里上来的人是个与主同活的人，对世界一切旧的关系都结束了。从今以后，不再向罪活，而是向神活着。这一个记号一直的提醒我们，我们不再是欠罪债的人，我们没有理由再顺从肉体去犯罪，在世界中打滚。我们与主一同活过来，就该按着新的生命活出新生的样式。

三、受浸的样式

受浸既然关连到与主同死及同活的事实，那么该用什么样式来作才能表明这个事实呢？这个问题本来不该成为问题的，但是因着人的遗传偏离了《圣经》的样式，所以才叫受浸的样式成为问题。我们先从正面来看这件事。

1、全身浸入水中才能显明同死同活的事实

《圣经》上所用的浸字（baptizw）的解释，是浸没的意思，就是完全沉没在液体中。因此受浸应当是全身浸在水里就对了。虽然文字的解释有时会因时代的变迁而有差别，但是从历史的事实也可以让人知道，教会起

初的施浸都是全身浸到水里去的。<使徒行传>8:36~40 起记着，『二人往前走，到了有水的地方。太监说，看呀，这里有水，我受浸有什么妨碍呢。……腓利和太监同下水里去，腓利就给他施浸。从水里上来。』这段历史很清楚的说明，受浸是下到水里，也浸没到水中去。如果像一些教会照遗传的作法，只是洒水或滴水在信徒的头上，那么施浸和受浸的人就不必都下到水里去。

历史的证据也不是受浸要全身浸进水中的最重要的依据，我们所注意的是，只有全身浸进水中才能显明与主同死并同活的事实，洒水或滴水都不能表明这事，因此受洗便成了没有意义的事了。受浸可以在河里，海里，或是水池里进行，只要有足够的水就行了。人进到水里如同进到死地，浸到水里如同埋葬在坟墓里，借着主的埋葬把我们的罪，肉体和世界都埋葬掉，从水中上来就如同从坟墓和死亡里复活过来。受浸就是进到水里，浸入水里，又从水中上来。这一些动作就完整的把我们与主联合的救恩事实表明出来。

为了"浸"或"洗"的样式问题，教会中曾经有过长时期的辩论，有人提出说："这只是仪式的问题，浸或洗都无关重要。"甚至有人提出："如果要完全根据《圣经》，耶稣是在约但河受浸的，那么受浸就都得到约但河去才行。"我们觉得说这些话是没有多大意思的，因为这也是一个顺服的问题。人既然不愿意顺服，太多的辩论只不过显露人的愚昧：人若是愿意顺服，主的话既然说是受浸，那么我们就照着主的吩咐去受浸就好了。

2、从浸变成洗的历史过程

是什么原因把浸变成洗呢？我们从教会历史上去了解，会帮助我们顺服主的话。

大约从一世纪后期开开始，教会已经受了许多异端学说的侵蚀。到了二世纪初，有好些人主张"受浸有使人得救的神秘能力"的说法，也有人说到"受浸的水有神奇的能力"，又有人说"受浸有赦罪的功效"……在主后 117 年时，安提阿的监督 IGNATIUS 首先发表这种主张，以后又有 HERMAS，里昂的主教 IRENAEUS，及一些称为教父等人鼓吹同样的主张，因此，就把这学说渐渐造成了"真理"，叫人以为受浸可以使人得救。这样一来，问题就产生了，垂死的病人和婴孩怎能受浸呢？若不给他们受浸，他们就不能得救，为了让他们得救，就一定要给他们受浸，为了解决这个困难，再加上伪经"巴拿巴书信"里以洒水三次代替浸的见解，在三世纪时，有人就开始以洒水受洗来代替了受浸，再加上人贪图方便省事的原因，那时的教会就渐渐用"洗"来代替"浸"了。

历史的过程是这样，由于错误的学说而使"受洗"代替了"受浸"。但神的道究竟不能长久受埋藏，所以在中世纪时，已经有神的儿女们看到受浸的亮光了，经过长期的非难与反对，神终竟叫人认识了受浸的真理。

3、受浸与得救的关系

受浸是否真能使人得救呢？我们在神的话里查考一下就可以明白了。我们在《圣经》中没有看到在正面说到受浸可以得救的经文，虽然在<马可福音>16:16 这样记着说："信而受浸的必然得救。"好像是不受浸就不能得救，但是把下文一连起来比对，"不信的必被定罪"，我们就知道得救的重点不是在"浸"，而是在"信"。信了主还没有受浸的人也是一样得救的。

"这水所表明的浸（礼），现在借着耶稣基督的复活，也拯救你们。这浸（礼）本不在乎除掉肉体的污秽，只求在神面前有无亏的良心。"（彼得前书 3:21）这话明明告诉我们，受浸并不能使人得救，也没有洁净人的污秽的能力。既然受浸与使人得救没有关系，那么为什么一定要受浸呢？这是顺服的问题。主是这样定规，我们就这样顺服，如此，我们在神面前便有了无亏的良心，不然，我们的良心在神面前就有亏了，因为没有顺服神。

四、什么人可以受浸

现在有不少教会在持守真道上失落了，不照着《圣经》的吩咐去作，在给人施浸的事上也是随便马虎，只求教会名册上的人数增多，而不理会那些人是否在救恩里。我们若要追求作讨主喜悦的人，就不要随从今世的风气。我们先来注意一个问题。

1、究竟有几种浸

有人以为耶稣也在约但河受浸，所以我们就效法耶稣去受浸，把这个作为受浸的根据，这是不对的。我们该留意耶稣所受的浸与我们现在所受的浸是不是一样的呢？好多人没有注意这个问题，而这个问题的答案是"不一样"。＜希伯来书＞6:2 提到"各样浸（礼）"，我们就知道有好些浸（礼）。大体上就我们一般所知道的，有——

（1）进犹太教的浸。外邦人进犹太教，犹太人就给他们施浸。

（2）约翰所传悔改的浸。约翰在约但河给人所施的浸，是称为悔改的浸。（参看使徒行传 19:3~4）这浸的意思是叫人承认自己是犯罪远离神的人，要悔改归向神，预备心意来信耶稣。主耶稣当日受约翰的浸的理由，并不是因为他自己是罪人，连约翰也明说他不该受这个浸，而是因为"世人都犯了罪，亏缺了神的荣耀。"他来作人，就站在人的地位上，承认人是亏欠神的，所以要悔改归向神，显明神是义的，而人是不义的。这就是主所说："尽诸般的义"的意思。（参看马太福音 3:15）

（3）信主耶稣与他联合的浸。

除了这几个浸以外，也许还会再有一些浸是我们所不知道的。

2、我们现在所有要受的浸——信而受浸

既然有几种浸，我们现在该接受那一种浸呢？

"信而受浸"，我们现在所该接受的就是这一种。先是相信了耶稣，得救了，然后才受浸，只是这样的浸才对。各种的浸在外表动作上可能是没有多大的差别，但在属灵的实际就完全不一样，人得救了才能受浸，没有得救的人就是有了受浸的动作，那不过是像在游泳时在水中经过一样，没有属灵的实际，也可以说完全没有过受浸这一回事。所以，我们所要受的浸是先信了主，与主有了联合，就,借着浸来表明这事的浸。

由于是"信而受浸"，婴孩或小童的"洗礼"就成了没有意思的，这个作法只是由于错误道理的影响。所以教会只能给得救了的人施浸，不知道自己得救的人，

就不要给他们施浸。至于一些病重垂死，或身体的情况不合宜受浸的人，就不必勉强去受浸，只用信心接受神的恩典就行了。神不会责怪这样的人，因为不是他们不愿意，而是他们不可能。

3、再浸的问题

因为是"信而受浸"，因此有些没有信而浸（或洗）的人，或者是信而没有浸（只有洒水洗）的人，当他们看见了"信而受浸"的亮光而受了浸，就引起一些人的非议说："浸（洗）礼只有一次，再浸是不合真理。"这样的话是没有根据的，没有信而浸或洗，从《圣经》的要求来说，他们根本没有受过浸，怎么会有"再浸"的事情发生呢？只有得救的人，他们受了浸，而别人因特殊原因要他们重浸，这才是"再浸"，这样的"再浸"才是不合真理。在以弗所的那十二个门徒，他们受了约翰的浸，因为不是"信而受浸"，保罗就奉主的名给他们施浸。（参看使徒行传 19:1~5）只有"信而受浸"才能算是受浸，别有浸或洗都不能说是受过浸。

五、施浸的人

教会给人施浸，当然不是全教会的弟兄都下到水里去施浸，而是由很少数的弟兄施浸，那么谁去施浸呢?一般的公会都承认施浸是牧师的特权，不是牧师就不能施浸。这个观念是错的，最低限度在《圣经》中没法找出"牧师"这种职衔，也就是说根本就没有现今的"牧师"这一回事。我们从<使徒行传>看见，为太监施浸的腓利不是一个"牧师"，只是耶路撒冷教会中的一个"执事"。（《圣经》上没有说明他是执事，但从事实上看，极有可能是。）所以，我们看定教会中的弟兄都可以施浸，但是为着人的软弱的缘故，就多让一些在主里年长的弟兄施浸，这样作并不等于取消其他的弟兄施浸的资格。

受浸是一件严肃的属灵的事，我们都该有严肃的态度来对待它。有些人抱着看戏或嬉笑的态度来看弟兄受浸，这是十分愚昧的。在信心里受浸是十分蒙福的，曾经有好些弟兄在信心里作受浸的事，他们真经历了与主联合的大释放，心灵苏醒，享用着神的同在。所以，受浸的人和赴施浸聚会的人都该慎重，借着受浸来温习救恩的功课，来尝受主恩典的新鲜。

第三十章
擘饼记念主

读经:

"他们吃的时候,耶稣拿起饼来,祝福,就擘开,递给门徒,说:你们拿着吃,这是我的身体。又拿起杯来,祝谢了,递给他们,说,你们都喝这个。因为这是我立约的血,为多人流出来,使罪得赦。但我告诉你们,从今以后,我不再喝这葡萄汁,直到我在我父的国里,同你们喝新的那日子。他们唱了诗,就出来往橄榄山去。"(马太福音26::2~30)

"我当日传给你们的,原是从主领受的,就是主耶稣被卖的那一夜,拿起饼来,祝谢了,就擘开,说,这是我的身体,为你们舍的。你们应当如此行,为的是记念我。饭后也照样拿起杯来,说,这杯是用我的血所立的新约。你们每逢喝的时候,要如此行,为的是记念我。你们每逢吃这饼,喝这杯,是表明主的死,直等到他来。"(哥林多前书11:23~26)

神把以色列民从埃及地领出来,就把逾越节这一个节期给了他们,要他们世世代代遵守,记念神在他们的民族中所显明的拯救。这节期是一个预表，说出了神的儿子要为世人赎罪，拯救世人脱离罪和死，并他们的权势。当主耶稣在地上最后一次与门徒用饭的时候，正是逾越节那天的开始。（犹太人计算日子是以晚上作开始。）在这一顿饭的末了，主耶稣吩咐门徒在以后的日子要常常吃饼喝杯来记念他。因为就在这一个逾越节里，主耶稣应验了经上预言被杀在十字架上。逾越节的预表功用到那一天就结束了，主也在那一天给门徒一个吩咐，要记念他直到他再来。教会不必守逾越节，因为那事已经过去了；教会现今该作的，是要照着主所定规的，聚会擘饼记念主。

一、关于聚会的名称

教会聚会记念主，按一般教会的遗传，都称这个聚会为"圣餐"礼拜。"圣餐"这个词是不合真理的称谓，我们不主张这样的称谓。照天主教的道理，他们主张在记念主的时候，那两样表记之物经过神甫的祝福，就立刻变成真是主耶稣的血和肉，他们称之为"圣体"，信徒去记念主就称为"领圣体"。他们把表记之物神秘化了，就等于说这些表记是"圣"的，而信徒却不是"圣"的。（事实上他们也不是承认所有的信徒都是圣的，反倒说许多敬拜仪式上所用的物是圣的。）这种道理与《圣经》的真理完全合不来。神说所有信主得救的人都是圣徒，主也叫我们知道，记念主所用的饼和杯都是表记的物，借着它们来表明主死的事实，一点没有说经过祝福就会变成"圣体"。这样看来，我们只能说，记念主的人才是圣的，我们虽然尊重那些表记之物，但却不能说它们是圣的，教会从天主教里恢复出来以后，没有完全脱离天主教的错误，记念主就是其中的一件。虽然没有接受他们的"变体说"，但却保留了他们的"圣"的味道，把"领圣体"改称为"守圣餐"。这个改变仍旧是不合宜，虽然名称是小事，但背乎真理的就不该看它为小事。

照着《圣经》上的称谓，有把记念主称"擘饼"。"七日的第一日，我们聚会擘饼的时候。"（使徒行传20:7）又有称作"主的晚餐"（哥林多前书 10:21）或"主的筵席。"（林前十章二十一节。）也有弟兄干脆称这聚会为"记念主的聚会"。怎样称谓都不要紧，只要不背乎真理就好。

二、为的是记念主

主吩咐我们说："你们应当如此行，为的是记念我。"（哥林多前书 11:24）我们就明白我们这样聚会擘饼的目的，就是记念主，特别着重在记念主的死这一点。我们听从主的话来记念主的人，应当晓得为什么要记念主，记念主的什么事。

1、擘饼不是一个仪式

擘饼如同受浸一样，并不是一种仪式。神不需要我们作一些没有实际的事。但是我们也得承认人的愚昧，会把一些常常作的属灵的事变成形式，失去了属灵的实际，变成了外面的仪式。擘饼不是仪式，我们当小心，不要在属灵的事上堕落。把记念主的聚会变成了宗教仪式。我们记念主当有心灵的实际，从心里切实的思想主，把主所作的和自己连起来。这样，我们就在记念主的事上认识了恩典。

2、借着记念主来恢复我们灵里的苏醒

我们人有一个极大的毛病，就是很容易把一些事情淡忘掉，那怕是一件与自己有重大的切身关系的事，时间的累积也可以把它冲淡。我们常看见许多曾经热心爱主的人慢慢的离开主，主要的原因，恐怕还是少记念主和他所赐给我们所不配的恩典，以神的儿子作我们的赎价这件事为平常。主知道我们的愚昧，他给我们要记念主的吩咐，叫我们借着记念主，更深的认识恩典；更深的认识那位爱我们到一个地步，甘心舍去自己的施恩的主；又更新我们在恩典中的指望，又让我们默想自己与主的关系，省察自己的过犯。我们这样作，就叫我们沉睡了的灵又苏醒过来，挑旺我们爱主的心，脱离世俗的爱恋，衷心的敬拜主，称颂主，又甘心的事奉主。

过去曾经有人以为记念主是件神秘的事，能给人神秘的成圣力量，这是没有真理根据的说法。在记念主的聚会里叫信徒灵里苏醒倒是真实的经历。

3、表明主的死

在擘饼聚会中，我们记念主是不错的。但我们的记念是重在哪一点上呢？是记念从永远到永远的主呢，还是只限于降世为人的主呢？这些都可以记念和默想，但是我们不能忽略一个记念的重点，或者说是应当是最突出的一点，那就是主的死，和一些与主的死的有关的原因和结果。主给我们在擘饼聚会中的记念范围不是太大的，不是说神不喜欢我们记念主其他的事，只是说神要我们多注意主的死这件大事。

在记念主的聚会中，主给我们安排了两件表记的物件——一个饼和一个杯——。这两件表记物摆在当眼处的桌子上，我们一进到聚会的地方，就可以看见那饼和那杯。主自己说，饼是他为我们舍去的身体，杯中的葡萄汁是他为我们立约的血，流出来要叫众人的罪得赦免。饼和杯是分开摆在桌子上，也就是指出主的身体和主的血分离，身体和血分离就是象征死亡的事实。我们一踏进聚会来，神就叫我们看见主的死，神就叫我们想到主的死，我们吃饼，喝杯，就是接受主的死的事实。"你们每逢吃这饼，喝这杯，是表明主的死。"（哥林多前书 11:26）从开始到末了，主一直叫我们注意他的死。事实上，我们也不能没有主的死；没有主的死，我们都活不了，我们都等待灭亡。主爱我们，甘心为我们死，解决了我们在神面前的罪和死，废去了掌死权的魔鬼，除去了我们在罪里的咒诅，打通了到施恩宝座去的路，叫我们可以坦然无惧的进到神面前。他死了，我们就活过来了。我们能活在神面前是因着主的死，我们是借着主的死而活在神的恩眷里。

4、直等到他来

主吩咐我们记念他，不单告诉我们要回想他的死，也领我们向前看到那荣耀无比的指望。"你们每逢吃这饼，喝这杯，是表明主的死，直等到他来。""我不再喝这葡萄汁，直到我在我父的国里，同你们喝新的那日子。"（马太福音 26:29）我们活在这个世界里，顶容易给世界各样的缠累和试诱偷去我们在主里的荣耀的指望，叫我们把永远无比的荣耀模糊了，活着像那些没有指望的人一样。主就要让我们在他的桌子面前安歇下来，思念他的救恩，思念救恩里的荣耀，带我们看到国度，就是我们进入神的荣耀那日子。"直等到他来"不单挑旺我们的指望，也叫我们深受安慰。

三、不要疏忽聚会记念主

"你们应当如此行，为的是记念我。"（哥林多前书 11:24）这是一个命令，也就是说带着强迫性的。当然，这个强迫和一般的强迫不一样，不是强制执行的。但是却给我们一个这样的观念；如果我们是顺服神的人，我们就非要注意聚会记念主不可。许多人很忽略擘饼聚会，甚至信了主多年，也不曾参加聚会擘饼，这不是好的现象。主既然吩咐我们要聚会擘饼，我们就当遵主的吩咐行。若是没有记念主的心，就当求主赏赐给我们够重的心意来遵行主的吩咐。

四、要尽可能多记念主

如果把"你们应当如此行。"这一句话译得更准确一点，那就应当是"你们应当常常如此行。"常常就是不止息的意思，也是继续不断的意思。我们不单是要聚会记念主，并且要常常的聚会记念主，不以有过一次两次记念主就以为足够了，记念主的次数是不会达到一个"够了"的光景的，许多信徒太不注意常常记念主，求主怜悯我们。

1、天天记念主的榜样

对于榜样，我们不一定学，但是有一些榜样却给我们提供了很有益的提示。在圣灵降临的那个五旬节以后，教会建立了，那时候的神的儿女们，"天天同心合意恒切的在殿里，且在家中擘饼。"（使徒行传 2:46）他们里面火热得很，爱主爱得很透澈，他们没有办法停止自己不去记念主，他们一碰在一起，就述说神的大恩，主的拯救，他们就要擘饼记念主，敬拜主。人爱主的心够切，就会不住的记念主。所以有弟兄说："一个教会的属灵情形，爱主的程度，并认识主到怎样的地步，可以从擘饼聚会里看出来。"这话一点不假。

2、尽可能多的擘饼记念主

现在我们的生活环境比当日使徒时代复杂许多，生活方式也没有当日的简单，但这些都不能成为我们少记念主的理由。虽然我们现在不可能天天聚会记念主，但是对个人来说，天天记念主还是有可能的，也是必须有的。日常个人记念主的生活不好，聚会记念主也一定不会好的。所以，对个人来说，我们还是该天天记念主，从起头，我们的主已经是天天记念我们，我们没有理由不天天记念主，对全教会来说，我们就该尽可能多的聚会记念主。

有些地方，一年才有一次记念主聚会，另外又有一些地方每一季有一次，这都是太少了。有些教会比较好一点，每一个月一次"圣餐"，但仍然不能说是尽了所能的多记念主。记念主不一定要在主日，平时都可以，但是一般来说，许多人在主日多半没有凡俗事要处理，并且基督徒也该把这一天分别出来多亲近主和事奉主。因此，每一个主日，教会聚会记念主是十分合宜的。七天里才有一次擘饼聚会，不能说是太多。我们必定要记住，主为我们擘下又舍去的是他的一切，我们就该尽可能的多擘饼记念主，这是理所当然的。

五、主是擘饼聚会的唯一中心

擘饼聚会的目的是记念主，所以主就是这个聚会的中心。在聚会中的一切动作都是向着主的。在记念主的聚会里，我们不该有着要听道的心意，我们到这个聚会来是要一同高举主，一心一意的敬拜主，好让主在我们这蒙了恩典的人身上，就是因着他的劳苦功效能以坦然站在神面前的人的身上得着满足和享受。我们每时每刻都在享用主，但是在记念主的聚会中，我们就得让主从我们当中得着享受。所以，在聚会里一定不能缺的就是那两件表记的物件，这些物件并不是神秘的，而是显明主的死的表记，借着它们把我们的心思连到主的身上去。

1、饼——表明主为我们舍去的身体

桌子上所摆上的饼是代表主的身体，我们从这个饼的上面可以认识到主所经历过的事，也就是造成功恩典

的历史。我们的心灵若是苏醒的，主就要借着这个饼来向我们说话了。

(1)主叫我们认识他本是圣洁没有瑕疵的主。这饼是无酵饼。有些地方用面包来代替无酵饼。这是不应当的，因为有酵的东西就把主代表错了。"因为我们逾越节的羔羊基督，已经被杀献祭了，所以我们守这节不可用旧酵，也不可用恶毒邪恶的酵，只用诚实真正的无酵饼。"（哥林多前书 5:7~8）酵在《圣经》中一贯的用法，都是代表罪的，我们的主是没有罪的神的儿子，只有他有资格来替我们赎罪。无酵饼就是指明了这一点：无罪的主替我们成为罪，来除去我们的罪。主爱我们，甘心用他圣洁的身体来为我们作成救赎。"看啊，神的羔羊，背负世人罪孽的。"（约翰福音 1:29）

(2)这饼给我们说出主为我们受苦的事实。《旧约》〈利未记〉中的素祭是指出主的生活的美丽，而在记念主的无酵饼里却告诉我们主所忍受的。一个饼的作成功，是经过多少的打，磨、搓、压，末了还要忍受火的煎烤。如果我们生在主在地上作人的时候，我们准能看见在主身上有许多劳苦的记号，受鞭打的伤痕，憔悴的容颜，心灵里因忍受罪人顶撞的忧伤。"他在耶和华面前生长如嫩芽，像根出于干地。他无佳形美容，我们看见他的时候，也无美貌使我们羡慕他。他被藐视，被人厌弃，多受痛苦，常经患难。他被藐视，好像被人掩面不看的一样，我们也不尊重他。"（以赛亚书 53:2~3）弟兄呀，你有没有看出，主所经历的这一切原不是他所要受的呢？你有没有看出，主身上的各种伤痕本该是落在你身上的呢？啊，"因他受的刑罚，我们得平安，因他受的鞭伤我们得医治。"(以赛亚书 53:5）弟兄呀，你若细心的把以赛亚五十三章读过，你就会看见这饼所表出那位为我们受苦的主耶稣了，你怎能不记念他呢？

(3)这饼也给我们说出为我们完全舍弃自己的主。这饼不是摆在桌子给人看的，而是拿来擘开，擘到支离破碎；主为我们舍弃自己，真实的舍弃到完全不保留自己，连他的命也为我们舍去。当我们再细心听听在十字架上的主大声的喊叫说："我的神，我的神，为什么离弃我。"（马太福音 27:46）我们就会真知道主是如何的舍弃他自己了。那个"常在父怀里的独生子"，现今却给那永不离开他的父离弃了，掩面不看他了；那与死亡无份无关，并且根本不知道死亡的主，现今却自愿的进到死里去。啊，弟兄，你有没有看见，主这样的破碎自己是完全为你呢？他没有理由要这样舍弃，要有，那就是单单的为着你，完全又圣洁无瑕疵的主为你破碎了自己。

2、葡萄汁——主替我们流出的血

"这是我立约的血，为多人流出。"（马可福音14:24）桌子上的杯所盛装的葡萄汁，也向我们表明了主为我们流血的史实。我们看见了杯子，就该知道主替我们作了什么事，我们的心就要向主俯伏敬拜。

(1) 赦免了我们的罪。主把他的血流掉，使多人的罪得赦免，罪在我们身上成了魔鬼的绑索，把我们捆得结实，叫我们服在它的权柄下，叫我们犯罪，又要我们陪伴它在永火中受刑。罪使我们绝望，我们也实在是绝望的，但是主替我们流血，它的血一经流出，我们的罪就得了赦免。神看见了主的血，就不再定我们的罪。主的血满足了神的公义，也打断了魔鬼对付我们的凭据。我们得享安息，是因着主流了血。主所流的血直到今天仍然在神面向神说出"赦免他们"的话。主流了血，我们就长远享用赦免的恩典。

(2) 打通了往神施恩宝座去的路。罪人不能到神面前去，一去就是定罪。但主流了血，把人到神面前去的阻塞打通了。在圣殿里，神的宝座面前有幔子挡住，不叫人进到至圣所。主在十字架上流血至死，殿里的幔子从上到下裂开了，到神面前去的路打开了。"我们既因耶稣的血，得以坦然进入至圣所。"（希伯来书10:19）赞美主，他的血使我们进入至圣所，叫审判的宝座成了施恩的宝座。我们不但能进入，而且是坦然的进入。旧约的人，只有大祭司能进入至圣所，并且一年只有一次，凭着祭牲的血，又按着严谨的条例才敢进去，提心吊胆的立在神面前。我们凭着主的血，得着那宝贝的"坦然"，施行审判的神成了可亲可爱的父，我们怎得不敬拜主！

(3) 主用自己的血为我们与神立约，这约是称为恩典的约。"这杯是用我血所立的新约。"（路加福音22:20）提到了约，就说出立约双方所受的约束；这恩典的约限定神必定要向我们施恩，也限定了我们一定活在神的恩典的里头。因为神是用他自己的儿子的血来立这个约，他看到他儿子的血，就向有这血的记号的人大动怜悯，又大施恩惠。谁也不能把我们从神的恩典中夺去，因为有这个恩典的约在那里显出约束和保护的能力。这约一直引我们看到国度的日子，看到在荣耀里的主提接圣徒进入荣耀里的事实。我们在这个约里的人，就白白的享用了神荣耀的丰富。

我们聚会擘饼的时候，都要吃那饼和喝那杯。我们这样吃喝就是表明我们接受了主和他所作的进到我们里头来。在主所是和主所作的我们都有份，不单是有份，而且是联合于主所是和主所作的事实上。这个联合也借着吃喝的动作显明出来。

六、擘饼是在主的桌子前的交通

按着原文直译，<哥林多前书>10:16 的意思应当是这样："我们所祝福的那福杯，岂不是基督的血的交通吗？我们所擘开的那饼，岂不是基督的身体的交通吗？"这样看来，聚会擘饼记念主就是众圣徒在桌子前的交通，在交通里记念主，在交通里敬拜主。

因此，在聚会记念主的时候，我们要看见与众圣徒在一起的要求和事实。在这样的时候，不单是个人记念主的问题，而是与众圣徒一同记念主，这才是在交通里的记念。若是个人记念主，那就不必要聚会记念主，因为无论在什么时候和在什么地方，个人都可以记念主。但主给我们看见要聚会记念主，也就是要我们学习与圣徒们同心记念主，也应当感觉到个人的记念不够满意，个人的赞美和敬拜也嫌微弱，因此要与众圣徒一起记念主，敬拜主，因为主该配受大敬拜和大赞美。这样作才叫主心满意足，也叫记念主的人心满意足。所以聚会记念主的时候，个人直接思念主，也与众圣徒一同在交通里记念主。没有交通，聚会擘饼就没有需要，因此我们必须学习与众圣徒在一起，在交通里记念敬拜主。

1、一个饼

"只有一个饼，我们虽多，却是一个身体。因为我们都是分受这一个饼。"（哥林多前书 10:17 直译）在主的桌子上，我们只有一个无酵饼，不是许多的小饼，或是切开的面包，主借着这一个饼不单给我们看见他所作的，也给我们看见我们所该学的：就是在交通里学习记念敬拜主。

主要我们看见神的儿女都成了基督的身体的组成单位，彼此联起来就成了基督的身体，那就是教会。并且神的教会只有一个，神的儿女就不该有分门别类的心意。因为只有同是属于一个身体，才有交通的根据。我们所以成为基督的身体，是因为基督在肉身中舍去他的身体，除此以外，再没有别的因素使我们成为基督的身体。我们到主桌子面前来的人，都是同有一位主，同在一个救恩里，也同蒙一个应许。饼没有擘开是一个饼，擘开了，我们也吃了，在我们里头联起来，也是一个。所以，在记念主的时候，主愿意我们学习与众圣徒在交通中敬拜，也从心里接纳同作儿女的众肢体，因为从五旬节一直到主再来这一段日子内的众圣徒，神都是把他们放在这一个饼里，成为一个身体，就是神的教会。保罗写信的时候并不在哥林多，但是他也把自己与哥林多的众圣徒一同摆进这一个饼里，我们也该同样学习在这一个饼里与众圣徒有交通，一同记念主。我们无论分散在什么地方，我们都是一个饼，也分受桌子上的那一个饼。因此，在主的桌子前，我们学习彼此接待，也一同追求在主里的和睦。

2、一个杯

"我们所祝福的那一个福杯。"（哥林多前书 10:16 直译）在桌子上，主也给我们一个杯；只有一个大的杯，不是许多小的杯。这杯称为福杯。是主先替我们喝尽了那苦杯，而把这福杯留下给我们，这杯就是那恩典的约，成为我们满溢的福份。

我们着重地指出，在祝福的时候只能有一个杯，并不是形式上的固执，而是要表明属灵的事实。主在定规记念他的事的时候，在<马太福音>26:28 里，"这是我立约的血。"是注意血的问题；<马可福音>14:24 也是注意血的问题，但是在路加福音 22:20 里"饭后也照样拿起杯来，说，这杯是用我血所立的新约。"是格外注意杯的问题。许多人常是只注意血而忽略了杯，主却要我们留意那杯本身也是带着属灵的造就。那杯就是约，我们是一同在这约上蒙恩，我们都是有份在这一个杯里。神给我们的约只有一个，我们所得的恩典的源头也只有一个。我们只能有一个杯，并且在这一个杯里有交通，引我们的心思到赐恩的主那里。有一首诗写得很好："咒诅他受，祝福我享，苦杯他饮，爱筵我尝，如此恩爱，盖世无双，我的心啊，永志不忘。"

七、几样在聚会擘饼时的操练

在前面我们都看过了，擘饼聚会并没有一定固定的样式，也没有标准的模样。但是我们却有聚会的原则可寻。我们肯定的说，擘饼聚会应当是交通性的。我们又把<启示录>5 章里的天上敬拜的光景作参考，我们也可以肯定记念主聚会的内容，应当是围绕着主的死的事实来敬拜和感赞。这样的聚会内容对我们来说是比较生疏的，因此，我们在聚会擘饼时就该有些特别的学习和操练，照着这个聚会的性质和要求与众圣徒一同事奉敬拜主。

1、主自己带领

主当日与门徒一起擘饼的时候，是主自己在那里作带领的。我们聚会擘饼的时候，也深信主要照他的应许在我们中间，也在我们中间带领我们。所以，在聚会擘饼的时候，我们是没有主席或是领聚会的人，我们一同学习让主借着圣灵的带领来进行聚会。在聚会的时刻到了，就由一位受感动的弟兄作开始，或是祷告，或是提出诗歌来颂赞，此后就各人按着里面的感动来祷告，唱诗歌或是话语的交通。在这个聚会里应当尽量减少人的动作，不叫有任何一个人突出来，只叫我们的心意集中在主身上。我们赴这个聚会，必须要学习负属灵的责任，不要消灭圣灵的感动，该祷告就祷告，该唱诗就唱诗，特别是弟兄要学习负责作聚会的起头人。若是弟兄姊妹不负责任，聚会擘饼就不能进行下去。

2、诗歌的颂赞

在聚会里我们有诗歌，但我们不是唱一般造就性的诗歌，不管那诗歌的造就份量如何重，在擘饼的时候唱是不合宜的。我们要记得擘饼是为着记念主的死，我们选唱的诗歌就不要离开这个路线，要选唱直接与主自己有关的诗歌，或是述说主的一生的，或是述说主的受苦至死的，或是述说主所是的。我们在这聚会里不唱与记念主无关的诗歌，我们多唱赞美和敬拜的诗歌。

选诗歌不是凭自己所喜欢的，仍然是根据里面的感动，神把一首诗歌放在你里面，你就提出来与众圣徒一起唱。按着灵里光景的开展，在聚会开始时选唱主受苦的诗歌是合宜的，慢慢引进主的荣美的敬拜诗歌，当唱诗歌已经进到敬拜的境界，除非是很有感动，不然的话，就不要再唱受苦的诗歌，免得把已升高了的灵里的敬拜压下去。另一方面又不宜一连唱过多的诗歌，因为这样很容易使人感到疲倦，就使我们敬拜的心灵受影响，也多占去了祷告敬拜的时间。这些都是许多弟兄在长久的经历中领会出来的，可以给我们作个参考。

3、祷告的敬拜

祷告在擘饼聚会中所占的份量应当是最重的，因为祷告是根据众圣徒里面的新鲜的感动，也是他们对主真实的认识。这样的祷告最叫主的心欢喜，所以在这个聚会应当有更多的圣徒祷告。但是我们得看准，这时候的祷告不是一般的祷告，不然就叫这聚会成了祷告聚会。要记得，这时候的祷告是敬拜及感谢的祷告。敬拜就是高举主所是的，承认主是配的。我们感谢主为我们所作的，从主的受苦引出我们的敬拜。

祈求的祷告在这时候是不该有的，在时候只要敬拜。因为桌子上的饼和杯所表明的救恩，就是说出在基督里神已经把一切都赏赐给了我们，神没有留下一样不给的。既然神的心意如此显明，我们还要祈求什么呢？祈求的祷告应当摆在个人的祷告或祷告聚会里，这个时候只有赞美，感谢和敬拜才是合宜的。

4、高举主的交通

圣徒们的里面有话语，就可以站起来向众人交通，不过这些话语应当是高举主的，不是一般造就性的交通，这时候的交通与诗歌并祷告的原则是一样的，不要离开记念主和表明主的死这范围。够强又有份量的交通能帮助人更好的摸到主，但若果里面要交通的的感动不是顶强，只不过是一点点，那倒不如把那感动借着祷告发表出来好些，因为太弱或不合宜的交通话语会把众圣徒敬拜的心打岔的。

5、衷心的默想

主有时叫我们在他的桌子前完全静默下来，虽然没有诗歌，祷告或交通，但主却以"我的默想为甘甜。"（诗篇104:34）面对着主所作的，心思不要游荡，好好的默想主一切的恩典和主所有的好。这不单是擘饼的时候才操练的，在平日就该好好的学习默想主。

6、谁来祝谢

众圣徒的敬拜到了高点，或是到合宜的时间，就该为饼和杯祝谢，然后分给众人。当日是主自己祝谢，现在该是谁来祝谢呢？这不是"牧师"的特权。主感动谁祝谢，谁就该顺服，站起来按着饼和杯所表明的祝谢。按着属灵的次序，（参看哥林多前书 11:3）应当是弟兄祝谢，没有弟兄的地方，当然姊妹就该接上来在姊妹们中间祝谢。年幼的弟兄又该谦让年长的弟兄。（参看彼得前书 5:5）倘若年幼的弟兄里面有感动，就稍微等一等，若是年长的弟兄不起来祝谢，就证明他里面的感动是对的，可以放心站来祝谢。整个聚会的进行，我们都是一同学习接受主借着圣灵在我们里面的带领。

吃饼，喝杯以后，可以一同唱首赞美诗，（参看马太福音 26:30）或是有点交通的话，没有也行，因为没有一个定准的定规，聚会擘饼就完毕了。

八、擘饼混乱的惩治

"所以无论何人不按理吃主的饼，喝主的杯，就是干犯主的身主的血了。人应当自己省察，然后吃这饼，喝这杯。因为人吃喝，若不分辨是主的身体，就是吃喝自己的罪了。因此，在你们中间有好些软弱的，与患病的，死的也不少。我们若是先分辨自己，就不至于受审。"（哥林多前书 11:27~31）当日，哥林多教会在擘饼的事上混乱，因此招致了神的惩治，甚至有死了的。这个历史的事实告诉我们，主是如何重视记念主的事，不允许有混乱不洁的事在其中，虽然现在主没有显明他立刻的惩治，但他却叫我们看见那亏损是大的，将来主还是要审问。所以，我们到主桌子面前来的人，都当先省察自己，不叫自己带着罪来到主的桌子前，免得为自己招亏损。也不要在被罪玷污了的桌子前记念主。如果没有认罪得主赦免，就算是已经来到聚会里，最好不要领受饼和杯。记念主也是一件严肃的事，我们该存着敬畏的心来顺服主的吩咐。

一些犯了明显的罪而又不肯悔改的信徒，为着挽回他，不叫他加重亏损，并且要保守教会的洁净，教会就要停止这人在桌子前的交通。被停止交通的信徒，就该在神面前俯伏求赦免，不要责怪教会，这不是教会的处分，而是对失败的人极厉害的挽回。

九、教会的接纳

擘饼的人都该是得救的人，换句话说，只有得救了的人才能擘饼。教会一切的聚会都是开放的，唯有擘饼是不该开放的，因为不能给别人留下得罪主的地步。因此，要擘饼的人都要经过与教会负责肢体交通，得着教会接纳了，才好与众圣徒一同记念主。离开本地到外处去的信徒，也该先向当地的教会请求接纳，得了教会的接纳才能与当地的圣徒一同擘饼。这一点也是我们在擘饼上要注意的。

十、心意上的预备

擘饼是满了主的丰富的筵席。人赴亲友的筵席都留意服饰上的穿戴，我们赴主的筵席就更当谨慎了。主不是要我们在外面的服装上留意，但却要我们先有里面的心意上的预备。因此，赴擘饼聚会以前，尽量不要为各样的事忙乱，免得我们身体和精神都疲倦，就不能有苏醒的心灵来记念主，这是很不好的。预备好了心意才擘饼，不要等到来了聚会才匆匆忙忙的平静心里的忙乱。要记得我们是赴主的约会，我们该好好的先预备好心意，才来见那舍己爱我们的主。

第三十一章
神 的 教 会

读经:

"奉神旨意,蒙召作耶稣基督使徒的保罗,同兄弟所提尼,写信给在哥林多神的教会,就是在耶稣基督里成圣,蒙召作圣徒的,以及所有在各处求告我主耶稣基督之名的人。基督是他们的主,也是我们的主。"(哥林多前书 1:1~2)

"我要把我的教会建造在磐石上,阴间的权柄,不能胜过他。"(马太福音 16:18)

神的儿女追求长进到一个地步,就该认识神的教会。教会这个问题曾经给人极端的强调过,像天主教就是其中的一个例子。另一方面,又一直给人忽略掉,像现今一般的公会一样。我们越读《圣经》就越清楚,个人得救是救恩的最起码的要求,也即是说,我们在救恩的工作上不能停在个人得救的这一点,应该更进一步看到神"建立基督的身体"——教会——的计划。(参看以弗所书 4:11~12)看见了神的心意和目的,我们就在个人得救的基础上赶上去。看不见教会是神的心意，我们的追求和事奉是有限度的，最少也欠缺属灵的活泼。

一、教会是什么

首先要了解的，就是要准确的知道教会是什么。一般的信徒对教会的认识是模糊的，所以他们的教会生活也是含糊的。我们先提一提一般信徒对教会的误解。

1、教会不是礼拜堂

这是一个最普遍的误解。我们常听到一些信徒说："我们到教会去。"或是说："你在哪一间教会聚会呢？"他们的心思就是把礼拜堂看成是教会。礼拜堂是教会聚会用的房子，是一所建筑物，但却不是教会。

2、教会不是慈善团体

许多人都以为教会是个慈善团体，是社会救济的机构。当然，教会在合宜的情况和原则下会作一些帮助人的事，但是教会却不是为这个目的而建立。不少人要在教会中得救济的好处，结果他们失望了，因为他们错认了教会是救济机构。

我们不该作糊涂人，从积极方面来认识教会是必须的。对教会有了准确的认识，我们才能与众圣徒在教会中活出神的心愿。

3、教会是得救的人的组合

从教会这一个词来看，照着《圣经》的原意，就是"被选召出来的人"。很明显的，教会就是一群人，但不是一群普通的人，而是一群给神选召出来的人，这些人就是教会。

"神的教会，就是在耶稣基督里成圣，蒙召作圣徒的，以及所有在各处求告我主耶稣基督之名的人。"（哥林多前书 1:2）简单的来说，组成教会的那一群人都是因信耶稣得救的人。每一位得救的人都是组成教会的一份子。他们组成教会不是根据任何的教会组织法，事实上教会也没有什么组织法或章程。说得明白一点，他们所以成为教会，完全是因为同在一个救恩里的事实。因此，教会就是一个生命的组织，信主得救有了生命的人就自然的在教会里。没有得救的人，不管他聚会了多久，或者参加了多少教会的活动，他仍然是教会的朋友，简称为"教友"，实际上却不在教会里。教会是一群得救的人的组合，是一个生命的组织。我们对这个观念一定不能含糊的。

4、教会是神的见证团体

人堕落离开了神，成了对神完全无知的人。神把教会选召出来，就用着教会来作神的见证，叫世人从教会认识神，借着教会所作的见证归向神。"唯有你们是被拣选的族类，是有君尊的祭司，是圣洁的国度，是属神的子民，要叫你们宣扬那召你们出黑暗入奇妙光明者的美德。"这说出了教会的使命，教会就是神的团体见证人，领人来归向主，又造就人追求像主。因此，教会又叫作灯台，给人看见亮光，脱离黑暗的死荫。（参看启示录 1:20）尤其是在这个末后的世代，人都不肯要神的日子里，神借着教会一直在告诉人有神，并且神乐意拯救背逆的人。

二、神的教会

一般来说，由人所组成的团体就是属于组成的人的。但是对于教会来说，这个原则就不合用了。神好像是要借着教会来对付人的占有欲，人都喜欢把与自己有关的事物占为己有，但神就不允许人在教会里来这一套。《圣经》里提到教会所属的问题，都直接了当的告诉我们，教会是"神的教会"（哥林多前书 1:2）是"主的教会"，（参看马太福音 16:18）却不是"人的教会"，或是"我们的教会"。因为教会是神付出他自己的独生子这样重的代价所买赎回来的。人若不认识"神的教会"，要代替神来作教会的主，就一定会引出许多的嫉妒和纷争，败坏教会本身和人的信心。丢特腓在教会中所作的就是一个例证。（参看约翰三书 9~10）所以，我们一开头就该认识教会是神的，只有神自己是教会的主。

1、基督是教会的元首

教会是神的教会，神安排他的独生子，就是作为教会的赎价的耶稣基督，作教会的元首。"他也是教会全体之首。"（歌罗西书 1:18）所以我们又看见，他是在教会中间行走的。（参看启示录 2:1）他一面鉴察自己的教会，也一面管理并带领着他的教会。人的天性喜欢出头，但在教会中神就要人学习顺服基督，因为只有他是教会的头。他是头，我们都是服他的权柄，一切都是以他为凭依。离开了基督，教会就没有路走，教会也就成了"按名是活的，其实是死的"的宗教团体了。（启示录 3:1）所以神又安排基督作教会的"房角石"，（以弗所书 2:20）以他来定准方向，一切不向着主的事物，都不该摆进教会来。教会是叫人破碎自己的地方，教会也是让人学习单一高举主的地方，每一个在教会中的神的儿女，都要追求认识教会的头，又服在他的权柄下来彰显主的荣耀。

2、神在教会中的权柄——神的话

信徒在教会中怎样认识神的权柄呢？又怎样学习以主为主呢？主自己又是怎样在教会中执行他的权柄？这是一个很现实的问题。有人主张教会的长老就是神的权柄，有人又主张教会的大多数就是神的权柄。这些主张都没有摸到这问题的焦点。神的权柄不是在乎少数属灵的人，也不在乎大多数的人，而是单一凭借神的话——《圣经》的明训和原则。近代的教会多受人意的操纵和遗传的影响，这是教会的一个大危机。人的思想观念时刻在改变，人的生活方式环境也是不断的改变，人的道德标准也随着时代而变（低落），但是神的权柄不会跟着人所表现的更改。因此，没有一个人该说，"现今是二十世纪，教会不该老是守着古旧的内容。"神的不改变就确定了教会的内容不能迁就时代，神的话是怎样定规，神的权柄就是怎样的显出来；神的话的绝对真实可靠，就定准了教会的活动唯一的凭依。世人可以对教会不谅解，但是教会为着顺服神的权柄也不稀奇世界的谅解。神的儿女该学习透过神的话而服神的权柄，这样就保守教会不偏离神的道路。

三、教会的根基——复活的基督

教会所以能在相反的世界趋势中站立，坚持作神的见证，是有一个极宝贝的事实作基础的。从神的在地上建立他自己的教会开始直到如今，教会不断的经历了从外面来的暴力逼迫和反对，也经历了撒但在教会内部所撒播下的败坏，腐蚀和使教会变质的事。教会的历史充满了基督的血泪与忧戚，但是也充满了神荣耀的得胜，这样的史实仍然在地上继续的进行着。

教会能有这样的属灵力量，绝不是因为教会有许多超人，相反的，"你们蒙召的，按着肉体有智慧的不多，有能力的不多，有尊贵的也不多。神却拣选了世上愚拙的，……世上软弱的，……世上卑贱的，被人厌恶的，以及那无有的。"（哥林多前书 1:26~28）但神给了教会一个荣耀又稳固的根基，就是一位从死人里复活的基督。没有基督的复活，就没有教会。天主教把使徒彼得说成是教会的根基，这是愚昧的。我们读<马太福音>16:13~18，就能清楚的明白，教会的根基就是彼得当时所认识的"基督"，也是"阴间的权柄不能胜过"的"基督"。因为基督为我们进入了死，但死却没有权柄拘留他，他荣耀的从死里出来，也摧毁了死的权势，要释放被死压制的人。就是这样一位复活的基督作了教会的根基，这一个根基没有人能摇动，连魔鬼都不能。死是魔鬼在地上最厉害的权势，它可以对付基督徒的身体，也可以关闭礼拜堂的门，但是不能毁灭教会，因为神把教会建造在复活的基督的根基上。教会的历史不断的显明这个事实，神的儿女也该领会这个得胜的事实，不叫世界的潮流把我们冲倒，反要靠着神复活的大能，站稳在神这一边，刚强的作神的见证人。

四、教会在神的计划中的地位

我们进深一步来看，在神的眼中，他是如何的看教会呢？《圣经》上的活明显的说："基督爱教会，为教会舍己。"（以弗所书 5:25）但是当主被杀的时候，地上还没有教会，因此，这节经文就给我们看到一个事实，就是基督受死的目的，除了作成救赎以外，还要在地上建立教会。神为要得着教会，连他的儿子都舍掉，我们就能领会到，教会在神的整个计划中实在是占着很重的地位。

1、神的充满

"教会是他的身体，是那充满万有者所充满的。"（以弗所书 1:23）这里说出教会是神的丰满所充满的。虽然"诸天述说神的荣耀，穹苍传扬他的手段。"但是神却要寻找一样器皿，把他的丰满摆进去。可是神在宇宙中一切所造的物里，除了教会以外，他找不到一个比较合适的器皿来盛装他的丰满。只有教会是他所看为最好的，也是最合适的，他就定意把他的丰满摆进教会里。这是一方面的意思，让我们看见唯有教会能解决并满足神的需要。

按着原意直译，我们从这节经文中就领会到更宝贝的神的心意。"教会……是那充满万有者的完满（或完全，或完整）。"这个意思叫我们看到，神以教会为完满，好像神没有教会，他就感到有缺欠；神得着了教会，他就觉得完满了。这不是说神本身不够完满，非要教会来填补他的缺短不可，而是说这一位完满的神，要藉着教会来彰显他的完满。"我们原是他的杰作，在基督耶稣里造成的。"（以弗所书 2:10 直译）教会实在是神的精心杰作，神创造并管理宇宙，并不费神太多的力气，但是在造成教会的这事上，神舍去自己的独生子，又显明复活的大能，叫那些本来与他为仇敌的该死该灭亡的人得着挽回到一个地步，与他联合，作他的众儿子，成为他的后嗣，叫神的智慧，信实，公义，圣洁，慈怜，荣耀和丰富，都在教会里显明出来。我们思念及自己的微小与不配，现今竟成了神的完满。神这样抬举我们，我们怎能不体贴他的心意呢！

2、神借着教会对付撒但

撒但的堕落，把神在宇宙中的秩序都打乱了，撒但并且成了神的对头，要推翻神的宝座，抢夺神的权柄，在神所作的一切事上都进行破坏和捣乱。神不得不对付撒但，神本来可以用他的权能来把撒但解决掉，但神不这样作，因为他要撒但从心里服神的权能，叫它知道背逆神的愚昧。因此，神就从撒但的权下救出人来，赦免他们的罪，赐给他们生命，又与他们联合，叫撒但的权势永远的从他们身上脱下，这就是教会建成的历史。

"为要借着教会，使天上执政的，掌权的，现在得知神百般的智慧。"（以弗所书 3:10）好些弟兄以为这里所提的天上执政掌权的，单指那些在天上侍立在神面前的。但按事实来看，也应包括撒但和它的集团。（参看以弗所书 6:12。）在一切被造的物中，只有撒但不肯服神的，神要借着他手中的工作——教会，来叫撒但服神的智慧与能力。神把全副军装赐给教会，用着教会与撒但争战，成就了神的旨意仍然能站立得住，（参看以弗所书 6:10~19）又借着教会来向阴间夸胜，等到教会完全长成的时候，神就捆绑撒但，审判并刑罚它。我们看见神对付撒但与教会的建立和长成有着直接的关系。我们没有想到，神竟是用我们去对付撒但，并且羞辱它。这样，我们就明白，为什么撒但要尽力败坏教会了。

3、神的计划执行的焦点

神不单用着教会对付撒但，也用着教会来引进他的计划的高潮。"受造之物，切望等候神的众子（教会）显出来，因为受造之物服在虚空之下，不是自己愿意，乃是因那叫他如此的。但受造之物仍然指望脱离败坏的辖制，得进入神儿女荣耀的自由。"（罗马书 8:19~21）神的救赎计划并不是以个人得救为满足，神的心意是要叫因罪进入了世界而受了虚空辖制的万物都得着释放。这事的成就要等到国度的时候，那时万物复兴，神的旨意通行在地上如同行在天上，众民都尊主的名为圣，主的权柄得着完全的高举，地上的邦国都生活在平安与和睦里，一同享用神荣耀的丰富。这是神的计划，也是人在历世以来所渴想的。但是神给我们指明，这个荣耀的时间来临，是要根据神的教会长成，就是"神的众子显出来"。教会不长成，国度就不能引进来，教会一长成，荣耀的国度就来到。神把教会作为他的计划的焦点；神建立教会，也造就教会，为要引进荣耀的国度。主若开我们的眼睛，我们就会看到神如何看重他的教会，我们又在他荣耀的计划中接受了何等大的职事。神这样的抬举我们，我们怎能不体贴他的心意，只管个人的蒙恩，而不顾念教会的长成！

4、神的家

"神的家……就是永生神的教会。"（提摩太前书3:15）教会又是"神借圣灵居住的所在"。（以弗所书2:22）这是满有恩典的启示。在创造的历史中，神第七日安息了，但是在人堕落以后，不单是人没有安息，连神也不能安息，他要一直的进行救赎的工作。但是神给我们看见，他得着了教会，他就得着了安息。家就是安息的地方，我们成了神的教会，他就以我们作为他的安息，他看到我们就得着安息，他活在我们当中也就享受了安息。神得了安息，人也在他面前得享安息。我们敬拜神，他既以教会为他安居的所在，以教会为他的家，他就把他的心意都放在教会里，就是放在我们这一群被召出来的卑微的人身上。我们算得什么！竟蒙了神这样的恩待。

神给我们看见了教会，我们就不敢以教会为小事。神不停的造就教会，叫教会的质（属灵的程度）和量（得救的人数）都要长成，神就借着教会来完成他的计划，这是宇宙中的一件绝顶大的事。许多基督徒追求到相当地步的时候，他们的难处就是看不见教会，就落到一个不知道追求什么的光景里，我们要求主给我们看见教会。看见了教会，我们就定准了追求与事奉的目标，跟随主的方向就不会迷失，我们也该与众圣徒活在教会的生活中，让神的旨意借着教会大大的彰显，叫一切的荣耀都归给神。

第三十二章
教会是基督的身体 —— 合一与分别

读经:

"教会是他的身体。"（以弗所书 1:23）

"就如身子是一个，却有许多肢体，而且肢体虽多，仍是一个身了。基督也是这样。我们不拘是犹太人，是希利尼人，是为奴的，是自主的，都从一位圣灵受浸，成了一个身体。"（哥林多前书 12:12~13）

"用和平彼此联络，竭力保守圣灵所赐合而为一的心。身体只有一个。"（以弗所书 4:3~4）

"你们和不信的原不相配，不要同负一轭。……因为我们是永生神的殿。……"你们务要从他们中间出来，与他们分别，不要沾不洁净的物，我就收纳你们。"（哥林多后书 6:14~17）

主在被杀害的前夕，与门徒分离以前，主带着沉重的心，在父面前为门徒祷告。这次祷告的内容全部记在<约翰福音>17 章里，我们若细细的查考，就一定发现主的心是何等迫切的求父，让他的门徒会活在"合而为一"的事实里。"求你因你所赐给我的名保守他们，叫他们合而为一。"（11节。）"我不但为这些人祈求，也为那些因他们的话信我的人祈求。使他们都合而为一。"（20~21）"你所赐给我的荣耀，我已赐给他们，使他们合而为一，像我们合而为一。我在他们里面，你在我里面，使他们完完全全的合而为一。叫世人知道你差了我来，也知道你爱他们如同爱我一样。"（22~23）离别前的话都是语重心长的。那么，主在别离前为着门徒祷告，三翻四覆的提及合一的事，就说明了主对教会活在合一里的心是何等的重。主要求神的儿女体贴他的心意，一同活出合一的事实，让他的心满足，也叫世人明白神给教会的大怜爱。

一、人的愚昧——分门别类

主的心迫切要求神的儿女合而为一，但是人的愚昧却作出背向神的事来。人肉体的软弱，总是喜欢在主以外设立自己的中心。哥林多教会在建立不久的时候，就出现了分门别类的事，忘记了教会是归于主，而不是归入主以外的人、事、物的名下。圣灵用保罗写信责备他们的愚昧，"弟兄们，我借我们主耶稣基督的名，劝你们都说一样的话。你们中间也不可分党。只要一心一意彼此相合。因为革来氏家里的人提起弟兄们来，说你们中间有分争。我的意思就是你们各人说，我是属保罗的；我是属亚波罗的；我是属矶法的；我是属基督的。

基督是分开的吗？保罗为你们钉了十字架吗？你们是奉保罗的名受了浸吗？"（哥林多前书 1:10~13）神的话说得那么清楚；基督是不能分开的，分门别类的事是神所不喜悦的；说得明显一点，分门别类是神所定罪的。许多人没有按着神的心意来看这一类的事，以分门别类为平常事，过去哥林多教会是如此，现今不少的公会仍旧是如此。我们该求主救我们脱离人的愚昧，保罗给我们指出，这种愚昧是出于人属肉体的活动。（哥林多前书 3:1~3）我们要靠主拒绝肉体的诱惑，免得得罪主。

教会的历史发展到现在，给我们看见一种极不好的现象，就是宗派林立，宗派间彼此划定界线，连许多不信主的人 都看不过去。宗派一产生，教会就从神的教会分成许多的某某会，在宗派里的人只知道高举自己的某某会，而拒绝不与自己同在某某会的弟兄，甚至高举某某会过于高举主。在一本某某会的机关刊物上有这样的一段事实；"当我们的工作队—三位传教士—1951 年圣诞节到达此地的时候，人们实际上从没听过什么叫某某会。"这些人去工作的地方，福音老早就传进去了，可是他们不满意，因为没有人知道某某会的名字。我们不能不问说，究竟他们是传主的福音呢？还是传某某会呢？人的愚昧到现今仍在教会内膨胀着，神的心不停的给人的愚昧来刺伤。

1、宗派的成因

宗派的存在是事实，那么宗派是怎样产生出来的呢？<哥林多前书>就给我们看见一个原则，就是不高举主，而高举人。扩大一点说，就是高举主以外的人和事（个别的真理）。人的肉体就是有这样的毛病，喜欢培植自己的范围和势力，只要有一点事可以作凭借，人的小圈子就可以建立起来。就在这种老毛病里，宗派就产生出来。

宗派的产生并不是完全没有好的一面，有些宗派的产生是由于一些弟兄持守《圣经》中某一个"真理"而来的，比如浸信会，长老会……。有些是由于传福音的团体的背景而来的，比如宣道会，又有些是因着神的工人的工作而来的，比如循道会，路得会……。我们可以说，除了少数由于人的败坏以外，大多数的宗派在开始的时候都有好的一面，但是这好的一面经不起人的肉体活动一冲，宗派的成见就出现了，宗派的精神就确立了，宗派竟成了神儿女们交通的阻碍，也成了神的教会合一的鸿沟。

2、持守真理也不是分门别类的理由

有一些弟兄说，"为了持守真理，我们不得不与另外的一些弟兄分开。"他们所说的持守真理，自然不会是圣经全部的真理，而是个别的真理，或是部份的真理。为着持守个别的真理而实行分门别类，这就不是一个真实持守真理的态度。真正持守真理就该持守全部的真理；高举个别的真理不能说是持守真理。要晓得"教会不该分门别类"也是一个真理，为着持守一个真理而损害另一个真理，这实在不能说是持守真理，这样子的持守真理不能成为分门别类的理由。主既然给我们知道，分门别类不是神所喜悦的，我们就不要寻找理由来支持我们片面的忠心。若要作个忠心的人，就是绝对的向主降服，单一的高举主，完全遵行主的吩咐，不厚此而薄彼。要记得分门别类是主所定罪的。当然，为着真理的亮光和聚会的释放而分开地方聚会，这也无可厚非，但是，若因此从心中分别了弟兄，拒绝弟兄中的交通，那就错了。

二、教会只有一个

神不喜悦教会分门别类，因为神的教会只有一个。从五旬节圣灵降临一直到主再来这一段时期内，所有信主得救的人，不管他们分住在什么地方，也不管他们参加那一个地方的聚会，他们都是在一个教会里。虽然地域的限制叫神的儿女们在地上分成无数处的聚会，但这无数的聚会并不等于说神有许多个教会。从一方面看，这无数处的聚会可以作为个别独立的地方上的教会，从另一方面，这无数的独立地方上的教会只是神的教会的一部份。

所以，给教会加上一些别的名字，表明那一个宗派，来与其他的弟兄作分别，这不是神所能说"阿们"的作法。聚会的房子有一个名字，给参加聚会的人作一个标志，使他们寻找聚会的地方时方便一点，这是可以的，但那只是房子的名称。神的教会只有一个，无论到什么地方，我们都是在神的那一个教会里，因为"身体只有一个"。（参看以弗所书 4:4）

1、身体的比方

神用身体作教会的比方，为要叫我们领会神只有一个教会的事实。"就如身子是一个，却有许多肢体，而且肢体虽多，仍是一个身子。……我们……都从一位圣灵受浸，成了一个身体。"（哥林多前书 12:12~13）"你们就是基督的身子，并且各自作肢体。"（27 节。）一个身体有手、足、眼、口、鼻子、内脏，……这许多的器官是很好的联起来，成为一个完整的身体，倘若这些器官不肯按本位联合，或是拒绝别的器官与它联合，那结果一定引致身体的疾病，残废，甚至是死亡。身体是一个生命的有机体，神的教会也是一个生命的有机体。在一个地方的教会里，个别的弟兄姊妹作肢体，来显明基督的身体；在全地上，所有地方的教会又是彼此作肢体，来显明基督的身体。身子上的肢体不能彼此相拒，基督的身体上的肢体也是不能彼此相拒，因为是一个身体，相拒就产生毛病。不管我们认识或是还没有认识，在信主的时候，神已经借着圣灵的浸把我们众人（不拘是什么肤色，种族，文化程度，地区，生活习惯……等等。）作成基督的身体了。你怎样不愿丢掉一只手，成为残废的人，你也就不要拒绝同作肢体的弟兄，也不要给他们划一条界线，叫彼此的生命交通有妨碍。

2、主桌子前所学习的功课

每次擘饼纪念主，主都让我们在桌子前学习同一的功课。"我们虽多，仍是一个饼，一个身体。"（哥林多前书 10:17）保罗写信的时候，他当然是不在哥林多，但他明显的说，他和所提尼并哥林多教会的众弟兄是同在一个饼里，同在一个身体里。每次我们拿起饼来，我们就知道每一个蒙恩得救的人都是在一个身体里，都是领受那一个饼。所有同作肢体的人，都是主舍身而救赎回来的，主为他付了那么重的代价，主并不拒绝他，也不偏待他，你我是谁，竟可忽略这个事实，而在同作肢体的人中作分门别类的事呢！我们不能在吃主的饼的时候拒绝"身体只有一个"的事实，叫主的心伤痛。

主的仆人约翰卫斯理，有一次作梦，梦见自己去叩地狱的门，问说："什么人住在里面。"看守的说：

"有很多人。"卫氏问："有天主教的人吗？"答说："很多！"问说："有长老会的人吗？""很多！"又问："有卫斯理会的人么？""也多，"卫氏听得垂头丧气，很是烦闷。他又转身上天堂，叩门问道："有卫斯理会的人吗？""没有！""有长老会的人吗？""没有！""有天主教的人吗？""没有！"卫氏这时心更烦闷。再问道："那么天上究竟给谁住呢？"看守的回答说："你所说的各种会名我都不知道，我只知道在天上住的是确实蒙恩得救的基督徒。"这虽然是卫斯理的一个梦，但是说明了一个属灵的事实，在神的宝座前只有教会，而没有许许多多分门别类的会。所以我们来到桌子前，就该体贴主的心，承认只有一个教会，我们不该分门别类。不然，等到将来站在主面前的时候，就把我们肉体的愚昧说出来，那时你就看见现今你要把他们隔离的弟兄，他们仍然是一同与你在神的宝座前蒙恩。你不能再把他们隔离，因为他们与你是在同一身体里作肢体。

三、教会的合一

凡在基督里的人，都已经因着圣灵的浸成了一个身体，所以教会的合一是一个已经成功了的事实，我们必须要承认这个事实。我们现在所面对的难处，就是不少神的儿女们不肯活出这个合一的事实来，固然在过去有不少的弟兄在合一的进行中出过乱子，但这不能反证宗派是合乎真理。弟兄们作错了是他们方法上的错，但是不该有宗派的真理仍旧是对的。我们从《圣经》的原则上来看，教会的合一应该是如何。

1、不是行政组织上的合一

过去有不少弟兄们在合一的进行中出乱子，基本的原因就是他们追求在组织上的合一，行政经济上统一，如同政治形式一样。天主教就是落在这种形式里，中国的教会也有些弟兄朝这个方向走，提出教会的正统的问题，主张神的儿女都该集合到这个正统里，来达成行政组织上的合一。这样作是越过了主的界线，因为死了的领袖才有正统的问题，我们的主是活的，根本就没有正统不正统的问题。弟兄们又主张教会的范围应该受地方行政区域的限制，目的也是要达到行政组织的合一。这又根本抵触了教会的属灵性质。教会是属灵的，地方行政区的属地的，属灵的不该受属地的影响，何况地方行政区的大小观念和实况是时刻在变迁，地方教会的范围绝对不跟属地的界说而定规的。

从《圣经》里我们看到，各个教会在行政上是独立的，在组织上也是独立的。"二人各在教会中选立了长老。"（使徒行传 14:23）"又照我所吩咐你的，在各城设立长老。"（提多书 1:5）各个教会有各个教会独立行政组织，并不受别一个教会来影响或控制，也没有一个更高的组织如区会或总会等来统辖。<使徒行传>15 章里所记载的，好像给人一个印象，耶路撒冷教会是最高行政机关，所以安提阿教会所发生的问题，要到耶路撒冷教会去请示。但是若把当日的历史来分析，我们就发现有两个原因决定他们要上耶路撒冷去的。第一，因为那时使徒们都在耶路撒冷。第二，因为到安提阿来闹事的人是从耶路撒冷来的，一点也没有说出耶路撒冷教会是最高机构。

《圣经》上没有明文，也没有原则，连榜样也没有，可以支持教会追求行政组织上的统一，如果我们要朝这个方向追求，那么一定要出乱子，如同过去的弟兄们所出乱子一样。

2、是灵里的合一

神儿女们在教会里一切的关系都是属灵的，因此在追求合一的事上也该从属灵的角度去定规，一切的组织形式是外表的，但是合一却是要里面的实际。组织上合一了，而里面没有合一的实际，依旧在组织内分门别类，那等于没有合一。"用和睦彼此联络，竭力保守灵的合一。"（以弗所书 4:3 直译）神的话告诉我们，合一是一个已成的事实，我们该在灵里显出这个合一的事实。不能在一起聚会不要紧，顶要紧的是不要在灵里把弟兄分别出去。对于在别处聚会的人，只要他是个弟兄，我们就接纳他，与他有交通，对待他如同对待和自己一块聚会的弟兄一样。这一个对弟兄的接待，是从里面出来的。人的肉体最喜欢拒绝人，给人划界线，神就要我们对付这一个，要付代价去对付它，"竭力保守灵的合一"就是提醒我们要对付自己的肉体。我们的宗派感情与习惯不叫我们接待弟兄，我们求主给我们除掉这些，也叫我们看见在基督里已经合一的事实，让我们的灵向弟兄 是敞开的，里面没有一点要把弟兄分别出去的意念。只要是神接纳的，我们就看他是我们的肢体，在身体上不分彼此。

3、我们该怎样作

宗派是历史遗留下来给神儿女的累赘，只有不肯顺服主的才会死抱着它，也只有不愿意体贴主心意的人才去保留它。我们得指出，许多信徒对这事是无知的，作主工作的人该对宗派鸿沟的存留负最大的责任，传道人不鼓吹宗派情绪，信徒就不会跟着宗派的偏见走；传道人若领人单一的向着主，信徒就不会给宗派的心思所捆绑。虽然在宗派已经存在的事实里，不主张分门别类的弟兄们也相对的成了"宗派"，这是无可奈何的事，但我们不能因此就承认宗派的存在价值。

从<马太福音>13章拔稗子的比方，主给我们一个原则，就是不用强暴去除掉主所不要的，但是却不要让这些影响我们跟随主的路。因此，我们不管在任何宗派里过教会的生活，我们都求主给我们看见教会，而不是看见公会和宗派，从心里把宗派的情绪和心思清除出去，丢弃不合理的遗传和习惯，单单的高举主，讨主的喜悦，所有神的儿女都抱着敞开的态度。虽然有些弟兄的主张在细则上我们不能接受，但也不给它作为彼此交通的阻塞。神的儿女肯这样的付代价，灵里的合一就会给神的儿女们活出来了。

四、分别的命令

神要教会活出合一的见证，同时也要教会活出分别的见证。合一是神儿女们的事，分别是教会与假信徒并世界的事；也就是说：合一不是开放大门毫无原则的。我们要看清楚，教会虽然是在地上，但却不是属地的，而是属天的。因此不是属天的东西，教会就不能接受进来。"你们和不信的原不相配，不要同负一轭，义和不义有什么相交呢？光明和黑暗有什么相通呢？基督和彼列有什么相和呢？信主和不信主的有什么相干呢？神的殿和偶像有什么相同呢？因为我们是永生神的殿，……你们务要从他们中间出来，与他们分别，不要沾不洁净的物。"（哥林多后书 6:14~17）这是很清楚的分别原则。教会与不属神的人、事、物一联合，教会就受损害。近代有些人利用教会作政治活动的资本，组织什么基督教政党，这是极厉害的错。基督徒个人以公民的身份参加政治活动是可以的，若是把教会拖出来与政治联合，无论是政治利用教会，或是教会利用政治，受害的一定是神的教会。因为属地的东西进入教会，教会就要失去神的喜悦与同在。所以，神要教会活出合一，也要教会活出分别为圣的事实。

1、合一不是混合

不同性质的东西是不能合一的，勉强,把它摆在一起，那也不过是混合，教会历史上有过不少次混合的事，现在不少自称为基督徒的人也在鼓吹宗教大混合，美其名为"教会合一运动"。教会应当从历史上吸收教训，要同心拒绝这些假信徒的倡议。初世纪时，教会接受了罗马皇帝君士坦丁，以后无数的假信徒（这一点留待"防备假先知"那一章详说）进入了教会，结果造成了历史上教会的腐化，堕落成了天主教，又造成中世纪的黑暗时代，不单是教会受损害，并且也叫许多教外人受创伤。

教会合一是根据同一的生命，同一的生命才能有合一。这生命是在人接受主流血的救赎时所得着的。那些不信主耶稣的救赎，也不相信主的身体复活，更不相信主耶稣亲身再来的所谓"基督徒"，是没有神的生命的，因为他所要的不过是"作人的模范"的耶稣，而不是作救赎主的耶稣。在神的审判里，他们与不信的世人是一样的，他们根本就是不信的人。"你们和不信的原不相配，不要同负一轭。"（哥林多后书 6:14）主没有要我们与"不信的基督徒"混合，反要我们与他们分别。"宗教大混合"的道理很迎合人的正义感，但是神的儿女不是单凭正义感行事，我们只能在神所固定的范围内合一。范围小于神的定规是不应该，范围大过了神的定规更是不对。教会所要作的是合一，而不是混合。与不信的只有分别，决不能有合一，这是主的命定。

"因为世上有许多迷惑人的出来，他们不认耶稣基督是成了肉身来的。……凡越过基督的教训，不常守着的，就没有神。常守这教训的，就有父又有子。若有人到你们那里，不是传这教训，不要接他到家里，也不要问他安。因为问他安的，就在他的恶行上有分。"（约翰二书 7~11）问安尚且不行，怎能谈得到合一呢？连最懂得爱的约翰也不能容忍这些不信的人，我们对他们只能有分别，决不可以合一。

2、保守教会的洁净

神要教会有分别的见证，为要保守教会的洁净。没有生命的，教会不能接受；有生命而落到传了异端的，教会也不能与他们合一；犯了罪又不悔改的，教会也不能与他们有交通；对于世俗的作风，教会也必须要拒绝。教会若在这些事上稍留余地，教会就会受腐蚀。为了保守教会的洁净，自然会引起许多人的非难。"世人若恨你们，你们知道，恨你们以先，已经恨我了。你们若属世界，世界必爱属自己的。只因你们不属世界，乃是我从世界中拣选了你们，所以世界就恨你们。"（约翰福音 15:18~19）因此，不要因人的话而减低我们向主的忠心和顺服。

我们要操练与神的儿女们合一的功课，也要学习教会与不信的分别的功课，这是学习活在基督的身体里的两方面。我们承认这个功课给人的对付很厉害，我们也同时承认，这是神喜欢在我们身上所要看到的见证。

第三十三章
教会生活的几个原则

读经:

　　"他所赐的有使徒，有先知，有传福音的，有牧师和教师。为要成全圣徒，各尽其职，建立基督的身体。直等到我们在真道上同归于一，认识神的儿子，得以长大成人，满有基督长成的身量。使我们不再作小孩子，中了人的诡计，和欺骗的法术，被一切异教之风摇动，飘来飘去，就随从各样的异端。唯有用爱心说诚实话，凡事长进，连于元首基督，全身都靠他联络得合式，百节各按各职，照着各体的功用，彼此相助，便叫身体渐渐成长，在爱中建立自己。"（以弗所书 4:11~16）

　　基督的身体要长成，不单是传福音的问题，也是弟兄们受造就的问题。教会得着建立，一面是得救人数的加添，一面是得救了的人更好的受属灵造就，一同活在神的救恩里。从人的需要来看，得救是顶重要的问题，所以传福音是顶急切的，从神的需要来看，人得救是重要的，得救的人受造就也是同等重要的，因为神要教会在质与量双方面都要进到完满的地步。所以，我们不该，按人所感觉的光是拼命的传福音，而不管教会的成长。反过来说，只知道尽心的造就神的儿女，而忽略了传福音，这也是不够好的。"所以你们要去，使万民作我的门徒，……凡我所吩咐你们的，都教训他们遵守。"（马太福音 28:19~20）主的话明明的告诉我们，要注意传福音来增加教会的"量"，也要造就得救的人来提高教会的"质"。我们不要凭个人的感觉和个人的恩赐而偏重教会的"量"或是"质"的任何一面，两面都要配合起来，才能使基督的身体得建立，也叫神的计划得以完成。

教会在"质"这一方面的提高，不单是信徒和主中间要有好的交通生活，同时也要在教会生活上有操练。一般来说，神的儿女很忽略教会生活，多是以为信了主，有了个人的灵修生活，又参加了教会的一些聚会，（或者只是参加主日的聚会。）就算是很不错了。因此，许多人不知道教会生活，也不觉得需要教会生活，他们与教会的关系只是表现在聚里，聚会一完，人就以马上溜跑了。事实上，教会生活是不能忽略的，教会的生活给神儿女们深入的造就，又供应属灵的保护，也彰显神的丰富，叫神儿女们有切实的属灵操练，使教会的"质"大大的提高。近些年来，神在各处都兴起青年学生的工作，许多青年的基督徒在学校的团契里享受到肢体的生活，叫他们尝到属灵的甘甜与满足。学校里的肢体生活正是教会生活的缩影。他们在团契里得着了他们在教会里所得不到的，因此更加深了他们与教会脱节的程度。等到他们毕业离开了学校，团契的生活没有了，教会的生活又从没有建立起来，慢慢的就一个一个的失落了，冷淡了，只有很少数灵里较强的才能继续站住。这种光景正好给我们一个提醒。要注意建立教会生活，要带领神的儿女们活在教会中。这是主的心意，也是我们属灵上的需要，不要让教会生活继续成为我们属灵上的缺欠。

教会生活不是抽象的，而是很具体，又很实际的。我们可以从几个原则上去认识，认识了，就操练。所有信主的人都一同操练，就叫神的教会得着建立，我们自己也同得建立。

一、一同追求

教会是基督的身体，也是"神一切所充满的"要充满的器皿。（以弗所书 3:19）就是说，神要借着教会来彰显他的荣耀。教会要彰显神的荣耀，先要追求基督的成份在信的人身上加增，也就是信的人对基督——教会的头——的认识要提高。保罗体贴了主的心，他说出了他向主的心意，"无论是生，是死，总叫基督在我身上照常显大。"（腓立比书 1:20）这种心意不该只是个人的，也该是全教会的。众人都同有这样的追求，基督的

425

成份在个人身上增加了，在全教会也增加了，基督就显大了。我们在追求上所该注意的，不是人自己的增大，而是基督的增大，以至神一切所充满的充满了教会。

认识基督是我们追求的方向，这个追求不是个人能达到的。神也给我们看见，"使基督因信住在你们心里，叫你们的爱心有根有基，能以和众圣徒一同明白基督的爱是何等长阔高深，并知道这爱是过于人所能测度的，便叫神一切所充满的充满你们。"（以弗所书3:17~19）这叫我们明白，离开了与众圣徒一起追求的事实，我们对基督的认识的加增是有限度的。无限量的神将他的丰富分赐给神的儿女，这人领受一点，那人领受一点，各人所领受的都不是完全一样，但是将各人所领受的集合起来，就把神的丰富显明了，也把神的完全认识过来了。

1、聚会生活

聚会是教会生活的一个内容，使神的儿女们能以一同追求，没有一个对聚会疏懒的人能在基督里长进。在聚会里听道叫我们多认识主，在聚会里参加事奉叫我们的生命得着操练，也在事奉的时候经历主的供应和信实。只参加听道的聚会，或在聚会里只要听道的基督徒，他们在聚会生活上存着一个大漏洞。聚会不是为着应付主，也不是为了应付人，更不是要应付自己的良心，聚会是教会生活的一环，使我们能与众圣徒一同明白神丰盛的恩眷，我们该把聚会（包括听道和事奉）这件事操练到一个地步，成为我们的生活中不可缺的内容。

2、交通生活

在一同追求的路上，不单有聚会生活，还要加上交通生活。聚会是先有安排，交通却随时都可以。神的儿女该彼此常有交通，在交通中彼此造就，一同祷告。交通不一定要很大的规模，三几个弟兄在一起就可以交通，或是一同唱唱诗歌，或是谈论属灵的领受；或是交通出个人里面的光景，或是一同俯伏等候前面的道路，很自由释放的生活在一起。在聚会以外有交通的生活是十分需要的，不要让俗事占尽我们的时间，也不要让空下来的时间无无聊聊的打发掉，求主给我们里面有催促，愿意和别的肢体有交通，在交通的生活中彼此建立。

二、一同事奉

教会生活也可以说是事奉神的生活，神的儿女在一起，就引出事奉神的需要。事奉不是少数人的事，而是全教会的事，或者说是每一个蒙恩得救的人的事，教会长进得好或是不好，就看神的儿女把自己摆进事奉的光景是怎样。摆进事奉的人多，教会就蒙福；摆进事奉的人少，教会就冷淡退后。神把几种造就教会的恩赐——使徒，先知，传福音的，牧师和教师——赐给教会，目的就是要叫神的众儿女各站自己的岗位去事奉主，建立基督的身体。（参看以弗所书 4:9~12）

1、建造灵宫的活石

神给我们看见，他把教会比喻为灵宫，我们信主的人就是建造灵宫的材料——活石。"你们来到主面前，也就像活石，被建造成为灵宫，作圣洁的祭司，借着耶稣基督奉献神所悦纳的灵祭。"（彼得前书 2:5）这引出事奉的问题。我们是建造的材料，每一件材料都有它的固定位置，每一件材料都安放在准确的位置上，它就能在那位置上发挥它的效用。反过来说，一些材料不放在该放的地方，那里就有漏洞，那里就有缺欠。比方说建一堵墙，欠了几块砖，那墙还是可以马虎的建起来，但是里面有空洞，不完整，也许等到有一天，这堵墙漏水了，甚至是塌下来，就因为缺一些砖的缘故，神把我们招聚来，都给我们有合宜的位置，要我们站在那位置上发挥我们的效用，这个位置就是我们事奉的岗位。我们要看见，若不与众圣徒一同事奉，就叫教会的建造工作有缺欠，有漏洞，我们是活石，我们不能离开我们该事奉的位置。

2、正常工作

赛跑开始的时候，每个参加比赛的运动员都必须各就各位，并且还要按规定的跑道跑。我们在教会中一同事奉也该如此，各人站好各人的事奉位置，没有一个人没有事奉。位置站好了，就按着各人的效用来作工。"凡事长进，连于元首基督，全身靠他联络得合式，百节各按各职，照着各体的功用，彼此相助，便叫身体渐渐增长。"（以弗所书 4:15~16）各人照着自己所该作的和所能作的一同来作，没有一个人不作工的。"彼此相助"的另一个译法还有"正常工作"的意思。每一个神的儿女所得的恩赐不一样，每一种恩赐所显出的功用也不一样，各种恩赐都正常的显出功用来，神的教会就得着建立。不要轻看自己所得的恩赐，以为太小就不参加事奉。螺丝钉虽小，但是缺欠一枚螺丝钉，就叫一部汽车开不动。恩赐大就多作一点，恩赐小就少作一点，每一个神的儿女都正常使用自己的恩赐，教会的生活就活泼而丰富，基督的身体也就渐渐增长。

说到要好好的运用恩赐，我们就得先好好追求生命的长进。因为活在肉体辖制下的人，恩赐的运用就会出岔的，不是闯过了自己所有的恩赐的范围，抢夺了别人的事奉，就是要借着"事奉"来显自己为大。要记得，教会的事奉不是少数人包办下来的，而是众人一起来服事主。所以，在教会中学习事奉的人，不要像世人一样争高位，而要实实在在的完成事奉。

三、一同献上

以色列人在旷野建造会幕的历史，正好表明教会生活的光景。会幕的建成是根据众百姓的一同献上，（参看出埃及记 35:20~29,36:2~6）他们在献上的事上，一直向着耶和华来献上，自己献上，别人也献上，大家都一心一意的为神献上，只要是神所要的，就毫不保留的献上。我们在教会生活中也该这样，大家一同学习照着神所要的献上，与众人一同献上。

1、不要轻看或嫉妒弟兄

没有一个人能完全供应主的需要，神也借着教会的生活来让我们认识，只有弟兄们同心连起来，互相配搭，才显出神在供应上丰富的预备。"但如今神随自己的意思，把肢体都各安排在身上了。若都是一个肢体，身子在哪里呢？但如今肢体是多的，身子却是一个。眼不能对手说，我用不着你。头也不能对脚说，我用不着你。不但如此，身上肢体人以为软弱的，更是不可少的。"（哥林多前书 12:18~22）神让我们看见不该挤开弟兄，在一同献上的功课上，我们不能没有弟兄。弟兄所献上的也许不多，但他所献的正好补上你要献却献不来的。神在教会生活中要我们懂得活在弟兄中，与弟兄一同献上主所悦纳的，才能显出神所要的完全来。他叫我们学习不轻看弟兄中最小的一个，也不要嫉妒弟兄，要让我们领会，不能好好的与弟兄们活在主面前，教会生活便活不来。

2、献上自己所有的

神让我们学习一同献上，为要叫我们好好的活在肢体的配搭中来成就神的心意。神把各样东西托付给我们，他就要我们按我们所有的献上。比方说，一个弟兄受主差遣去作福音开荒的工作，他缺少旅费和生活的需用，而你却是富余的，你就把弟兄的需要献上给主，弟兄就出去了。弟兄在主面前献上的是人，你在主面前献上的是财物，但在这福音开荒工作上，你与弟兄是一同献上去，完成了神的计划。又比方说，有姊妹落在悲痛里，你把你的同情献上给主，主使用你叫姊妹受安慰，就叫全教会因姊妹得安慰也得了安慰。我们学习一同献上自己所有的，就使教会充充足足的充满了神荣耀的丰富。

四、一同担当

教会生活中最叫人受安慰的，就是神要我们学习与肢体一同担当各样的事，显出我们实在是在身子上各自作肢体。"但神配搭这身子，把加倍的体面给那有缺欠的肢体，免得身上分门别类，总要肢体彼此相顾。若一个肢体受苦，所有的肢体一同受苦；若一个肢体得荣耀，所有的肢体就一同快乐。你们就是基督的身体，并且各自作肢体。"（哥林多前书 12:24~27）这是一个生命的功课。神把肢体的感觉和感情放在我们里面，叫我们感觉肢体所感觉的，手指是身体的一部，但是手指受伤了，不光是手指在疼，全身也觉得不舒服。饿了就要吃东西，吃饱了，不光是胃觉得满意，连全人都有了力气与精神。神就在教会生活中造就我们作这个身体的见证。

弟兄有难处，众人就在祷告中卸下他的重担，也在实际上给他合宜的帮助。弟兄有软弱，我们就在主里面有劝勉，也彼此劝勉。我们就是在教会中学习把弟兄的事看作是自己的事，各人都把自己向弟兄敞开，各人都学习担当弟兄的难处。"你们各人的重担要互相担当。"（加拉太书 6:2）不单学习担当弟兄的重担，也学习让弟兄们担当自己的重担，这样子来享受肢体是主所愿意在他儿女们中间看到的，这样就显明了基督身体的见证。当日马其顿的众教会供应犹太地的教会的缺乏，（参看哥林多后书 8:1~4）是一件十分美的事，也是教会的见证。弟兄与弟兄之间，各处的教会彼此之间，都在神面前学习"一同担当"的功课，神的荣耀就要充满在教会里，教会生活就见证了教会是基督的身体。

神借着教会生活来破碎人的自己，对付人的肉体。人不肯受对付，他一定是活在自己的小天地，而不能摆进教会生活里。在新天新地里，教会成了新耶路撒冷。（启示录 21 章全章）那时，教会充满了神的丰富与荣耀，与神完全的联合。"城内的街道是精金，好像明透的玻璃。……那城内又不用日月光照，因有神的荣耀光照。又有羔羊为城的灯。列国要在城的光里行走，地上的君王必将自己的荣耀归与那城。……人必将列国的荣耀归与那城。"这一个大改变，是因着教会接受了神的造就与洁净，除掉了肉体的掺杂，增添了神的成份。教会生活就是教会受造就与得洁净的过程中的重要内容。求主帮助我们看见教会生活，也活进教会去，因为神要把教会洁净，"作个荣耀的教会，毫无玷污皱纹等的病，乃是圣洁没有瑕疵的"（以弗所书 5:27）献给基督作新妇。

第三十四章
你们要彼此相爱

读经:

"我赐给你们一条新命令,乃是叫你们彼此相爱。我怎样爱你们,你们也要怎样相爱。你们若有彼此相爱的心,众人因此就认出你们是我的门徒了。"(约翰福音 13:34~35)

"从来没有人见过神。我们若彼此相爱,神就住在我们里面,神的爱(直译)在我们里面得以完全了。……这样,爱在我们里面得以完全,我们就可以在审判的日子,坦然无惧。……人若说,我爱神,却恨他的弟兄,就是说谎话的。不爱他所看见的弟兄,就不能爱没有看见的神。爱神的,也当爱弟兄,这是我们从神所受的命令。"(约翰一书 4:12,17,20~21)

主在被卖的那一个晚上,与门徒共进晚餐的时候,主拿了一盆水来,又用手巾束腰,就亲自给门徒洗脚。洗完以后,主对他们说,他虽然是他们的主,他仍然服侍他们。他在门徒面前降卑自己,给他们一个榜样,要他们学习彼此服待。主这样作,就叫我们这些跟随主的人体会出主是何等迫切要我们活出神的爱来。在这事的同时，主郑重的吩咐了门徒："我赐给你们一条新命令，乃是叫你们彼此相爱。"（约翰福音 13:34）神的儿女若不活在彼此相爱里，那就亏欠了主，也亏欠弟兄。

一、彼此相爱的需要

1、主的命令

这是一个最简单的提醒：主嘱咐他所救赎的人都要彼此相爱。我们若是讨主喜悦的，又是甘心顺服主的人，我们就不必再掺杂其他的理由，只要看见这是主的命令就够了。认定是主的命令，就算再没有别的解释或理由，我们也当乐意的遵行。因为"爱神的人也当爱弟兄。"

2、将神显明出来

人的天性都是以自己为中心，以自己的利益为前题。也就是说，人不会爱与自己的利益无关的人，更不会无偿的服侍人。神让他的儿女们甘心情愿的顾念别人，在人以为太难的事上舍去自己，像主为我们舍己一样。主就说："你们若有彼此相爱的心，众人因此就认出你们是我的门徒了。"借着神儿女的相爱，就叫人晓得神是实在的。若不是神实在的作了工，自私的人怎会成了忘记自己而爱顾别人的人呢！有一位弟兄信主，上因为在学校里看见基督徒彼此相爱相助，心里就受了吸引而寻找主。爱叫人碰着神而认识神。

3、神得安息

"我们若彼此相爱，神就住在我们里面。"（约翰壹书 4:12）这话大有意思。我们蒙恩得救的时候，神住进我们里头去是没有问题的。但这里好像给我们看见，神住在我们里面是有条件的，那就是彼此相爱。其实这不是条件，而是说出我们若彼此相爱，神就安然的住在我们里面，是说出神在我们里面住得舒服不舒服的问题。在创造的工作中，神已经安息了，在救赎的计划中，神还不能歇下他的工作，也就是说，神仍然不能在救赎上得着安息。但是他却说，我们若彼此相爱，他就享到安息的滋味。我们是神的儿女，我们是活在神的家中，没有相爱的家实在是叫人烦恼的。神为着救赎我们，连自己独一的儿子都舍弃掉，他爱我们到这样深的地步，叫我们享用了在救恩里的安息，难道我们不能体贴他的心，彼此相爱，叫他也因着我们相爱而享用安息吗？

4、完全神的爱，除去审判的恐惧

我们得救是接受神的爱，但这爱在我们里面还没有到完全的地步。神给我们看见，"我们若彼此相爱"，不单是"神就住在我们里面"，并且"神的爱在我们里面得以完全了"。事实上真是如此，神的爱在我们里面满溢的时候，就是我们懂得爱弟兄的时候。越爱弟兄，神的爱在我们里面就越满溢，神的爱越满溢，我们在神的面前就越坦然；现今活在神的脸光中，我们里面没有控告；将来站在神审判台前，也没有定罪的事。因为活在弟兄相爱里的人，他们是脱离了肉体的辖制，单单靠着主的生命来活，他们的生活在神面前就不会出岔子。

二、弟兄相爱的逆流——肉体显大

我们遵从主的话去学习过相爱的生活并不是没有阻力的，这阻力是来自人的肉体。肉体是引导人寻求自己的利益，或者是对付别人，或者是限制自己，叫自己不能去爱弟兄。从外面来看，要爱弟兄就一定是我自己有损失；要帮弟兄的忙，就一定叫我自己有牺牲，叫我所有的减少。比方说，我要接待弟兄，很可能我日常的生活规律就受打扰；我的物质享用就要与弟兄平分。这样子是人的肉体所不甘愿的。又比方说，我要劝勉一位失败的弟兄，好让他悔悟就回转归向主，我就感到很难为情，也害怕他不肯接受，反倒把我臭骂一顿。这一种的担心也是出自肉体的作怪。总的一句话说，肉体一直叫人寻找自己的舒服，拒绝自己的减少。因此，要学习弟兄相爱，就得严正的对付人的肉体，不叫它有活动，以致造成阻挡我们顺服主的力量。

有几个弟兄一同落在极其困苦的处境中，健康的情况十分坏，当中的一个已经变得不像人的样子。另外的一个弟兄手上还有一些维他命丸这类的东西，他的健康算是比较好的一个，他看到那一个弟兄的光景，里面就有催促要分些维他命丸给那弟兄。但是要给多少呢？他也想到自己的需要，他也想到前面还有很长的日子。给一半吧，不能解决那弟兄的问题。要给就全部给，这样就有许多的考虑，甚至考虑到一个地步，索性不给就算了。可是看见弟兄的样子，里面的催促不肯停止，经过了很厉害的挣扎，他终竟不给肉体辖制自己，把全部的药丸给了那弟兄，叫那弟兄不至衰残至死。过了不久，他们也一同脱离了那苦境。不要让肉体有活动的机会，靠着主来胜过它，我们才能学习过彼此相爱的生活；稍微多看自己一下，就不能赶上主的心意。

三、相爱是生命的流露

"看啊，弟兄和睦同居，是何等的善，何等的美。这好比那贵重的油，浇在亚伦的头上，流到胡须，又流到他的衣襟。又好比黑门的甘露，降在锡安山。因为在那里有耶和华所命定的福，就是永远的生命。"（诗篇133篇）弟兄相爱是生命的流露，又是在神眼中看为美的事，满有神的膏油，也叫人大得滋润。不少神的儿女在生活里失去喜乐，不是因为犯罪，也不是停止了追求，而是因为没有活在彼此相爱里。他们的生命没有找到出口，就闭塞停滞下来。主说，"这些事我已经对你们说了，是要叫我的喜乐，存在你们心里，并叫你们的喜乐可以满足。你们要彼此相爱。"（约翰福音 15:11~12）生命没有出口就把喜乐的源头闭塞了，我们若活在彼此相爱里，生命就有了流露，我们的喜乐也有了满足。

有一位姊妹，她住在城东，另一位姊妹带着几个孩子住在城西，靠着从工厂接回来的车衣工作过活。有一次，这个姊妹病了，一家大小都缺人照顾，连生活都成问题。住在城东的姊妹知道了这事，就跑到城西去，替那姊妹看顾孩子，也替她把接回来的工作作好，一直到那姊妹痊愈。有人对那住在城东的姊妹说，"你有空去替别人作事，为什么不为自己多赚点钱呢？"那姊妹回答说："我的生活过得去就够了，我不想给赚钱的事辖制我。主为我舍了命，我现在为姊妹花点力气，并不是怎样了不起的事。如果我不这样作，我就亏欠那姊妹了。"彼此相爱不是讲外面的理由，而是生命在人里面的催促。

又有一位弟兄，他的环境并不太好，而且是在半养病的光景中。有一次，好多个与他在一起的弟兄姊妹因事都到乡下去。几个月以后，弟兄们都回来了，这位弟兄就为他们预备了许多美食，请弟兄们到他那里去有点交通。弟兄们接受这样的款待，心里觉得很过不去，因为他们知道这弟兄在经济上并不宽裕。那弟兄领会弟兄们心里的想法，就对他们说："弟兄们下乡几个月，都饿瘦了回来，我总该为你们预备一点食物才是，我虽然不富足，但主给我有这个能为弟兄费财费力的机会，我就得给弟兄们一点服侍。这是主的恩典。"里面的生命丰富，外面就顶自然的会去服侍弟兄们。彼此相爱并不是教条或律法，而是生命的流露。没有里面爱的生命，人在外面是勉强不来的。虽然知道要彼此相爱，但是实际上却爱不来。里面有了爱，不爱弟兄就过不来。我们属灵的生命长大，我们就会觉得弟兄们可爱，我们就自然而然的活在弟兄相爱里。

四、几样具体的操练

"我们相爱，不要只在言语和舌头上，总要在行为和诚实上。"（约翰壹书 3:18）爱心的生活不是道理，它有实实际际的内容的。我们不单是为着弟兄们祷告，也按着主的心意有实际的操练，给主用着来显明主的爱，也一同享用主的爱。

1、不要塞住怜悯的心

许多别的宗教徒，除了部份以善事来沽名钓誉的以外，不少人在他们的宗教观念下也会表露怜悯和同情。我们称为神儿女的人，更当在给人怜悯和同情上操练自己。"凡有世上财物的，看见弟兄穷乏，却塞住怜悯的心，爱神的心怎能存在他里面呢？"（约翰壹书 3:17）神给你看见弟兄有需要，你却对他说；"仰望神吧，神会给你预备。"当然，这个劝勉是对的，但是神却要用你去给弟兄预备。因为他给你看见弟兄的缺乏，你就当顺服主去供给弟兄，不要因为你要拿出去就塞住怜悯的心。只有嘴唇上的相爱，不单是得罪主，也惹起人心里的顶撞，这种光景是要不得的。总要记得，我们作在弟兄中最小的一个身上，就是作在主的身上。（参看马太福音 25:40）

2、饶恕弟兄

主曾经对门徒说，要饶恕弟兄"七十个七次。"（参看马太福音 18:22）那就是说我们该绝对的，无条件的饶恕弟兄，因为我们的神是完全的赦免了我们。弟兄若是得罪了我们，我们承认，在口头上饶恕是很容易，但在心里总不是味道。但是主要求我们要饶恕弟兄，不要把弟兄囚禁在我们的心思里，不肯释放他。我们若不肯饶恕弟兄，我们在神面前定规不能交通，因为在我们的里面有障碍，有怒气。"你们各人，若不从心里饶恕你的弟兄，我天父也要这样的待你们了。"（马太福音 18:35）

要是你得罪了弟兄，你就得向弟兄求饶恕，因为你把弟兄的心伤了。你既是学习爱弟兄，你就不该叫弟兄的心因着你的缘故一直受伤下去。你要找着弟兄，衷心的向他认罪求饶恕，你说："弟兄，我得罪了你，伤了你，请你饶恕我。"主的话也提醒我们，"所以你在坛上献礼物的时候，若想起弟兄向你怀怨，就把礼物留在坛前，先去同弟兄和好，然后来献礼物。"（马太福音5:23~24）不向弟兄求饶恕，我们在神面前的路就走不通，神也不悦纳我们。

教会蒙福常是因着神的儿女彼此饶恕，中间没有阻隔，教会就活在同心里。在这样的光景中，神的工作便没有阻挡。

3、挽回弟兄

"有谁软弱，我不软弱呢？有谁跌倒，我不焦急呢？"（哥林多后书 11:29）保罗心里的意念何等宝贝，一面显明他对弟兄的记挂，一面也承认自己也是同样的软弱。我们也承认我们也是常有软弱的，因此对弟兄的失败和软弱，我们不是用论断和拒绝的态度，而且要用爱心把他挽回过来，为他迫切祷告，也当面劝勉他。如同保罗在加拉太的地方挽回彼得一样，（参看加拉太书2:11）"用爱心说诚实话"。（以弗所书4:15）

我们顶大的难处，就是觉得面对面说话太难为情，因此，对弟兄的难处没有说到他的里面去，我们该求主给我们看见，弟兄若得不着挽回，他的属灵前途就完结了。我们岂能眼巴巴的看着弟兄的属灵前途毁掉呢？为着把弟兄挽回过来，我们得诚诚实实的和他说话，不转弯抹角的在转圈子。"弟兄们，若有人偶然被过犯所胜，你们属灵的人，就当用温柔的心，把他挽回过来。"（加拉太书 6:1）挽回弟兄不等于沉重的责备，该用柔和的心体恤弟兄的软弱，有责备，也有安慰。过重的责备不但不容易挽回弟兄，反倒把弟兄推下去。

在爱心的功课上顶难学习的就是挽回弟兄，把弟兄的软弱看成是自己的软弱，又在软弱中寻找归回的路，这个操练是很不容易，但我们还是要操练。我们承认我们都是软弱的，我们需要弟兄的挽回与保护，我们也学习挽回并保护弟兄。

4、不绊跌弟兄

爱是不顾惜自己，只想到别人的好处与受造就。神把我们放在弟兄们中间，我们若不能给弟兄造就，就会给弟兄绊跌的缘由。因此，我们就得为着弟兄的缘故而学习约束自己。我们在主里长进，就会看见和尝到在主里的自己，但是为着软弱的肢体，我们就不好用尽这自由。"所以我们不可再彼此论断，宁可定意谁也不给弟兄放下绊脚跌人之物。"（罗马书 14:13）保罗在<罗马书>14 章和<哥林多前书>8 章里所论及吃祭过偶像的肉的事，正好给我们一个学习的好榜样。在保罗的认识中，偶像算不得什么，但并不是所有的人都有这个信心和认识。保罗若按他的自由来吃那些物，就会伤了软弱弟兄的良心。另外一个问题，那时在市上出售的肉，按当日的风俗，在屠宰的时候都是拜祭过偶像的，那怎么办呢？保罗明明的讲，他吃是没有问题的，但是他若吃了就叫一些弟兄跌倒，他就永远不吃肉，免得叫弟兄跌倒。因着爱弟兄而叫自己受约束，这是主所喜悦的，不要想我们在主里的自由被侵犯，只要想不给弟兄放下绊脚跌人的物。

你常常祷告是好的，但是你大声的祷告把别人的安静都破坏了就不应该。你歌颂主也是好的，但若你的歌颂妨碍了别人，你就该约束自己。这是爱心的功课，而不是片面的自由的问题。我们该操练自己，不在坏的榜样上绊跌弟兄，也不在好的事上用尽了自由，以至叫弟兄跌倒。许多事情对神的儿女来说，不是能不能作的问题，而是作得合宜不合宜的问题。为着弟兄的软弱，就是能作的事也不一定要作。

五、爱心的界线

主喜悦我们活在爱中，但是爱心却不是没有原则的，也不是没有界线的。有些愚昧的人常使用"没有爱心"这话来维护个人的短处，或是利用"没有爱心"这话来作要胁，使他们得着好处，我们可不能在"爱心"的幌子下便作出愚昧的事，纵容了罪恶，又受了人的骗。

爱心不等于漠视罪恶，爱心是有原则的。"爱是……不喜欢不义，只喜欢真理。"（哥林多前书13:6）碰到不义的事，就不能使用爱心；碰见不合真理的事，就不能用爱心作挡箭牌。《圣经》上明说："若有人不肯作工，就不可吃饭。"（帖撒罗尼迦后书 3:10）你若并上一个人，他是整天活在赌馆里，或者这人根本就是以行骗来维持他好逸恶劳的生活，他跑来向你求爱心的帮助，你该不该给他帮助呢？不应该，这不是爱心的问题，爱心的界限不许你这样作，你要作就是过了爱心的界限，变成了包容罪恶。

一个学生在考试时作弊，给教师发现，就给学校处罚了。事后，这个学生指责一位基督徒教师没有爱心。这种指责是没有根据的，这不是爱心的问题，而是公义的问题。爱心不能破坏公义，破坏了公义的就不是爱心。连神自己也不作这种破坏，他在爱里拯救我们，他也在他的爱子身上保存了公义。

爱是规规矩矩的，不是乱来的。你不能说我们彼此相爱，就随便拿了弟兄的东西当作是自己的。一切不合圣徒体统的事都与爱心合不来的。我们要顺服主追求彼此相爱，我们也要在真理里，在神的脸光中学习爱弟兄，让神的爱在我们里面完全。叫我们在弟兄中间学习"有了爱弟兄的心，又要加上爱众人的心。"（彼得后书 1:7）好使我们"丰丰富富的，得以进入我们主救主耶稣基督永远的国。"（彼得后书 1:11）

第三十五章
火炼的试验

读经:

"弟兄们，我们该为你们常常感谢神，这本是合宜的，因你们的信心格外增长，并且你们众人彼此相爱的心也都充足。甚至我们在神的各教会为你们夸口，都因你们在所受的一切逼迫患难中，仍旧存忍耐和信心。这正是神公义判断的明证。叫你们可算配得神的国，你们就是为这国受苦。"（帖撒罗尼迦后书 1:3~5）

"我受苦是与我有益，为要使我学习你的律例。"（诗篇 119:71）

许多人肯定了宗教是人逃避现实的工具，事实上也真有不少人为要寻找精神寄托来接受宗教。在一般的宗教里也许会给人有这样的错觉，但是对于神的儿女来说，全然不是这么一回事。人若是要逃避现实相信主耶稣，他定规要失望的。因为主明明的说："在世上你们有苦难。"（约翰福音 16:33）又有话这样说，"亲爱的弟兄啊，有火炼的试验临到你们，不要以为奇怪。（似乎是遭遇非常的事）。"（彼得前书 4:12）就是说，在跟随主的路程上，神的儿女免不了要经历许多的苦，受人无理的反对，粗暴的践踏与对付，身心灵都在受摧残的光景中。为什么神容让神的儿女落在苦难中呢？这是许多人心里的疑问，也是神儿女要明白过来的事情，不然，我们就无法走上主的道路。

一、苦难的来源

一般人信教，目的是要在今生的生活中趋吉避凶。但神却不让我们存这样的心，反倒借着苦难来作工在我们身上。有人会说，信耶稣信出苦难来，我才不要信耶稣呢！"我们不是主张苦行的，但我们不能不指出，讲这种话的人并没有真正的认识救恩，他们只贪求眼见的福乐，这些不是神所要作的，我们若对苦难的来源有了了解，我们就会深深的知道，"受苦是与我有益"的，我们就不会以苦难为讨厌又可怕的事了。

1、神的管教

神拯救我们，为要叫我们成为圣洁，彰显神的荣耀。我们承认由于自己的愚昧，不单没有跟上神的心意，甚至常落在犯罪的光景中，顶撞神，又败坏自己。神给我们光照，我们却仍旧坚持自己的愚昧。神爱我们，不许我们积累亏损，神就伸出手来管教我们，如同作父母的管教顽劣的孩子一样，为要掉转我们的脚步，不再向罪恶里走。主会叫我们遇见极其难堪的事，或者让我们长久卧病，或者在意外中使我们受损失，或者是闭塞了我们的道路，甚至使我们落在绝望的击打里。神这样作，目的是要我们转回，离开背逆的路。"我儿，你不可轻看主的管教，被他责备的时候，也不可灰心。因为主所爱的他必管教，又鞭打凡所收纳的儿子。你们所忍受的，是神管教你们，……是要我们得益处，使我们在他的圣洁上有份。凡管教的事，当时不觉得快乐，反觉得愁苦。后来却为那经炼过的人，结出平安的果子，就是义。"（希伯来书 12:5~11）

2、撒但的攻击

神的儿女在神面前长进，是撒但最不喜欢的。神儿女的蒙福就是见证了它的失败，因此，在我们跟随主的路上，它常把手伸进来，叫我们受苦，给我们许多的折磨，挑起人的误会来对付我们，鼓动人的怒气来践踏我们，甚至连我们的性命也要夺去，迫着我们经过死荫的幽谷，使我们丧失我们所有的，目的是要我们活在伤心愁苦里，就背逆主，离弃神的道路。《旧约》的<约伯记>就给我们看见撒但击打神的儿女的事实，不过撒但的击打不能越过神的界限，我们站在神这一边，至终我们要看见，撒但的击打要引来神的祝福。

3、神的造就

　　神的儿女遇见难处，有时和上面所说的两个原因毫无关系，而是纯粹出于神的造就。神要把我们造就成他手中合用的器皿，除掉我们不合他心意的事，或者是要我们更深的认识他，经历他，使我们的生命成熟，他就把我们放进苦难的熔炉中，炼净我们的渣滓。人在安逸的环境中，很少机会经历神的，即使神不向人显现，人也可以过得去。没有几个人愿意丢弃安逸去经历神，但神却不愿人长久作个愚昧人，永远在属灵的事上作婴孩，不能体贴神的心意去作成主的计划，神就兴起难处来造就人。《旧约》的约瑟被卖，被诬告，被遗忘，明显是神的手所作的；大卫受扫罗的追赶，长久的流离，也明显是神的安排。他们所受的苦，不是出于人的愚昧，也不是出于撒但的抵挡，而是神在他们身上的造就，使他们经历极重极深的破碎，就成功了神合用的器皿。

二、苦难是神手中的工具

　　不管受苦的源头是什么，苦难的方式在外表上是十分相似的。但是不管是什么样的难处，是出于主的手的，或是由于主所允许的，它们都带着神的美意在里面。所以我们不要从外面来认识苦难，求主明亮我们的眼睛，叫我们看见，"万事都互相效力，叫爱神的人得益处。"（罗马书 8:28）既然说是万事，当然也包括受苦的事，因此在受苦的事上，我们来学习接受神的美意。

1、使我们配得神的荣耀

神拣选我们，为要造就我们的生命进到丰盛，叫我们与他的儿子一同得荣耀。这是神的恩典的至高点。我们回看我们自己，我们都不得不承认，我们实在是不配。我们不像主，我们又满了旧造的气味，根本不可能摆进神的荣耀里。神怜悯我们，他借着难处来修理我们，除掉我们的不洁和不义，在我们这些不配的人身上，给我们一个配的应许，"如果我们与他一同受苦，也必和他一同得荣耀。"（罗马书 8:17）借着我们经过苦难，神就承认我们配得他的国。

2、经过苦难进到完全

我们的主在受苦的事上给我们一个很明显的榜样，"原来那为万物所属，为万物所本的，要领许多的儿子进入荣耀里，使救他们的元帅，因受苦难得以完全。"（希伯来书 2:10）这不是说神的儿子原来不够完全，要经过苦难才得完全，而是说他因为经过苦难就把他的完全显出来。我们并不是完全的人，也是不肯甘愿追求作个完全人，而是贪恋本相里的舒服。神就借着各样的难处，各种的环境来对付我们，叫我们脱落我们本相里的东西，使我们增加属灵的份量。有一位弟兄，很讲究吃的享受，稍微劣一点的饮食都叫他不开心，他是被饮食辖制了。神要把他这一样对付掉，给他一个环境，能吃饱都不容易，更不必说要吃好的。经过一段时期的磨炼，这弟兄真的从里面脱离了饮食的辖制。又有一位弟兄，性情很刚烈，满了肉体里的正义感，常常无情的伸出指责人的指头，叫人受不了。神不许他凭自己而自傲，就把他放在一些凶残的人中间，叫他吃了不少的苦。有了受苦的经历，这弟兄对人傲慢的指责失掉了，而换上带着体恤的劝勉，叫受劝勉的人心里佩服而归向主。

"因为在肉身受过苦的，就已经与罪断绝了。"（彼前四章一节。）在经过苦难的日子里，人的软弱与愚昧必定全然显露，人平日以为可恃的，在苦难的日子里全无用处，就把人的本相毫无掩饰的显出来。人要不肯承认自己的无有也不行，人对自己的败坏就能认识得更深刻。另一方面，神在我们受苦的日子向我们所显的恩慈，信实，安慰与扶持，叫我们只能真实的靠他，经历他。因为在这种光景下，除了靠主以外，人真的是无依无靠。在受苦的日子中，神在剥夺，雕刻，修理，又在造就，把他自己充实到我们里面去。

3、十字架的道路——苦难

跟随主的道路称为十字架的道路，借着苦难就把十字架的工作显出来。但是苦难不一定是十字架。十字架的功效是叫人死，停止人的活动，因为钉在十字架上的人不得不死，也不得不停止活动。我们这些与主同钉的人，在属灵的事实上是已经死了，因此神就借着难处来在我们身上显出死的实况。所以越是跟随主的人，越是多遇见难处，而这些难处又丰满了我们属灵的份量。"凡立志在基督耶稣里敬虔度日的，也都要受逼迫。"（提摩太后书 3:12）"我们进入神的国，必须经历许多艰难。"（使徒行传 14:22）神已经如此定规了，叫我们经过许多的苦难来接受十字架的对付，叫我们降卑，无有，然后叫我们得高举，得丰满。因此我们不要随己意逃避，反倒在难处中接受神的造就，面对难处来经历神的恩慈。主怎样接受十字架的苦难而走向最低，神又把他升为至高，我们走主道路的人，也是如此的走过苦难而进到荣耀，因为苦难路程的终点，就是主自己和他的荣耀。

三、要看见神的手

基督徒的路程既然是与苦难分不开，我们就该懂得接受苦难。会接受苦难，苦难就成了神赐下来的化装了的福庇；不会接受苦难，苦难就真的成了难当的重担。

不是说会接受苦难，苦难就会过去；而是说，在苦难中看见了神的手，人就能在喜乐中渡过苦难，外面所遇上的是不容易的事，里面却有一颗平静安稳的心。

1、都在主的旨意下

没有一样事临到我们身上不是先经过主的手的，不管是主的命定，或者是主的允许。若是主不点头，就不会发生在我们身上。"五个麻雀，不是卖二分银子吗？但在神面前，一个也不忘记。就是你们的头发也都被数过了。不要惧怕，你们比许多的麻雀还贵重。"（路加福音 12:6~7）神既是这样记念我们，我们就看准了，我们所能遇见的一切，都是在神的旨意里，我们就能在患难中安息。

一位弟兄为着主的缘故被人下在监里。日子一长久，他里面就有点黑暗，他想到自己的遭遇，他想到他的前面的日子，就落在自怜里，愁苦了好几天。他愚昧的质问主：为什么让他受这样的对待，为什么让他这样无声无息的消失掉生命。许多的问号在他心中盘旋，叫他苦得受不了，要哭也没有眼泪。几天是这样的过去，心里黑暗到了极处。一天清早，主的话闪进了弟兄的心思里，"你所定的日子，我尚未度一日，你都写在你的册子上。"（诗篇 139:16）主的话一来，弟兄的里头就明亮了。他有把握的知道他是行在神的旨意中间，他遇上这种环境就对了。他立时向主祷告说："主啊！我现今是活在你的安排中，前些时，我愚昧了，我埋怨了你。赦免我！主，你看我该在这里多久，就叫我停在这里多久吧！就是死在这个地方，我也不拒绝；就是地上的人忘掉了我这个人，也不知道世上曾经有过我这个人，我也不计较，只要我不走出你的安排就好了。……"经过这一下光照，弟兄的喜乐给恢复过来了，再没有黑暗，也没有愁苦，一直到主给他释放的日子。

2、都有神的管理

神允许神的儿女经过难处，但神却不允许他所预先定规的范围以外的东西加进患难里，他管理着我们的遭遇的时间，内容和程度。我们受不了的，他就限止着难处的加深。他许可难处发生，目的是造就我们，如果在我们身上不显出造就的效果，而只有败坏我们信心的，主都不许可发生。"人的忿怒，要成全你的荣美。人的余怒，你要禁止。"（诗篇 76:10）神是十分有分寸的神，他量给我们的，不会多一点，以至我们受不了；也不会少一点，以至我们失去恩典的造就。

一个姊妹，连二接三的受到人无理的践踏，再加上缠绵在她身上的慢性病，她好不容易打发她的日子，她觉得是神亏待她了，她向神求死，在神面前撒赖。那时候神真像向她隐藏了，直到她要活下去的力气都没有了，整个人都要松散了，神就出人意外的挪去了她的难处，苏醒她的心灵。这姊妹又站起来了，不光是自己站起来，反给神用着去扶持那些同样愁苦的弟兄姊妹，成了肢体的安慰。

神从来不误事，在他所要作的事上，都不缺少他的管理，看顾，怜恤，同情和安慰。"神啊，你曾试验我们，熬炼我们，如熬炼银子一样。你使我们进入网罗，把重担放在我们身上。你使人坐车轧我们的头，我们经过水火。你却使我们到丰富之地。"（诗篇66:10~12）

3、进到结局

"弟兄们，你们要把那先前奉主名说话的众先知，当作能受苦能忍耐的榜样。那先前忍耐的人，我们称他们为有福的。你听见过约伯的忍耐，也知道主给他的结局，明显主是满心怜悯，大有慈悲。"（雅各书5:10~11）经过苦难，顶要紧是要进到主所要的结局。我们老老实实的承认，没有人喜欢受苦的，任何人都想逃避受苦，因为受苦的滋味是不好熬的。但是在人的一生中，绝对的逃避难处是不会有的事，因此神的儿女们就要学习靠主来面对难处，并且在难处中忍耐。这也是主的提醒，"在患难中要忍耐。"（罗马书12:12）仰望主就得着忍耐的力量。忍耐是要叫我们进到主的结局。许多弟兄实在尝到不少的苦，但是却没有进到结局。从难处里出来，人是受过很深的折磨，里面却仍旧是冰冷生硬，受苦是白受了，受苦的经历也真是够他苦的，因为在受苦的年日里没有站在神这一边。看见了主的作为，就忍耐直到进入结局，这是神的儿女们在受苦中要向主求的。约伯的结局就是，"从前我风闻有你，现在亲眼看见你。因此我厌恶自己。"（约伯记 12:5）他进到了神的结局，他自己减少了，神在他身上却增加了。我们不要在受苦的光景中叹息自怨，求主让我们的头抬起来看他，忍耐直到进入结局，不叫在受苦中的眼泪落在虚空里，让主把它们装在他的皮袋里，等他亲自来擦干我们的眼泪。

四、不要自己找苦

有一位姊妹看了"馨香的末药"这一本书，就很爱慕受苦的经历，也渴想得着十字架的对付，因此就立意苦待自己，结果十字架的经历得不到，却弄得她自己苦不堪言，一点喜乐也没有。我们要记得，受苦若是出自人的愚昧，自己制造一些苦，那是没有意思的。十字架的经历是由于神的安排和人的顺服而来，十分自然，毫无造作的。我们可以在主面前渴望经历十字架，而不能为自己造出十字架来，十字架是神借着别人的手在我们身上作的。因此，我们若不是与基督一同受苦，那就是徒然了。"你们中间却不可有人，因为杀人，偷窃，作恶，好管闲事而受苦。若为作基督徒受苦，却不要羞耻，倒要因这名归荣耀给神。"（彼得前书 4:15~16）基督徒不是苦行主义者，但是他们却藉着主所安排的难处来接受神的丰富。

五、受苦的心志

神早就给我们看见，神儿女在地上所走的路是窄的，宽的路不是通往神的宝座去。（参看马太福音 7:13~14）虽然我们不是时刻都活在受苦中，但我们却不能不常有一个对的态度来活着。"基督既在肉身受苦，你们也当将这样的心志作为兵器。"（彼得前书 4:1）里面有了受苦的心志，我们就不会给患难吓倒而不走主的路。一首诗歌里有这样的话，"我的荣耀还在将来，今日只有忍耐；我决不肯先我的主在此世界得福。"对的，我主在这世界所得着的是苦，是死，是弃绝，我们跟随主的人也不该想要从世界得着好处。所以，求主加添我们受苦的心志，叫自己在受苦中不被打倒，也在别人受苦的时候，我们会陪伴那些受患难的人，一同享用在受苦中的喜乐与安慰。

我们不追求受苦，但我们却准备为主受苦。受苦不是我们倒霉，而是主向我们敞开赐恩的门。求主使我们乐意从他手中接受他的安排，就是受苦也不推辞，以后我们就会看到受苦与国度的关系。为着主的名，为着国度，为着主先替我们受苦，我们就靠主学习不以受苦为可怕。经历过在主里受苦的弟兄都能向我们见证说："外面虽然有流泪，里面却是甘甜无比。"因为主不撇下我们孤单的去受苦，他要与我们一同受苦，也在我们里面承当我们的苦，又在受苦中成全我们，叫我们与他一同得荣耀。

第三十六章
主 再 来

读经:

*　　"你们心里不要忧愁，你们信神，也当信我。在我父的家里，有许多住处。若是没有，我就早已告诉你们了。我去原是为你们预备地方去。我若去为你们预备了地方，就必再来接你们到我那里去。我在那里，叫你们也在那里。"(约翰福音 14:1~3)*

*　　"当他往上去他们定睛望天的时候，忽然有两个人，身穿白衣，站在旁边说，加利利人哪，你们为什么站着望天呢?这离开你们被接升天的耶稣，你们见他怎样往天上去，他还要怎样来。"(使徒行传 1:10~11)*

*　　"你们是怎样的离弃偶像归向神，要服事那又真又活的神，等候他儿子从天降临，就是他从死里复活的，那位救我们脱离将来忿怒的耶稣。"(帖撒罗尼迦前书 1:9~10)*

　　基督徒的指望是什么呢？是要在地上得着高举，尊荣和富足吗？不是的，那些是在地上活着没有指望，只是等待死亡叩门的世人所追求的。那不是我们作神儿女的人的指望。一位弟兄说得好："我们不是等死，也不是等地上的难处完全过去，更不是等着在地上作大富大贵的人，我们是在等候主耶稣再来，接我们进入神的荣耀里。"帖撒罗尼迦的教会从开头就存着这样的指望，等候神的儿子从天降临。许多已死的基督徒的墓碑上，刻上"候主再来"，或"等候复活"等字样。这些都说出了神儿女们的荣耀盼望，我们的主到了一天，他再离开天上的宝座，降临到地上来，叫我们与他一同得荣耀。

一、主再来的应许

主要再来是个未来的事实，虽然还没有实现，但却没有减少它的真实性，因为主要再来是根据主自己的应许。主的应许从来没有落过空。他应许我们，相信接受他作救主，我们就必得救。我们按着他的应许相信了，我们就经历了赦罪的平安，又接受了他的生命。这是我们有过的实在经历，这经历是根据神的应许发生在我们的身上，我们犯罪，打断了我们与神的交通。神又应许说，"我们若认自己的罪，神是信实的，是公义的，必要赦免我们的罪，洗净我们一切的不义。"(约翰壹书 1:9)我们按着主的应许对付了自己的罪，神的信实就叫他的应许显出功效来，我们与神的交通就恢复了。这些经历一直在证实了神的应许的可靠，虽然是未见的事，但因为是神的应许，到了时候，就要成为事实。"神的应

许，不论有多少，在基督都是是的。所以借着他也都是实在的。"(哥林多后书 1:20)

主自己亲自应许说，"我若去为你们预备了地方，就必再来接你们到我那里去"(约翰福音 14:3)主升天的时候，神又借着天使向门徒应许说："你们见他怎样往天上去他还要怎样来。"(使徒行传 1:12)神在给约翰所见的启示里，又亲自宣告说，"看啊，我必快来。"(启示录 22:7)神接二连三的向我们指出主耶稣要再来的事实，他的应许就叫我们有把握的得着那将要来的荣耀的事实。我们今天在他的应许中盼望等候主再来，我们确实的知道，我们所等候的一定不落空，因为神的应许不能废去，即使地上的万事不断的变迁，神的话仍是句句坚定。

二、主再来的目的

主作好了救赎的恩典，已经升回天上去为什么还要再来呢？他再来是为着什么目的呢？我们早就看过，神的救赎计划不是满足于许多人得救，而是借着这些得救的人彰显他的荣耀，建立他自己的国度，叫神的权柄在宇宙中不再受阻挡，成全他从创世以前所定规的那个荣耀的计划。主再来就是把这个给撒但败坏了的万物和秩序纳回正轨。

1、领教会进入他的荣耀

主的教会在地上完成了主的托付，主就来接他的教会进他的荣耀去。这是神的定规："要领许多的儿子进荣耀里。"或者说，主如同新郎一样，来把他的新妇——教会——接进他的荣耀去。主不来，教会就仍然不能享用主完全的荣耀；主一来，教会就与主在荣耀中联合起来。"他显现的时候，你们也要与他一同显现在荣耀里。"(歌罗西书 3:4)所以，我们说，主再来是为着接教会进入他的荣耀。

2、建立他的国度

人犯罪堕落以后，神就不能在地上自由行使他的权柄，人也是无意接受他的权柄。人在地上掌权的结果，不光是敌挡神，并且在地上把世界弄得一团糟。人在那里多起来，那里就出现许多烦扰着人的问题。神的本意是叫人在他的权柄下活，完全享用他的丰富，虽然撒但唆摆人破坏了神的心意，但神没有停止恢复的工作。主教导门徒祷告所说的，"愿人都尊你的名为圣，愿你的国降临，愿你的旨意行在地上如同行在天上。"就是说出了神要在地上建立他的国度，重新让人享用他的安息与丰富。主借着教会把建立国度的条件预备好了，他就再来结束这个纷扰不安宁的世代，对付掉一切敌挡神的权势，就在地上建立平安与丰富的国度，好引进称作

"新天新地"的永世，叫归向神的人享用神自己直到永永远远。

三、主再来的预兆

主仍然与门徒同在的时候，主曾经对门徒说："但那日子，那时辰，没有人知道，连天上的使者也不知道，子也不知道。惟独父知道。"(马太福音 24:36)就是说，主没有把主再来的确实日子告诉我们。教会历史上曾有人多次预告主要在某一天再来，结果是大闹笑话。这是撒但败坏人对主再来的信心的工作。主明明说没有人能知道那日子，若有人肯定说出主来的日子，那人所说的就不是出于主。那么，我们能不能知道接近主要再来的时候呢？关于这一点，神倒是告诉了我们许多的预兆，叫我们看到这些兆头，就知道主来的日子已经临近了。我们从《圣经》上提一些兆头来看看。

1、自然灾害与人为的灾害的增加

"你们也要听见打仗和打杖的风声，总不要惊慌。因为这些事是必须有的。只是末期还没有到。民要攻打民，国要攻打国。多处必有饥荒，地震。这都是灾难的起头。"(马太福音 24:6~8，路加福音 21：)我们要注意的，不是偶然发生的局部地区性的战争与灾害成了主来的兆头，我们留意主是说"多处必有"这几个字，就是说主再来以前，地上普遍的有战争和战争的风声，也普遍的发生各种自然的灾害与瘟疫，这些灾害没有因着人在科学上的进步而减轻，反倒更普遍的出现。我们留心用主的预言来对比地上所发生的事，我们心里就会明亮，领会神所给的兆头。

2、社会充满犯罪的黑暗

"挪亚的日子怎样，人子的日子也要怎样。……又好像罗得的日子。"路加福音 17:26,28)在挪亚和罗得的日子，人都是沉迷在放纵情欲的生活里，不理会神的义怒，只管个人的肉欲的满足。神的话更具体的指出，"你该知道，末世必有危险的日子来到。因为那时人要专顾自己，贪爱钱财，自夸，狂傲，谤渎，违背父母，忘恩负义，心不圣洁，无亲情，不解怨，好说谗言，不能自约，性情凶暴，不爱良善，卖主卖友，任意妄为，自高自大，爱宴乐不爱神，有敬虔的外貌，却背了敬虔的实意。"(提摩太后书 3:1~5)我们看到全人类的道德丧亡，社会的风气普遍的趋向恶化堕落，社会犯罪的程度普遍加深，就该晓得这是主要快来的记号。

3、异端蜂起

"因为将来有好些人冒我的名来，说，我是基督，并且要为迷惑许多人。……且有好些假先知起来，迷惑多人。"(马太福音 24:5,11)许多挂着主的名字的似是而非的道理，在主来以前蜂涌的出现，而且传播得很快速，也受人欢迎。这也是主给的一个兆头。"因为时候要到，人必厌烦纯正的道理。耳朵发痒，就随从自己的情欲，增添好些师傅，并且掩耳不听真道，偏向荒渺的言语。"(提摩太后书 4:3~4)这类事实显在我们眼前，我们里面就该甦醒，知道现今就是主已经来近的时候。

4、以色列人回国

主要用着犹太民族在他们原来的土地上建立国家来作一个主再来的预兆，"当那日，主必二次伸手，救回自己百姓中所余剩的，……他必向列国竖立大旗，招回以色列被赶散的人，又从地的四方聚集分散的犹太人。"(以赛亚书 11:11~12)一个灭亡了两千年的国家，竟能在原来的国土上复国，我们岂能以为是小事呢？主的话明说，这事要发生在末后的日子，这事既然已经发生了，主再来的时候还会迟延太久吗？

5、天象的反常

"日月星辰要显出异兆，……天势都要震动。人想起那将要临到世界的事，就都吓得魂不附体。"(路加福音 21:25~26)气象的反常，也是主再来的记号。这不是说偶然的气象的反常，而是说，气象反常成了普遍又经常的事实。我们若留意这种现象现在已经持久出现了，我们就当心里明白是那日子已经很接近了。

6、神的儿女受逼迫

这事是由于人敌挡的情绪增强而发生的。"但这一切的事以先，人要下手拿住你们，逼迫你们把你们交给会堂，并且收在监里，又为我的名拉你们到君王诸候面前。……连你们的父母弟兄，亲族，朋友也要把你们交官，你们也有被他们害死的。你们要为我的名被众人恨恶。"(路加福音 21:12,16~17)这里所提及的，不光是无神论的人反对教会，并且是地上的政权与宗教的组织联合起来逼迫神的教会，在逼迫来到的时候，亲情都不复存在。这实在是非常的事，很明显的就能给人看见。我们看见这种事的时候，不要心里迷糊，忽略了这是神给人的记号，提醒神的儿女说，主再来的日子迫近眉睫了。

7、离道背教

"因为那日子以前，必有离道反教的事。"(帖撒罗尼迦前书 2:3)因着环境的凶残，否认信仰的事普遍出现，既使表面还保留信徒的名称，而心里早已离弃了神，这些现象也是主再来的微兆。

上面所提到的主再来的预兆，是《圣经》上所记载的，也是原则性的。还有其它的一些预兆，没有在这里全部提出来。即使是如此，我们已经能得着结论，那就是主再来的日子很近了，因为主所预言的事，已经陆续出现了。有一位中年的弟兄说，"也许我这一代还没有过去主就回来了。"真的，我们有理由存着这样的指望的。

四、主再来的光景

在基督教里的假先知给人一个错谬的观念，以为等到人努力建设了一个大同社会，那时候就是主再来的情形了。他们的意思说，主再来的光景就是消灭了社会一切不合理的现象。这不是神的话，而是鬼魔给人的不信的道理。我们从神的话中来看主再来的光景，大体来说，主再来可以分为两个阶段，头一个阶段是主来到空中，末一个阶段是主降临到地上。我们分开来看看这两个阶段内所发生的事。

1、信徒复活被提

"论到睡了的人，我们不愿意弟兄们不知道，恐怕你们忧伤，像那些没有指望的人一样。我们若信耶稣死而复活了，那已经在耶稣里睡了的人，神也必将他们与耶稣一同带来。我们现在照主的话告诉你们一件事。我们这活着还存留到主降临的人，断不能在那已经睡了的人以先。因为主必亲自从天降临，有呼叫的声音，和天使长的声音，又有神的号吹响。那在基督里死了的人必先复活。以后我们这活着还存留的人，必和他们一同被提到云里，在空中与主相遇。这样，我们就要和主永远同在。"(帖撒罗尼迦前书 4:13~17)当主来到空中的时候，天上就有神的号吹响，又有呼叫的声音，就在这一个时候，所有那些死了的得救的信徒，都从死人里复活，像主当日复活一样。那时候，死亡的权势全然崩溃了，得救的信徒脱离了死的拘禁。那些等到主来还没有尝死味的信徒，"就在一霎时，眨眼之间，号筒末次吹响的时候。因号筒要响，死人要复活成为不朽坏的，我们也要改变。"(哥林多前书 15:52~54)活着的信徒也在复活的大能里得着身体改变，如同复活的身体一样，不再是血肉之体。经过了复活或改变，所有神的儿女都一同被提到空中与主相会面。这是叫人何等激动的事！主来的那一天，我们都要面对面的见到那爱我们的主。

在信徒被提的同时，地上就开始了灾难，一直发展到大灾难，就是在<启示录>所记载的三个七灾，那是神的忿怒临到地上的人，神公义的审判与刑罚初步显在人的眼前，那些灾害是人所受不了的，并且一直伸延到主降临到地上的时候，灾难才停止。

2、建立国度

当教会被提到空中见主，在那里经过基督台前的审判，叫全教会得着完全洁净，成了圣洁无有瑕庇，作了羔羊(基督)的新妇。(参看启示录 19:6~9)主就带着教会并众圣者一同降到地上来，在地上作王一千年，建立他的国度，叫神的权柄管理全地。(参看启示录 11:15,20:6)主教导门徒祷告时向神所求的，到那时就完全成就了。

五、预备迎见主

主再来的时日是这么的迫近，这事情真叫我们心里充满欢欣，我们该怎样仰望等候那日子，准备好面对面的迎见主呢？有一位姊妹，当他听到主要再来的讯息，他一面欢喜，又一面忧愁。欢喜的是可以见主的面，忧愁的却有两个原因，一个是觉得主来得太快，她就不能尽情享用这世界的好处，她心里对这世界有点舍不得；另一个是她又看到自己对主有许多亏欠，不知道见主的时候会怎么样。因此，她心里就有一个极大的矛盾，又愿主来，又不想主来得太快。我们求主救我们脱离这姊妹的光景，"因为还有一点点时候，那要来的就来，并不迟延。"(希伯来书 10:37)我们当按着主的话来预备好自己，等候随时见主。

1、儆醒，不要沉睡。

主提醒门徒，在等候主来的事上要儆醒，"所以你们要儆醒，因为不知道你们的主是那一天来到。"(马太福音 24:42)撒但巴不得我们忘了主要来的事，兴起一些好讥诮的人说，"主要降临的应许在那里呢？"(彼得后书 3:4)又叫人们贪爱今世的事物，迷恋在地上的事物里，沉醉在世界的宴乐中，把主的事撇在一旁。等到主真的来了，只好带着羞愧和亏欠去见主，结果自己受了大亏损。(参看马太福音 24:48~51)所以我们要儆醒，常把主再来的事摆在心里，作我们的盼望，也苏醒我们的心。

2、爱慕服侍主

不单是常常儆醒等候主，还要积极的爱主，甘心的服事主，体贴主的心意来作成他的工，用实际的事奉来等候主，忠心地走主的路。"谁是忠心有见识的仆人，为主人所派，管理家里的人，按时分粮给他们呢？主人来到，看见他这样行，那仆人就有福了。"(马太福音 24:45~46)在事奉里等候主来是有福的，也是主所喜悦的，我们用一首诗歌里的话来提醒我们。

> "主若今日提接我，我能坦然见他否？
> 缺少珍宝向主献陈，赎罪大恩全白受！
> 难道我就两手空空，这样去见救主吗？
> 未领一人来归耶稣，岂可空手去见主？"

调用【颂主圣歌 397 首】

第三十七章
被提与基督台前的审判

读经:

"挪亚的日子怎样，人子降临也要怎样。当洪水以前的日子，人照常吃喝嫁娶，直到挪亚进方舟的那日。一知不觉洪水来了，把他们全都冲去。人子降临也要这样。那时两个人在田里，取去一个，撇下一个。两个女人推磨，取去一个，撇下一个。"（马太福音24:37~41）　"因为我们众人，必要在基督的台前显露出来，叫各人按着本身所行的，或善或恶受报。"（哥林多后书5:10）

神的号筒吹响，信徒就复活被提去见主了，这是我们极深的喜乐与欢欣的事。当那日，许多人会发现他们的基督徒朋友都不见了，或者是父母发现他们的基督徒儿子失踪了，或者是作丈夫的发现他的基督徒妻子不在了，又或者是作邻居的人发现住在他隔壁的基督徒全家不知道去了那里；或者是有人发现与他正在一同作工的基督徒同伴突然失去影踪。这些人不是躲藏起来，更不是失踪，而是被提到了空中，与那爱他们的主会面去了。被提是一件大喜乐的事，我们被接到空中去，面对面的会见我们常常想慕的主，每次我们记念主的时候，我们在主的桌子前的思慕，那时都成了眼见的事。

由于许多弟兄对神的话的领会不完全一样，所以对于被提的事就有几种说法。有人主张被提的时候是在灾前，又有人主张是灾后。有人主张是全教会一同被提，但有人却主张只是局部的得胜者在灾前被提。虽然彼此间的领会不一样，我们都得承认这些弟兄实实在在是弟兄，也实实在在是好弟兄，并不是迷惑人传异端的假先知。所以我们按着《圣经》的正意，虽不能接受弟兄们的说法，但我们仍然尊重弟兄们的亮光。我们来看看关于被提的一些问题。

一、什么人可以被提

因为主说过，他来的时候要"取去一个，撇下一个"。因此，谁被取去呢？谁被撇下呢？就成了我们要明白的问题。如果当主来的时候，我们没有把握被提，我们就得被撇下在灾难里，假如真是这样，这是信徒的悲剧。我们要知道被提的资格，我们也要知道自己是否有这个资格。

1、是得胜者先被提么？

主来的时候只有得胜的信徒被提，其余的信徒，就是软弱失败的信徒被撇下，在灾中经过磨炼作为补课，使他们生命成熟了，然后再把他们提去。这是教会局部被提的主张，也是多次被提的主张。这种主张主要是把"儆醒等候主来"作为被提的条件，我们不能在这里很详尽的讲述这种主张的依据，但我们不能不指出这种主张在《圣经》解释上和信徒的经历上有难处。首先是《圣经》上没有明说只有得胜者被提的事实；其次，在帖前四章说到复活被提的人的资格，只是"在基督里"。再次，因为生活上得胜没有一个准确的标准，神的儿女对被提的资格就没有把握，因此就失去安息，主不会作叫人没有安息的事。还有，死了的信徒不管是得胜或是失败，都先复活，都能被提，反倒是活着存留到主来的失败信徒不能被提，这在主来说，是不公义的事，因为人早点死了也比活着好，可以免去灾难。虽然这种主张可以激励人爱主，作个得胜者，但是不能因为它能产生好的果效，我们就不顾念神的心意。在《圣经》的解释上既然有难处，我们就不敢说"只有得胜者先被提"是准确的。

2、全教会一同被提

我们从主的话来看，我们就得承认，被提的资格就是信主得救，得救也就是被提的资格。

我们看从<马太福音>24 章 37 节开始的那一段经文，主说到被提的事，就拿挪亚和罗得的事来作比喻。从挪亚与罗得的事来看，那时人在神面前的差别是"信"与"不信"。挪亚与罗得并他们的全家是"信"的，在他们的世代的人是"不信"的，所以被取去的就是"信"的人，被撇下的就是"不信"的人。挪亚是得胜的，罗得是失败的，但主却用他们两个人来表明被取去的人。

在<帖撒罗尼迦前书>4 章论到被提的事，我们看见那些复活了并改变了的一同被提的人，都是因信得救的人，在这事实以外，再没有看见有任何的条件了。

我们又从<启示录>7：9 开始的那段经文上看到，那些已经被提到天上去的人，他们的资格就是"曾用羔羊的血，把衣裳洗白净了。"（启示录 7:14）

"儆醒"不是被提的条件，而是被提以后在主的审判中受亏损的依据。（参看马太福音 24:12~51）"因为神不是预定我们受刑，乃是预定我们借着我们主耶稣基督得救。他替我们死，叫我们无论醒着睡着，都与他同活。"（帖撒罗尼迦前书 5:9~10）既然复活是因着信靠主耶稣，被提当然也是因着信靠主了。

我们在这里不能再多提一些经文来看看，但从上面所引的，我们已经可以得着一个结论，那就是当主来的时候，所有信主的人，都"一同被提到云里，在空中与主相遇。"（帖撒罗尼迦前书 4:17）如果你是得救的人，你就有资格被提。你若是还没有得救，你就不能被提了。

二、什么时候被提

关于被提的另一个问题，就是被提发生在什么时候。说到被提的时候，一般来说，可以分成灾前被提，灾后被提，或是灾中被提。归纳起来，就是教会是否要经过灾难，因为在灾中或灾后被提都是说教会要经过灾难的事实，我们也把这个问题看看。

1、信徒要不要经过灾难？

一些弟兄主张信徒是要经过灾难的，因为他们以为信徒复活是在灾难后。（参看启示录 24:4）又把在福音书内提到主招聚以色列民的预言看成是教会的经历。（参看马太福音 24:31，路加福音 21:26~28）还有别的经文加上去，就肯定信徒要经过灾难，但是却不受灾难影响，而在灾中蒙保守。这种主张同样在《圣经》解释上有难处，若果信徒要经过灾难，那么要经过灾难的信徒只限于活在灾难期的信徒，灾期以前的信徒就与灾难无关了，这是不会有的事，也是不公义的事，主不会这样安排。如果信徒复活来经过灾难，《圣经》却没有这样的记载。其次，<启示录>7 章内明明是有靠着羔羊的血得洗净的人被提到神宝座前，这和信徒要经过灾难才被提的说话就合不来。再次，教会是无份于 "神的忿怒" 的。（参看帖撒罗尼迦前书 1:10）而灾难却是称为神的忿怒（参看启示录 6:16~17,11:18,14:10,14:19,15:1,16:1…）如果信徒要经灾，这种说法就与神的话不和谐了，在解释上有难处了。神要作的事一定不会和他的话合不来，若是在神的话上有难处，就定规不会是神要作的事。

信徒既然不必要经过灾难，那么我们又可以看定了，当主再来的时候，全教会就在灾难开始以前一同被提。这是神的恩典的事实，被提就是我们身体得赎的时候，身体得赎是神恩典的工作。我们是在恩典中得救，也在恩典中得赎（被提），脱离神的忿怒，进入他的荣耀里。我们要大声颂扬我们的主，因为从开始，他就用恩典围绕我们。

2、被提的时刻

神的话叫我们看定，教会是与灾难无份无关的，并且主还有更清楚的应许："你既遵守我忍耐的道，我必在普天下人受试炼的时候，免去你的试炼。"（启示录3:10）主既然明说他免去教会的试炼，教会必定在灾难开始以前离开了地上。我们要记得，称为神的忿怒的灾难是对不信的人初步的刑罚，而不是对教会的磨炼。

< 启示录>所记述的灾难时期约为七年，分为前三年半与后三年半。（参看启示录 11:3,12:14,13:5）后三年半既称为大灾难的时候，前三年半称为灾难的起头。这里的七年正好是接上<但以理书>内的七十个七年的末后一个七年，（但以理书 9:24~27）而这些年日里的事是与教会无关的，而是犹太人和圣城作主角的，也既是说，<启示录>里的灾难日子，教会不在地上，而是到天上去了。所以从<启示录>4 章开始，论到地上的事就没有提到教会，但论到天上的事，就有教会出现。在那时，教会不再是神作工的中心，因为教会已经完成了主给她在地上的托负。<启示录>6 章以后也多次提到在地上仍有圣徒为主争战，那些人是在灾中信主的，和悔改接受主耶稣的犹太人，不是教会。（参看罗马书 11:25~26）

到了<启示录>7 七章，教会在天上出现了。"此后，我观看，见有许多人，没有人能数过来，是从各国各族各民各方来的，站在宝座和羔羊面前，身穿白衣，手拿棕树枝。大声喊着说，愿救恩归与坐在宝座上我们的神，也归与羔羊。"这些在神面前称扬救恩的人是教

会，是已经到了天上去的教会，他们在神面前赞美事奉神，那时我们都在这些人中间，我们面对面的在天上服事那坐宝座的神和羔羊。

究竟教会是在什么时候离地被提呢？帖撒罗尼迦前书4章说，我们被提到空中与主相遇，而<启示录>7章被提到天上的教会却是到了神的宝座，因此教会必是在<启示录>7章以前被提，先到空中见主，然后被引到神的宝座前。《圣经》没有说明被提发生在什么时候，但教会既是不会遇见神的忿怒，而启六章是神的忿怒显出来，那么被提应当是在<启示录>6章所记的灾发生以前完成了。我们可以这样说，全教会在灾难前一同被提去见主。

3、灾前一同被提是我们的劝慰

一位主张信徒经灾被提的弟兄，他在学校住宿。一天，他午睡醒过来，校园静悄悄的，看不见一个人影，与他同住在一起的弟兄也不在房间里。他害怕起来，马上一骨碌的起床就往外跑，正好遇见另一个弟兄从外边回来，他脸色发青的问那弟兄说："是不是主已经来了，我们被撇下了？"被提本该是我们的荣耀盼望，如果信徒真的要经过灾难，想到被提就没有安息，被提就成了我们的重担和威胁了。"所以你们当用这些话彼此劝慰。"（帖撒罗尼迦前书4:18）被提是我们互相劝勉的题目，也是叫我们得安慰的话。如果信徒要经过灾难，被提就没有安慰的成份了。我们要记得，从神借着保罗写帖撒罗尼迦前书时开始，一直到主再来以前的一瞬间，被提一直是信主的人的劝慰。只有在灾前信徒一同被提才合平《圣经》的事实，也只有在灾前信徒一同被提，被提才能成为信徒的劝慰。

三、基督台前的审判

被提是根据神的恩典，不带着任何条件。这要叫不爱慕主的信徒大声高呼了。但是被提以后，我们都到了空中见主，就在那里，主要设立他的审判台来审判我们。"审判要从神的家起首。"（彼得前书 4:17）虽然我们可以安然被提，但我们仍要遇见信徒受审判的事。主是用审判来除掉我们的不洁与不义，却不是用灾难来给我们补生命成熟的课。主必定审判我们，因为他不能因为我们是信徒就不执行公义，反倒因为我们是属他的人，他就先在我们身上执行公义，好显明他是义的，所以我们不要以为可以有资格被提，就不追求讨主喜悦，也不追求顺服并事奉主。这是极大的愚昧。"因为我们众人，必要在基督的台前显露出来，叫各人按着本身所行的，或善或恶受报。"（哥林多后书 5:10）

1、"你们要回想罗得的妻子"

主对门徒讲到他再来及信徒被提的事的时候，他郑重的对门徒说，"当那日，人在房上，器具在屋里，不要下来拿。人在田里，也不要回家。你们要回想罗得的妻子。凡想要保存生命的，必丧掉生命。凡丧掉生命的，必救活生命。"（路加福音 17:31~33）罗得的妻子是被天使带出所多玛的刑罚的，正好可以代表了一部分被提的信徒，他们是有份在被提的人中，但是在被提以后却受了极大的亏损，因为他们心里贪爱世界，又不顺从神的吩咐。（参看创世记 19 章）罗得的妻子出了所多玛，却在旷野受了神的对付，这事给了我们一个大鉴戒。主要我们回想罗得的妻子，就是要提醒我们不要在主来以前，胡里胡涂的活着，应当把我们的心放在主再来的事上。等到主一来，就欢欢喜喜去见主，不再思念自己家中所有的，也不要让自己所有的累着我们。你要去见主了，还舍不得你在屋子里的所有？如果是这样，罗得的妻子所经历的，就要发生在你身上，你就要受大亏损。主既是在救恩中赏赐了我们被提的资格，我们一面感恩，也一面追求在见主面的时候，能欢然的站在他面前。

我们把<路加福音>17：33 和<马太福音>16:25~27 作一个比较，我们就很清楚的领会这里所说的"生命"就是"魂"的意思，"魂"就是人的自我。我们若是体贴魂生命，就是体贴自己的肉体，叫肉体舒服，终究要叫我们受亏损。反过来，我们不体贴魂生命，我们就要在主降临的荣耀中大蒙记念。这是牵涉到国度的荣耀的问题，所以我们不要作愚昧人，看见了被提的恩典，也要看见基督台前的审判，在那时，我们各人都要向主交上自己的帐。

2、审判的内容

基督台前的审判是怎样的呢？主要审判我们什么呢？"若有人用金、银、宝石、草木、禾楷，在这根基上建造，各人的工程必然显露。因为那日子要将他表明出来，有火发现，这火要试验各人的工程怎样。"（哥林多前书 3:12~13）这里给我们看到，主要审判我们的生活与工作。我们在主面前所行的是属于金、银、宝石的，或是属于草木与禾楷的呢？我们不怕作个卑微的人，或作些人以为微小的事奉，只要神看为有价值就够了。人的本性喜欢作大的事，若是只有外表的大而没有重大的价值，如同草木与禾楷一样，那就经不起如火烧的神的审判。在主还没有回来以前，我们就该常常自省：我的生活和工作在主眼中有没有价值？是不是满足主的心，又讨主的喜悦？

主把对信徒的审判作了这样的比方：主把他的工作托付给众信徒，等到一天，他就回来与各人算帐，那些按着主的吩咐作好的，都得了主的称赞，"你这又良善又忠心的仆人，你在不多的事上有忠心，我要把许多事派你管理，你可以进来享受你主人的喜乐。"那些没有按主的心意作好的，主就责备他说，"你这又恶又懒的仆人。"并且不叫他享用主的荣耀和喜乐。（参看马太福音 25:14~30）弟兄们，这比方给我们一个提醒，主回来的时候，主愿意从你身上看见良善和忠心。良善说出我们里面向主的顺服，忠心说出我们外面事奉的态度。我们的年日、钱财、才干、儿女、……等等，我们要明白这一切都是主托付给我们的，我们就在这一切上面来表明我们的顺服，忠心的事奉主，为着主好好的使用这一切。我们若是这样好好的体贴主，在审判的时候，我们就不至落在主的定罪里。

3、审判的结果

基督台前审判的结果会不会叫信徒灭亡呢？不会的。灭亡的审判是称为白色大宝座的审判，是审判不信的人的。信徒得救了，就不会再灭亡。"人在那根基上所建造的工程，若存得住，他就要得赏赐。人的工程若被烧了，他就要受亏损。自己却要得救。虽然得救，乃像从火里经过一样。"（哥林多前书 3:14~15）从这里我们就明白，信徒经过审判以后，就会有两种结果，我们若不是得着这一样，就要得着别一样。

（1）得赏赐

我们在主的审判中能站得住，就说明我们在见主以前的年日里，并没有刺伤那爱我们的主。他就要叫我们从他手中得赏赐，不只是他给我们称赞，也叫我们同得他所得的荣耀，又把冠冕赐我们，有生命的冠冕，（参看启示录 2:10，雅各书 1:12）也有公义的冠冕。（提摩太后书 4:8）在奥林匹克运动会里，人得着能朽坏的奖牌已经叫人觉得了不起，而主在那日要把那不能朽坏的冠冕赐给我们，（参看哥林多前书 9:25）这是主面前极大的尊荣，也是主为那些爱他又体贴他的人所预备的。

（2）受亏损

主很愿意每一位信徒在那日得赏赐，但是很可惜，不少信主的人没有在这一点上满足主的心意，在那日并没有得着赏赐，反倒受亏损，给主责备。他们的生活与工作没有一样在主面前存得住。虽然他们的得救没有失去，但主的话指出，他们只是仅仅的得救，很危险的得救，如同从火里经过一样。除了得救以外，他们再没有什么了；主为他们预备的，他们也得不着，并且失去与主同得荣耀的福份。在众圣徒应当喜乐赞美的时候，他们却不能喜乐。更重要的就是在那为他们舍弃万有的主面前满脸羞愧。

主说，"我必快来。"我们也说，"主啊，我愿你来。"（启示录 22:20）我们等候盼望那荣耀的日子，我们就当战兢恐惧的活在救恩里，也靠主用圣洁尊贵保守着自己，叫我们可以欢欢喜喜的进到主的面前。

第三十八章
国度与永世

读经:

"第七位天使吹号,天上就有大声音说,世上的国,成了我主和主基督的国。他要作王,直到永永远远。"(启示录 11:15)

"我又看见一位天使从天降下,手里拿着无底坑的钥匙,和一条大练子。他捉住那龙,就是古蛇,又叫魔鬼,也叫撒但,把它捆绑一千年。"(启示录 20:1~2)

"我又看见一个新天新地。因为先前的天地已经过去了。"(启示录 21:1)

"愿你的国降临。"这话表明了神的计划一直朝着国度来进行着。人的堕落把神在地上彰显他的权柄安排完全打乱了,一直到亚伯兰的日子,神才在应许里告诉亚伯兰,神要借着他的后裔建立神的国,这国要叫万族都蒙福。(参看创世记 12:1~3)神在那时把神要恢复被人打乱了的秩序的心意宣告出来,以后就一直按着这个心意作工,等到主再来降临到地上的日子,这心意就完全了。当地上的灾难快要进到高潮的时候,天上就宣告说;"主基督的国要在地上出现了。"这个国在地上有一千年的时日，就引进新天新地。所以这国称为千年国度，简称为国度。在这一千年里，神的权柄统治全地，魔鬼被捆绑一千年，人就完全的活在神的平安和丰富里，如同活在人堕落前的伊甸园里的光景一样。

一、国度显现前的光景

教会被提以后，地上就开始了灾难，这些灾难是一次比一次厉害，从七印到七号，又从七号到七碗，神的忿怒尽情的倒出来。（参看启示录 6:~16 章）另一方面，在称为大灾难的末后三年半里，撒但的代表敌基督出现，他统治全地，鼓动全地的人去抵挡神，无情的践踏神的选民并在灾中信主的人，剥夺了他们生存的权利和条件。敌挡神的情绪在地上空前的高涨，因为撒但知道它的时候已经不多了，就气忿忿的在地上对付信从神的人，一面用政权的力量，一面又用宗教大联盟的怀柔手段拆毁人对神的信心与忍耐。

1、哈米吉多顿之战

大灾难到了末后的阶段，魔鬼，敌基督和假先知鼓动地上的众王要来与神争战。他们聚集在哈米吉多顿这个地方，要把神的百姓（犹太民族）完全消灭（参看启示录 16:12~16）这一次的战争十分凶险，我们可以从，以西结书>38 章和 39 章内的预言看得出来。主在这次的战役中作了他的百姓的拯救，叫敌挡神的力量都倒下去。

经过这一次空前的大战争，灾难时期就要结束了。在这次战争中所遗下的尸体，都成了神为飞鸟所预备的大筵席。

2、主降临到地上

主在空中审判了教会，又使教会成为自己的新妇，在天上与历代的众圣徒经过羔羊婚筵的大喜乐（参看启示录 19:6~9）以后，地上的事正是发展到大灾难的末期。敌基督的气焰高涨，神的百姓陷在极凶残的围困里。就在这时候，主带着众圣徒降临到地上来，他"裂天而降"；踏脚在耶路撒冷东面的橄榄山上，先是解救犹大余剩的人，（参看撒迦利亚书 13:7 至 14:8）除灭敌挡神的势力，"那时这不法的人，必显露出来，主耶稣要用口中的气灭绝它，用降临的荣光废掉它。"（帖撒罗尼迦还是 2:8）然后就在地上建立他的国度，（参看撒迦利亚书 14:9~11,16）成全了主教导门徒祷告中的祈求。全地都认识神的名字为圣，万民都服在神的管理和供应之下，神的旨意在地上再没有拦阻，这是国度的日子。国度虽然现在还没有来到，但是我们都能发现，现今地上的各种情势都朝着这个事实演变和发展。

二、国度的一般情形

主降临到地上来，建立他自己的国度。在这一千年的国度里，人得着了历史上从来没有过的和平与安居。

在国度里，一切都显得何等的可爱可亲，没有什么残害与缺乏的情形，所有的人都活在神的富足里。这种光景是世人长久以来所盼望的，比人所有过的理想更美丽。世人曾经用上许多的努力，幻想这样的日子，要建设这样的生活环境。但因为人拒绝神，罪在人里面作王的缘故，人就没有可能进到这个理想里，人也绝不可能用人的手来建设理想的天国。等到主显现，结束了这个混乱的世代，主的降临就叫神的国同时显现在地上，主也在这荣美的国度里作王。

"豺狼必与绵羊同居，豹子与山羊羔同卧。少壮狮子与牛犊并肥畜同群，小孩子要牵引他们。牛必与熊同食，牛犊必与小熊同群，狮子必吃草与牛一样。吃奶的孩子必玩耍在虺蛇的洞口，断奶的婴孩必按手在毒蛇的穴上。在我圣山的遍处，这一切都不伤人，不害物。因为认识耶和华的智识要充满遍地，好像水充满洋海一般。到那日，耶西的根立作万民的大旗。外邦人必寻求他，他安息之所大有荣耀。"（以赛亚书 11:6~10）"你们当因我所造的欢喜快乐。因我造耶路撒冷为人所喜，造其中的居民为人所乐。我必因耶路撒冷欢喜，因我的百姓快乐。其中必不再听见哭泣的声音，和哀号的声音。其中必没有数日夭亡的婴孩，也没有寿数不满的老者。因为百岁死的仍算孩童，有百岁死的罪人算被咒诅。"（以赛亚书 65:18~20）神的话稍微把国度描写一下，就叫人的心感觉舒畅。在人类的历史里，何曾有过这样美满的社会？在人的幻想里，何曾有过这样高超的生活？过去的文学的描写，和哲人们的想像里，都不会接触到这样美的境域。我们有时看到一帧幽美而宁静的图画，我们的心恬憩在图画中，在国度里，人要真实的活在神的丰满和美善里，一切是这样的美，又是这样善，人活在极高的喜乐中，神也与人一同享受这极高的喜乐。在国度显现的时候，这一切都成了事实。那时，到处都充满了"普天下当向耶和华欢呼，你们当乐意事奉耶和华，当来向他歌唱"这样的话，到处都听闻"你们要赞美耶和华"的欢声。因为神的平安作了人的居所，神的喜悦作了人的供应。

三、进国度的问题

国度是人享用神的荣耀的丰富的日子，但是，是不是在国度显现时还存留的人都能进国度呢？教会在国度里的光景又是怎样呢？我们照着神的话来看一看。

1、国度的审判

那些经过灾难仍然活着的外邦人，他们是怎样的进国度呢？<马太福音>25:31 起，一直到本章末了止的一大段话，都是主提及列国进国度的资格。也就是说，在灾难中经过许多惊恐的人，不一定能进国度，因为他们在灾难中没有悔改他们的悖逆，反倒变本加厉的作神的对头。（参看启示录 9:20~21,16:9,16：11,16:21）主用分别山羊和绵羊的比方说出了万民进国度的审判。这些存留到国度显现时的外邦人，主说他们中间的一部分是绵羊，这部分人是可以进国度的，"你们……可来承受那创世以来为你们所预备的国。"（马太福音 25:34）另外那部分被称为山羊的，主对他们说："你们这被咒诅的人，离开我，进入为那魔鬼和它的使者所预备的永火里去。"（马太福音 25:41）这批人不能进国度，并且还要进到永刑里。这一个分别是国度的审判。

从绵羊和山羊的比方中，我们看见主在荣耀的宝座上，聚集万民来分别的时候，那个分别的根据就是这些人在大灾难中，用什么态度来对待犹太人。敌基督用最凶残的手段来对付犹太人，如果人敢冒性命的危险来同情犹太人，供应他们的需要，主就承认这些人是绵羊，可以有资格进国度作百姓。因为他们这样作，表明了他们敬畏神，不站在敌基督那一边。人如果不敢得罪敌基督，惧怕他的权势，对受残害的犹太人不敢加以援手，主就说这些人是山羊。他们既然经过神的忿怒的对付也不敬畏神，他们就不能进国度，因为他们没有体贴主。虽然国度的审判与教会没有关系，但是这审判的根据也给现今的信徒一个极重的提醒，敬畏神和体贴主总是蒙福的，并且有主永远的记念。

2、信徒进国度是否也有条件？

有些弟兄不单主张信徒要经过灾难以后才被提，并且又主张信徒不一定都能进国度，因为有些信徒软弱失败，不能进国度，而要丢在国度外的黑暗里哀哭切齿，等待国度过去。这样的主张固然可以激励信徒追求，但同时也会把信徒陷在惊惧里。主如果没有这样的心意，我们可不要凭己意来帮主的忙，结果把人吓煞了。

诚然在《圣经》上有些经文好像是告诉我们，进天国是有条件。我们也承认这些话是教导我们追求国度的荣耀，但是却不能说这些是进国度的条件。比方说，"从施浸约翰的时候到如今，天国是努力进入的，努力的人就得着了。"（马太福音 11:12）这里的"努力"可以翻译成"强暴"。所以主张时进国度有条件的弟兄就说，我们若不强暴的对付自己，追求作个得胜者，我们就不能进国度。这样的说法实在大有难处。首先，"到如今"不是指现在，而是指主仍然在地上说话的时候，也是十字架的救赎没有作成功以前。那时候，人在神面前蒙福是凭着约翰所传的悔改之道。其次，信徒被提以后，就永远与主同在，（参看帖撒罗尼迦前书 4:17）这样就不可能有主在国度里，而部分信徒在国度外，何况那时教会已经成了羔羊的妻哩！我们承认国度显现以前，跟随主的路程是有许多的艰难，我们该靠主胜过这一切的难处，但不是说得胜者才有资格进国度。国度就是神所预备的安息，以色列人当日不能进入安息是因为不信，（参看希伯来书 3:19）因此进国度是凭着信，而不是凭着信以外的条件。

3、重生是进国度唯一的条件

"人若不是从水和圣灵生的（重生），就不能进神的国。"（约翰福音 3:6）这话明显给我们看见，重生了的人就可以进国度。重生了的人就有基督作他们的义，这义是胜过文士和法利赛人的义。（参看马太福音5:20）人若不谦卑自己如同小孩子，他就不会信主作救主，（参看马太福音 18:3）这些话都连到人得重生的事上去。人重生了，就能进国度。这样，国度就是恩典，有人把国度看成是赏赐，所以进国度就有条件。我们说，进国度是恩典，在国度里头有赏赐，但国度本身不是赏赐，而是恩典。人若不重生，就不能进国度，重生是进国度的唯一条件。我们能不能进国度，就看我们是不是已经有了生命；有了生命，就有进国度的资格。"他救了我们脱离黑暗的权势，把我们迁到他爱子的国里。"（歌罗西书 1:13）

四、国度的荣耀

进国度是恩典，不附带任何条件。但是我们若是仅仅进国度，主的心就不满足了。照着神的心意与安排，他是愿意看见我们"丰丰富富的，得以进入我们主救主耶稣基督永远的国。"（彼得后书 1:11）所以在追求国度的功课上，不是能不能进国度的问题，而是怎样子进国度的问题。是可可怜怜的进国度呢？还是丰丰富富的进国度呢？主不愿意看见我们贫乏的进国度，他只愿意看见我们能与他一同得荣耀，就是得着与他一样的荣耀。

1、国度的荣耀有差别

信徒在基督台前审判的结果，成了在国度里得荣耀的根据。进国度是恩典，但在国度里所得的赏赐就不一样，"或有人问，死人怎样复活，带着什么身体来呢？……有天上的形体，也有地上的形体。但天上形体的荣光是一样，地上形体的荣光又是一样。日有日的荣光，月有月的荣光，星有星的荣光，这星和那星的荣光，也有分别。"（哥林多前书 15:35~41）连接上下文，我们看出这是国度里的荣耀的描写。每个信徒在国度里所得的荣耀不一样。神给每一位信徒都有救恩的荣耀，（罗马书 8:30）在这个起码的荣耀上，神按各人在他面前的光景赏赐更高的荣耀。

2、与基督一同作王

一般的以色列民和得进国度的万民都是在国度里作百姓，教会却是与主一同管理国度，神的儿女在国度里的权柄（荣耀）都不一样，有人得着的大些，有人得着的小些，但是至高的权柄就是在国度里与基督一同作王。神愿意每一个信徒都能与主一同作王，披上王的荣耀。（参看启示录 5:9~10）另一方面，神又让我们看见作王的条件，"既是儿女，便是后嗣，……如果我们和他一同受苦，也必和他一同得荣耀。"（罗马书 8:17）"我们若能忍耐，也必和他一同作王。"（提摩太后书 2:12）作神的儿女是事实了，但若要得着与主一同作王的荣耀，就得要在现今肯付代价跟随主，现今的光景就决定了将来国度的荣耀。另外，一些在国度与主一同作王的犹太人，他们在灾难中也是忍受了极大的痛苦的，都是肯付代价的人。（参看启示录 20:4~6）看见国度里的荣耀，我们就能从心里明白，现今我们为主所流的血汗和眼泪，都要成了我们的冠冕上的珍宝；我们现今为主所忍受的一切，都成了主在国度里赐给我们的宝座。

在国度里作王就说出我们行完了神的旨意的事实，也成了我们满足主的量度。作王是一件极荣耀的事，但是借着作王所显示的，就是叫神心满意足，这件事比作王的事实更显重要。我们现今的追求，在外面看，是为了作王，从里面看，是为了完全神的旨意。我们愿意我们都能作王，但不是因为作王是至高的荣耀，而是要让神得着满足的喜乐，因为我们行完了他的旨意，没有叫他失望。从蒙拯救一直到国度，我们都看见神施恩的心意与作为，他乐意倾尽他所有的给我们，我们岂能在那一天叫他失望呢！

五、国度的终结

国度的时期是一千年，在这一段日子里，神在地上完全掌权，在人的眼见里彰显他的荣耀。到末了，"基督既将一切执政的，掌权的，有能的，都毁灭了，就把国交与父神。"（哥林多前书 15:24）这样就引进荣耀的永世。

1、最后的背叛

"那一千年完了，撒但必从监牢里被释放，出来要迷惑地上四方各国，就是歌革和玛各，叫他们聚集争战，他们的人数多如海沙，他们上来遍满全地，围住圣徒的营，与蒙爱的城。就有火从天降下，烧灭了他们。那迷惑他们的魔鬼，被扔在琉璜的火湖里，就是兽和假先知所在的地方。他们必昼夜痛苦，直到永永远远。"（启示录 20:7~10）神给撒但末后一次背叛的机会，结果撒但仍旧是失败了。神叫撒但完全服在神审判的权下，进入它该受的刑罚里。从此，撒但和它的权势完全从地上清除了，地上不再有搅扰了。

2、白色大宝座的审判

"我又看见一个白色的大宝座，与坐在上面的。从他面前天地都逃避，再无可见之处了。我又看见死了的人，无论大小，都站在宝座前。案卷展开了，并且另有一卷展开，就是生命册。死了的人都凭着这些案卷所记载的，照他们所行的受审判。……若有人的名字没记在生命册上，他就被扔在火湖里。"（启示录 20:11~15）这是神对人最后的审判，被审判的人都是不在基督的救赎里的人。从创世以来一直到国度末了的这一段时期内的死人，都要复活，来到白宝座前受审判，照他们所行的审判他们，在生命册上没有名字的人都被定罪。经过这一次审判，整个宇宙里对神反叛的势力与事实都没有了，连死亡也被废弃了。"尽末了所毁灭的仇敌就是死。"（哥林多前书 15:26）从此就叫神所有的丰盛和荣耀毫无保留的显出来，直到永永远远。

3、一点说明

由于一些弟兄用另一些不准确的方法去领会《圣经》上的预言，他们就把主来的次序作了一些颠倒，他们把主再来的时间摆在国度以后，他们的主张称为"千年后派"，就是说，主要在千年国度以后才再来。另外一些称为"无千年派"的弟兄们，他们以为神用教会来代替了以色列人在神计划中的地位，因此，就不会有千年国度这一回事。在这里不能作详尽的讨论，但是要指出来的，就是这些主张从理论上看，好像很有理由，可是这些主张就无法完满解释好些《圣经》上明显的事实，如同以色列人在灾中全家得救，（罗马书11:25~26）又如圣徒与主作王一千年。（启示录 20:4）唯有在国度前主再来，引进国度，又引进永世，就顺理成章，而且又按着《圣经》的预言次序发展。

六、新天新地的来临

国度过去了，神在宇宙中一切的难处也清除了，神就把一切旧的都更新了。从此以后，一切都在神的荣耀，丰富、和平、喜乐，生命里受供应。这种光景是永远不止息的，所以这个将来的永远就称作永世，或是称为新天新地。在那个日子，神创世的计划全部完成了，神完全与人同住的心愿也完成了，神要作的事没有一件留下还没有作好的。神得着比完成创造更大的安息，所有的人都一同享用神的大安息。<启示录>21：1 至 22:5，都是记载新天新地的荣美。

1、 新耶路撒冷——教会——是新天地的中心

"我又看见一个新天新地。……我又看见圣城新耶路撒冷由神那里从天而降。……拿着七个金碗，盛满末后七灾的七位天使中，有一位来对我说，你到这里来，我要将新妇，就是羔羊的妻，指给你看。我被圣灵感

劝，天使就带我到一座高大的山，将那由神那里从天而降的圣城耶路撒冷指示我。城中有神的荣耀。……那城内又不用日月光照，因有神的荣耀光照，又有羔羊为城的灯。列国要在城的光中行走。地上的君王必将自己的荣耀归与那城。城门白昼总不关闭，在那里原没有黑夜。人必将列国的荣耀归与那城。"（启示录 21:1~2；9~26）在新天新地里，教会又作了神荣耀的中心。那时教会被称作新耶路撒冷，成了神荣耀的居所，整个的充满了神的荣耀。这城是用许多的珍宝来建成，那些材料都是稀世奇珍，无论在那里，我们都看到碧玉、红玛瑙、蓝宝石、绿宝石、黄璧玺、紫晶，……等的光辉，街道是精金的，到处都闪烁着光彩。我们深信这些描写还是受人的认识所限制，新天新地里的荣耀要比我们从这种物质观念所领会来的荣耀还要高许多倍，还要真实许多倍。我们凭着这些从物质观念中出来的描写，已经叫我们欢乐不已。一位弟兄参加了"圣城颂"的演唱，他在演唱的时候流泪了；以后他说："我真的看到那荣耀了。"如果歌唱新耶路撒冷已经叫我们碰到那无比的荣耀，到那天，我们都要溶解在这荣耀尊贵里。我们承认，人的话没有办法把那日的荣耀描述得清楚，全地的荣耀都归到这城。

神若提醒我们一下，我们就明白了，那些荣耀就是我们——教会——神把他丰盛的荣耀作进我们里面去，叫我们成了他的荣耀。我们从没有想到，一次的相信主，就引我们进到这个极重无比永远的荣耀里。求主开我们的眼睛，叫我们看到这荣耀，就轻看现今的一切。因为神这样的高举我们，叫我们成了丰满到叫人信不过来的荣耀。新耶路撒冷就是我们，黄金街和碧玉城也是我们，神所有的荣耀仍然是我们。我们敬拜神，我们赞美主，他在我们身上作了空前绝后的大奇事。

2、充满了神的供应

"看哪，神的帐幕在人间。他要与人同住，他们要作他的子民，神要亲自与他们同在，作他们的神。神要擦去他们的眼泪。不再有死亡，也不再有悲哀、哭号、疼痛，因为以前的事都过去了。"（启示录 21:3~4）啊！多美丽的述说！在国度的日子还有死亡的事，还有叫人悲哀、哭号、伤心的事，但是进到新天新地的日子，这一切都没有了；死亡没有了，悲哀没有了，伤心哭号也没有了。在那里充满的是神的喜乐，神的安息，神的丰富和神的和平宁静。人就是尽情的活在神的供应里，神也毫无保留的供应人。一切都显得那样平静幽美，完全脱离了愁烦搅扰，因为一切都更新了。

"天使又指示我在城内街道当中一道生命水的河，明亮如水晶，从神和羔羊的宝座流出来。在河这边与那边有生命树，结十二样果子，每月都结果子，树上的叶子乃为医治万民。"（启示录 22:1~2）在那日子，到处洋溢着生命的丰富，作人的享用，也作人的医治。没有死亡，也没有黑暗，所有被造的物都不止息的敬拜赞美神，天上地下都是充满赞美的话，都是充满了"阿们"。（参唱颂主圣歌 32 首。）那时候，所有被造之物都承认神和羔羊是配得一切的权柄，丰富、智慧、能力、尊贵、荣耀、和颂赞。在赞美里活，在敬拜里事奉，因为神已经完成了他荣耀的计划，人到了神的荣耀里。

　　"日期近了，不义的，叫他仍旧不义，污秽的，叫他仍旧污秽。为义的，叫他仍旧为义。圣洁的，叫他仍旧圣洁。看哪，我必快来。"（启示录 22:10~12）"你们为人该当怎样圣洁，怎样敬虔，切切仰望神的日子来到。……照他的应许，盼望新天新地，有义居在其中。"（彼得后书 3:11~13）主再来要带进这一连串荣耀喜乐的事实，这些事实很快就从信心里成为眼见，我们该怎样的爱慕这荣耀的显现！我们又该如何勤恳的事奉，叫外邦人的数目赶快添满，催促主再来的脚步！让主亲自来教导我们预备迎拉他来。啊，主耶稣，我愿你来！

第三十九章
基督徒生活中要注意的一些事

读经:

"我为主被囚的劝你们,既然蒙召,行事为人就当与蒙召的恩相称。"(以弗所书 4:1)

因着无知和生活上的习惯,我们的生活常有一些不合圣徒体统的事情,有些严重到一个地步,使我们属灵的光景一直频于死的情形;有些情形没有这样严重,但也叫我们属灵的生命失掉了活泼。姑勿论属灵上的影响是怎样,我们既从神那里接受了那么大的恩典,我们的生活行为就要配得上我们荣耀尊贵的身份。出于无知的,我们知道了,就不要玷染;若是出于习惯了的,我们就当靠主去除掉,叫我们生活在神和世人的面前,不作一个愚昧的人。我们把一些事情分别的来看看。

一、不要和世俗为友

"岂不知与世俗为友,就是与神为敌么?所以凡想要与世俗为友的,就是与神为敌了。"(雅各书 4:4)这是一个极严重的警告。我们作神儿女的人,必定要领会神说这话的心意。"世俗"就是"世界",神说凡爱与世界为友的，就是站在神的对头的地位上。我们按着中文《圣经》翻作"世俗"的意思来具体的看看，我们中国的信徒实在还有许多人脱离不了世俗，求主给我们看得见，也救我们脱离得来。

我们首先指出，世俗的事情多半与偶像有关连的。我们不要这样无知，随从世俗去作。虽然我们信了主，不再拜偶像，向死人烧香膜拜，可是还有人在喜庆或节期里送红封包，仍然存着向虚无的神明取吉利的兆头的心意。送一点礼物给人是好的，但为什么一定要用红封包呢？这事就很有讲究。比方说，所底的压岁钱，就是给小孩镇压要伤害他们的"太岁"，保护他们平安。这不是很明显的求助偶像之物么？有些人信了主，仍然喜欢去作占卜择日等类的事，不管他们他们用什么方法占卜，或者是存什么心意去占卜，占卜的背后就是虚邪的假神。我们不该这样与假神有交通，这样是得罪主太利害了。

不少信徒也随从世俗的节期而忙乱，我们可以肯定的说，一般的节期都离不了拜假神。比方说，中秋是拜月亮，端午是拜屈原，盂兰是拜鬼，过年是拜所有的假神，这都是明显不过的事实。如果说，我们要痛快的吃一顿，那么什么时候都可以吃，为什么一定要在世俗的节期里随着世人的样子吃喝呢？

一些西方的迷信也渗进我们的生活来。比方说，在丧事里给丧家送花圈就是一个例子。《圣经》上也明明给我们看到，花圈是外邦人祭鬼神的用具。（参看使徒行传 14:13）吊丧是为了给还活的人同情与安慰，却不是为了死了的人再作什么。世上的人喜欢在世俗的事上找高兴热闹，我们却要记住主的话，"小子们哪，你们要自守，远避偶像。"（约翰壹书 5:21）我们不随从世俗，世人不谅解我们，就让他们不谅解好了，我们不该要求得人的谅解而丢下神的提醒，"众人以为美的事，要留心去作。若是能行，总要尽力与众人和睦。"（罗马书 12:17~18）若是不合宜的，即使众人都以为美，我们也不能随声附和的。越是众人都以为美的事，我们越发要当心处理，免得我们落在与世俗为友的境地。

正派的服装与态度

这个世代越来越趋向堕落败坏，淫逸的风气影响着每一个人。因此，神的儿女活在这个世代里，就要靠主保守自己在圣洁里。败坏的景象顶利害的表现在人的服装上，衣服本来是给人保温及遮盖羞耻的，可是现在的人却用来满足人的肉体情欲和挑惹人的情欲。这种服装不单是贬低了穿的人的人格，也刺激了社会犯罪的趋向。

"又愿女人廉耻，自守，以正派衣裳为妆饰，不以编发，黄金，珍珠，和贵价的衣裳为妆饰。"（提摩太前书 2:9）这不是说装饰是犯罪的事，但是一切的妆饰要以正派和节俭为原则。人喜欢追求时髦，追求流行样款与颜色，喜欢标奇立异吸引人，增添个人的眩耀。但神的儿女就不该如此，总得以"正派"作我们的尺度。虽然"正派"不能定出一个绝对的标准，也不能说"保守"就是"正派"，但是圣灵在我们的里头会给我们一个正派的界线的感觉，并且一般人的良知上的反应也可以作一个参考。最低限度，裸露太多的衣服，又惹动肉体情欲的服装，都不能说是正派，古里古怪的式样也不能说是正派。神的儿女总不该跟着世人去追求流行的东西，只有朴实整洁才与我们的属天地位相称。

轻佻虚浮的态度也不该在神的儿女身上出现，这样的态度就表明那一个信徒里面属灵的根基太浅，外面的态度就显出里面的实况。一个言语轻浮的人，他里面的光景一定不正常的。我们该记得，我们是神的儿女，我们的生活该是喜乐和轻松的，但我们生活的态度却是严肃的。轻松不等于虚浮，严肃也不等于刻板，我们生活上的轻松是因为享用主的同在，我们生活态度的严肃是因为我们被主分别出来，不与这世界合流。我们的言语最能代表我们的生活态度，"你们的话，是，就说是。不是，就说不是。若再多说，就是出于那恶者。"（马太福音 5:37）"至于淫乱，并一切污秽，或是贪婪，在你们中间连提都不可，方合圣徒的体统。淫词，妄语，和戏笑的话，都不相宜。"（以弗所书 5:3~4）太多的闲话，不单使我们流于虚浮，也实在打岔我们在属灵上的追求。

二、基督徒的婚姻

神看婚姻关系是极其严肃的，他是用着夫妇的关系来代表基督和教会的联合，（参看以弗所书 5:22~23）因此他提醒神的儿女们说："婚姻人人都当尊重。"（希伯来书 13:4）这不单说我们不能像世人那样轻率随便来处理婚姻的事，我们还得照神的心意来处理婚姻的问题。外面作的尽可能的简单但却要严肃郑重，里面的定规千万不要越过神的界限。

1、婚姻的对象

基督徒的婚姻对象，不是只要是一个异性的人就行。神既然定规了婚姻的关系是表明基督与教会的联合，因此对象就是一个重要的问题。怎样拣选对象呢？神给我们一个这样清楚的吩咐。"你们和不信的原不相配，不可同负一轭。"（哥林多后书 6:14）这是最基本的原则，也就是说基督徒的婚姻对象一定该是基督徒。当然那些结了婚才信主的是另外一桩事，但他（她）得求主也要拯救他（她）的妻子（丈夫）。在现今的世代里，不能单凭嘴里说是基督徒就看他是基督徒，主的话是说，"信"或是"不信"，说清楚一点，就是那人有没有生命。神起初给亚当预备配偶，亚当没法从其他的被造物当中寻找到，因为生命不相同，不能作配偶，直到神给他造了相同生命的夏娃，他就得着配偶了。（参看创世记 2:18~24）生命不相同，就不可能一同过生活，许多基督徒在起初只要个人感情的舒服，不理会神的提醒，后来吃了大亏的是他们，后悔的是他们。所以，基督徒婚姻的对象必须是有同一生命的人。

2、不能离婚

神看婚姻是一个联合，联合了就不能分开，所以基督徒是没有离婚的权利的。因此基督徒的婚姻是不容许作错，作错了就在余下的一生受对付。"耶稣回答说，那起初造人的，是造男造女，并且说，"因此人要离开父母，与妻子连合，二人成为一体。"……既然如此，夫妻不再是两个人，乃是一体了，所以神配合的，人不可分开。"（马太福音 19:4~6）只有在一种情形下才可以离婚，那就是其中一方犯了淫乱的罪。"我告诉你们，凡休妻另娶的，若不是为淫乱的缘故，就是犯奸淫了，有人娶那被休的妇人，也是犯奸淫了。"（马太福音 19:9。参看哥林多前书 7:10~11）神要求神的儿女在婚姻关系上绝对圣洁，我们就不可在这事上得罪主。

3、再嫁（娶）的问题

妻子（丈夫）死了，再嫁（娶）是不是犯罪呢？"我对没有嫁娶的和寡妇说，若他们常像我就好。倘若自己禁止不住，就可以嫁娶。与其欲火攻心，倒不如嫁娶为妙。……丈夫死了，妻子就可以自由，随意再嫁，只是要嫁这在主里面的人。"（哥林多前书 7:8~9,39）在一方死亡的情形下，再嫁娶并不是犯罪，但一定要在光明中行事。许多基督徒的软弱就是在婚姻关系上，撒但也是最会利用这个弱点来拖倒我们，因此，我们就当加倍当心，不在婚姻的问题上留下地步给魔鬼。

三、不要浪费资财

贪图口腹和物欲的舒服是人的大毛病，要这样的舒服就得要花费金钱。有人结婚的时候，要面子，要排场，因此就大事铺张，结果在婚事办完了，却背上了重重的债务。世上的人宁愿负债也要买面子，基督徒就不该如此。世上的人喜欢吃用美物来向人夸耀，神的儿女也不该效法他们。他们本是没有指望的人，只好拼命争取今世肉欲的满足。我们都是有指望的人，我们的喜乐满足是在主里面。我们必须要记得，我们是神的管家，我们现在所有的一切都是主托付给我们的，将来都得向主交账。是主的东西，我们不要浪费。应当使用的，又是用在主的喜悦里的，就不要吝啬；不该使用的，并且是主不能说阿们的，我们就不该浪费。浪子的故事就是浪费的人的好鉴戒。（参看路加福音 15:11~16）不要在钱财上亏负人，也不要贪爱钱财。世人的心都想少作工而多要钱，心里充满的就是钱，我们不要作钱财的奴仆。"贪财是万恶之根，有人贪恋钱财，就被引诱离了真道，用许多的愁苦把自己刺透了。"（提摩太前书6:10）

四、工作要忠心

"人在最小的事上忠心，在大事上也忠心。在最小的事上不义，在大事上也不义。"（路加福音 16:10）"你们作仆人的，要凡事听从你们肉身的主人，不要只在眼前事奉，像是讨人喜欢的，总要诚实敬畏主。无论作什么，都要从心里作，像是给主作的，不是给人作的。"（歌罗西书 3:22~23）主喜欢我们作个勤恳工作的人，不肯作工的人，就不要给他饭吃。（参看帖撒罗尼迦后书 3:10）神的儿女们不单是要亲手作工，并且还要忠心的作。我们忠心作工，常会给人讥笑我们愚昧。我们宁愿给人讥笑，也不可作个不忠心的人，因为我们不是为人作工，而是在主的面前作给主看。有人鉴察时，我们是忠心的作；没有人查看时，我们也照样忠心的作。我们总要有这样的感觉，工作不忠心，就是对自己或对别人的亏欠。有一位弟兄洗擦地板，在当眼的地方，他很尽心的洗擦，在不当眼的地方，他就马虎的洗擦。他这样子工作，虽然和一般人作的一样，可是他里面就有过不去的感觉，一直在定自己不忠心的罪，非要他忠忠心心去作不可。神的儿女就是这样，一切工作不是作在人眼前，而是作给主看。不但在工作上忠心，并且在一切的事上也该忠心。

五、谨慎交朋友

"人心比万物都诡诈，坏到极处。"这是神对人的描写。无论怎样，人总是朝着与神相反的方向走的。因此，我们在结交朋友的事上就当谨慎。人的格言也给人指出，交上了益友就是我们的福气，交上了损友就叫我们受害不浅。神告诉我们，"你要逃避少年人的私欲，同那清心祷告主的人追求公义，信德，仁爱，和平。"（提摩太后书 2:22）又说："你该知道，末世必有危险的日子来到。因为那时人要专顾自己，贪爱钱财，自夸，……心不圣洁，……性情凶暴，不爱良善，……爱宴乐不爱神。有敬虔的外貌，却背了敬虔的实意。这等人你要躲开。"（提摩太后书 3:1~5）这些话给我们一个引导，我们深交的朋友，只该在神儿女中间寻找，好叫彼此在主的道上一同追求，彼此勉励。虽然我们为着福音的缘故，也和不信主的人作朋友，但究竟有一个限度的，只允许我们领他们到主面前来，却不许我们跟着他们去放纵。一位弟兄引《圣经》的话说，"向什么样的人，我就作什么样的人，无论如何，总要救些人。"（哥林多前书 9:2）这是对的，可是他却忘记了要救些人的目的，成了一个不设防的人，他的朋友花天酒地，他也跟着花天酒地，人没有救回来，他自己却倒了下去。和不信的人作朋友一定要有界线的，虽然这样很容易造成基督徒的小圈子，缩窄了福音工作的范围，但我们一面竭力避免小圈子的产生，一面要保持我们的清洁。

有一位青年基督徒，在好几年的夏令会中都觉得自己亏欠主，失掉了神儿女该有的见证，每次都决心离弃败坏归向神，但没有一次能成功，因为他有一些不信主，也不大正派的朋友，他又舍不得离开他们，又经不起他们的引诱，结果一年过一年，他仍旧活在罪中。世人看交朋友是一桩严重的事，神的儿女交朋友就更当谨慎。尽管别人误会我们，不谅解我们，我们还是要说，我们不与神儿女以外的人有深交。事实上，不相同的生命也不能有更深的交往，我们可不要作感情的俘虏，以至跌进撒但的网罗里。

六、不要彼此告状

争讼的事在世界是免不了的，但是神的儿女们不该随从这种风气，在世人面前大兴诉讼的事。"你们彼此告状，这已经是你们的大错了。为什么不情愿受欺呢？

为什么不情愿吃亏呢？"（哥林多前书 6:7）争讼的事情发生，若不是为了利益，就是为了一口气，不然的话，争讼的事是起不来的。我们是神的儿女，我们有永远荣耀丰富的产业在天上，我们的眼光竟然还与世人一样短小吗？主向我们所提的质问就是："为什么不情愿受欺呢？为什么不情愿吃亏呢？"撇开审判的人在神眼中的地位不说，（其实，这点很重要，参看哥林多前书 5:1~6）我们为着必朽坏之物与人失去和气，究竟值不值得呢？我们若能领会主在<马太福音>5:38~42 的教导，就是谦让，多陪人走一步，更甘愿作卑微的人，争讼的事是起不来的。

为着利益与人争讼，主是不喜欢的。若是争讼的对象是弟兄，那就更不应该，不单羞辱主的名，也堵塞了传福音的路，别人欺负我们，我们就告诉主，让主去对付那些人和事。诉讼不是神儿女该作的事。"亲爱的弟兄，不要自己伸冤，宁可让步，听凭主怒。因为经上记着说：'主说，伸冤在我，我必报应。'"（罗马书 12:19）

七、存完全的心行在家中

神的儿女在生活上是最容易出事的，就是在家庭中的生活。因为家里的人都是至亲近的人，在情绪上好像是可以放肆一点，基于有"都是家里人，不必那样拘束。"的论调，结果叫一些基督徒在教会生活或社会生活里有不错的表现，但是一回到家里，就大大的走了样。基督徒不能作一个双重人格的人，不然，他一切在人前表现的都成了虚伪的。在教会或社会里，我们活在神的面前；在家里，我们也是活在神的面前，无论在什么地方，我们都是一样的活在神的面前。"我要存完全的心，行在我家中。"（诗篇 101：）这个认识是很需要的，因为带领我们在外边生活的是主，在家中带领我们生活的也是主；绝不会在我们回到家里的时候，主就停止他的管理，而让我们自己带领自己。

"你们作父亲的，不要惹儿女气，只要照着主的教训和警戒，养育他们。"（以弗所书 6:4）这话不单是对作父亲的说的，作母亲的也是一理。要看见儿女是神交托给我们的，我们该按着神的心意管教并引领他们，使他们在主里长成。不要以为自己是作父母的，对儿女就有绝对的权柄。也不要以为供给他们生活，给他们受教育，又给他们上主日学或参加教会的青年活动，作父母的责任就完了。不，没有完。最要紧的，在儿女们的眼前要作个好榜样，让儿女们从小就在父母的身上看见主，也在父母的身上尝到主的爱，求主使我们懂得在主里作父母。

"你们作儿女的，要在主里听从父母，这是理所当然的。要孝敬父母，使你得福，在世长寿，这是第一条带应许的诫命。"（以弗所书 6:1~3）因着年纪阅历的关系，父与子这两代人的思想认识总会有点距离的，但这不能成了基督徒背逆父母的理由。神喜欢我们孝敬父母，神喜欢看见我们作顺命的儿女，因为我们也是在他面前作儿女，不肯孝敬生身父母的，定规不会顺服神。除了与真理相违的事以外，作儿女的该是无条件的听从父母，这是神所喜悦的。特别是在自己长成，而父母已经年老的日子，更当孝敬父母，对父母颐指气使是灭亡的人的态度，我们作神儿女的人绝不能沾染这种得罪主的事。

"你们作主人的，要公公平平的待仆人，因为知道你们同有一位主在天上。"（歌罗西书 4:1）家里有用人的，更当靠着主来对待用人，不要在用人的身上失去基督的见证。要看见，用人也是人，如果他是信主的，他还是你的弟兄，他与你同有一位主在天上。我们不要学效世人对用人的那种喝骂的态度，你与用人的分别，除了雇佣关系以外，只是工作上的分别。他给你作工，但他不是给你当奴仆。当日主借着保罗勤勉作主人的要公平对待奴仆，那么我们现在对待那些不是奴仆的用人，就更当公平。自己公平的待用人，也不允许儿女去轻视用人。

基督徒在实际生活中要学习的事还有许多，上面所提及的，只不过是一些常常碰到的。我们在真道上要长进，在属灵的事上要长进，在实际生活中更要踏实的操练，借着实际生活来表明我们是属神的人。

第四十章
防备假先知

读经:

"你们要防备假先知。他们到你们这里来，外面披着羊皮，里面却是残暴的狼。"（马太福音 7:15）

"我希奇你们这么快离开那藉着基督之恩召你们的，去从别的福音。那并不是福音，不过有些人搅扰你们，要把基督的福音更改了。但无论是我们，是天上来的使者，若传福音给你们，与我们所传给你们的不同，他就应当被咒诅。"（加拉太书 1:6~8）

基督的福音是引导人归向神的唯一桥梁，离开了基督流血救赎人的救恩，人是没有凭借可以进到神面前，也没有方法与神和好，接受神的荣耀。人归向神是神的大喜悦，但却是撒但最痛恨的。撒但用尽各种方法来阻挡人归向神，甚至在基督教的内部来进行它的破坏。它得着一些听从它的人，混进基督教里，口头上是传耶稣，骨子里却是堵塞了救恩的门。这些落在撒但手中，受它的指挥来抵挡神的人，外面装作得很像，表现得很有德行的样子，也说出一些动人的似是而非的道理，摆出一副敬虔的模样，但是主没有因他们装得很像，就承认了他们是属他的人，反倒给我们一个严肃的提醒："你们要防备假先知。"不要受人的外貌来欺骗，因为他们可以披上羊皮，在外面装成是基督徒，或是基督徒的领袖，而实际上他们却是伤害主的羊群的残暴的狼。我们不要轻忽主的提醒，不要看见那些挂上基督教的招牌的，不加辨别就说他们是神的儿女；也不要看见那些常在教堂里进进出出的人，不在生命上有交通就接待他如同弟兄，又承认他是弟兄。

一、传异端是假先知的工作

主提醒我们要防备假先知，因为他们更改了基督的福音，向人传讲他们所更改了的"福音内容"，我们简单称这些道理为异端。不管这些人用什么好听的话，或者是使人感觉他们是进步的宣传来为他们自己辨护，又指责神的儿女们无知，愚昧，落后及保守，可是我们清楚的知道，他们所讲的虽然是好听，能摸到人肉体的正义感，但却不能叫人得着神的救恩，仍旧把人拘留在罪和死的里面。他们传异端的结果，就是对人进行属灵的谋杀，剧烈的抵挡神。无神论在基督教外反对神，这些假先知们却在基督教内破坏神的救恩。

1、构成异端的因素

人对《圣经》的解释观点不同并不等于异端，事实上有许多属灵份量非常重的弟兄，他们对《圣经》中的一些问题的看法并不全然相同，但这并没有构成异端。一些道理之所以成为异端，是根据他们对基督所是或对基督所已经作成功的救赎采取什么态度。

"从前在百姓中有假先知起来，将来在你们中间也必有假师傅，私自引进陷害人的异端，连买他们的主也不承认，自取速速的灭亡。"（彼得后书 2:1）我们把一切的异端来作一个分析，我们就能发现构成异端的共通因素。他们有些人否认耶稣基督的身位，不以他为神的独生儿子，也不接受他流血的救赎，更不承认他要亲自再来完成神的永远计划。另外一些人以为基督所已经作成功的救赎还不够完备，必须在主的救恩以外再加上一些人的工作，人才可以得救，免去神的审判和永刑；若不加上这些人要作的，单靠基督所作成功的也不能救人。所以我们说，从"连买他们的主也不承认"这话里，我们就得了这样的结论：一切不承认基督所作成功的救恩的，或是在基督所作成功的救恩以外再加添人得救的方法的道理，都是称为异端。再归纳起来说：凡不承认全部圣经是具有绝对权威的，都是异端。

2、福音是不能更改的

　　一切的异端都是把神借基督所作成的福音来更改，不是要减去一些，就是增加一些；更有甚的，就是把福音的内容整个的用别样的道理来代替。

　　神借着保罗说出福音的严肃性和绝对性，因为这是关乎人得救的事，就是永生或是永死的问题。这个严重的问题绝对不能给发表错的。若是错了，就叫人得着无可挽回的既恶劣又严重的后果。基督为罪人死了，埋葬了，又带着身体复活过来，这一个福音的内容是绝不能更改的，因为这是神的工作。保罗提及这个问题的时候，他说，"但无论是我们，是天上来的使者，若传福音给你们，与我们所传给你们的不同，他就应当被咒诅。"（加拉太书 1:8）这是何等的严重的警告！保罗说这话，不单是对着别人，他连自己和他的同工们也摆在这警告下。就是说，假如有一天，我保罗不再传耶稣是唯一的救赎主，连我这个保罗也是该受咒诅的。

　　更改福音的内容所招致的后果是极其严重的，因为这样作就是抹杀神的救恩，将人拘留在永刑里。这是撒但所要作的工，假先知和假师傅们就是照着撒但的心意来传异端的道理。败坏人的信心，叫人失去神的救恩。

二、现今流行的异端

异端在教会历史中是常见的事，在使徒的日子就已经有了。直到现在，异端仍然存留着，因为这是撒但破坏神的救赎的重要方法。在历史上，一些异端过去了，一些新的异端又出来。异端的内容虽然有变更，但是敌挡神的目的却没有改变。我们在这里把一些现在仍然流行的异端拿来看看，虽然不能作深入详尽的批判，但我们若能对这些异端有一个概念的认识，我们就不容易上撒但的当，跌进它的圈套里。

1、天主教

很少人会想到天主教是一个异端，多半都以为天主教是旧教，而基督教是新教，两个都是异曲同工的。另外一部份人，包括相当多的基督徒在内，从历史课本上得到这样的观念，以为基督教是从天主教分出来的；先是天主教，然后才有基督教，所以基督徒在天主教的眼中给看成是叛教徒。我们就从历史开始来看看天主教怎样是一个异端。

（1）主在地上所建立的不是天主教

天主教的人说我们基督徒是裂教者，如果单从教会后期的历史来看，我们承认基督徒是脱离天主教的人，但不是脱离神的教会。我们回溯到<使徒行传>的日子，那时主借着圣灵在地上所建立的不是天主教。我们还要说，在二至三世纪时还没有天主教，那时有的就是神在各地的众教会。以后，一些大的地方的教会如罗马教会的监督，他们背弃主的道，要把人的权柄扩充，要统辖其他地方的教会，再加上君士但丁皇帝利用了教会，把政教联起来，又定为国教，罗马教会就在形式上转向天主教。一直到六世纪，第一个教皇才出来，以后陆续增添各种的异端，就成了一个庞大的异端的体系。在教会最初的历史里，没有天主教；现在的天主教也不是《圣经》所记载的教会，而是一个剧烈的变了质，也走了样的宗教组织。因此，一般人所说的"宗教改革"，按教会的本质说，应当是"教会的复原"。天主教把教会败坏了，也把神的道混乱了，基督徒就从他们中间出来，恢复教会起初的的信仰和样式。

（2）天主教的异端的内容

尽管天主教会如何诡辩的解释，天主教实在是一个多神的偶像宗教。他们口里说只有一位天主（神），但实际上他们所跪拜的对象，却有许多称为"圣母"和"诸圣"的偶像。神的话说："在神和人中间，只有一位中保。"（提摩太前书 2:5）他们却在这位中保主耶稣面前摆上了不少称为"转求者"的"诸圣人"。他们称为"告解"的"圣事"，是叫教徒向神甫（人）认罪求赦罪，而不是向神认罪。神的应许说："叫一切信他的，不至灭亡，反得永生。"（约翰福音 3:16）而他们却说："一个人单信耶稣基督不够，还要克己制欲来修德立功，守天主的诚命，照着信德来行事，才可得救。"又说：神"借状圣事七迹，赏给天下万民，来保养给天下万民，来保养灵魂的生命。这七迹已历千九百余年，教内不断的施行，藉此升天的人实难胜数。"（以上均引自香港真理学会出版陶洁齐司铎著"基督正教"一书 22~23 页。）所谓圣事七迹就是洗礼，坚振，告解，领圣体，终傅（为垂死的人抹油），神品（按立），婚配降福这七样，也就是说，天主教叫人凭借这外表仪文去升天，把主流血救赎的恩典贬了值，神的话说："你若口里认耶稣为主，心里信神叫他从死里复活，就必得救。"（罗马书 10:9）还有许多的经文，明显的说出因信得救的真理，而天主教会却说，光有耶稣还不够，还要加上人的功德；那就是说，是人自己在救自己。这不是异端还是什么？他们不尊重圣经的绝对权柄，高举人（教皇）过于一切。还传播"炼狱"的道理，他们说："平常人没有一个是无罪的。可是罪有大小，恶有轻重。罪大恶极的人，固然当下地狱受苦；但是有小罪的人，既不能升天堂，因为天堂不容有罪的人进去；也不能下地狱，因为没有大罪。那么到那里去呢？以理推之，必定有个赎小罪的或做补赎的地方，就是炼狱。"（引自"基督正教"17 页。）这就是说，不信耶稣而犯小罪的人，他们死了，经过炼狱去赎罪，以后也可以上天堂，并且他们活着的亲友为他们念经祈祷做弥撒，也可以帮助他们早日脱离炼狱。这简直是鬼话，既没有根据，又把神儿子的救赎大功完全扔开。那么神儿子的死究竟为人作了些什么呢？叫人轻看神儿子的死和复活的事实，转眼去看自己的功德，这明明是撒但牢笼人的手段。还有好些事实没有在这里给提出来，但是根据以上所提的，已经可以把天主教确定是一个极其严重的异端。因此，天主教的历史中有无数的道德与政治的污点，是不足为奇的。她使千万人灭亡在愚昧里，实在是惹动神极大的震怒。

2、安息日会

安息日会不是一个宗派，也不是一个因为守礼拜六（安息日）而与一般教会有分别的教会，她根本就是一个传异端的宗教团体。她是在十九世纪中在美国开始的。先是由一个称为威廉米勒的人预言主耶稣要在 1843 年再来，但结果未成事实。后来他又修正预言的日期说，主来该在 1844 年，结果这预言又落空。因此他便自承错误，也离开了传道的工作。那时，他的两个学生怀先生夫妇仍为他的预言解释。这个怀师母就是安息日会的创始人。她说她从天上得着神的宣告说，主耶稣在

1844 年实在是有动作，只是米勒领会错了，主不是从天上到地上，而是在天上一处的地方转移到另一处地方。她说自从主升天一直到 1844 年，主只是到了天上的圣所，在 1844 年内然后才进入至圣所。

她说的这一堆解释和安息日会的救赎道理大有关系。从她所写的"基督与撒但的大战争"一书 420~422 页的记述里（1896 年版）。我们便可以看到她的荒谬。她说："从赎罪日的礼节的影像，可以学习许多重要的真事实，虽然罪人因代替得蒙悦纳，但是牺牲的血并未曾取消罪，不过给了一个法子，把罪移到至圣所。……基督的工作尚未完成，虽然有记载说移开并涂抹一切的罪，但是我们要考察书中所载的，看定这些话不过是说，凡悔罪信了基督的，有享受他赎罪利益的可能。再考察先知的预言，就知道基督在 1844 年 2300 日的未了，不是来到地上，而是进入天上的至圣所，在神的面前完成救赎的工作，预备降临在地上。神的话却明说："（主）乃用自己的血只一次进入圣所，成了永远赎罪的事。"（希伯来书 9:12）又说："靠耶稣基督只一次献上它的身体，就得以成圣。"（希伯来书 9:10）但是安息日会的人却说，主耶稣在十字架上的死（献祭）没有完成救赎。主自己都说"成了"，他们却说要等到 1844 年。他们还说，悔改信主不能得救，只不过有享受

527

赎罪的可能。不单把福音修改，并且把基督所作成功的救恩变成了可有可无的事。这是何等的得罪主！

他们主张人得救非要遵行律法不可，尤其是要守十诫上的安息日。他们这样作，就是把历史向后拖。神借着基督所作的，把人从律法的咒诅重轭下迁进他的恩典中，而他们却要把人重新领回律法下，并且否认基督的救赎。结果叫多少人中了这异端的毒，失掉了神赦免的恩典。这些年来，他们对得救的问题有了一些修改；他们说，得救不是单靠律法，也是因信称义。但是真的信心一定有表现，那表现当然是遵守神的诫命，所以得救的人一定遵守律法。我们若细下分析，就能发现这种修改仍然是换汤不换药的说法，仍然是不守法律就不是得救的人。

总的一句话说，安息日会一面降低基督救赎工作的完备，一面要靠人的行为换取得救，结果就使人失去得救的机会。在他们的主张中，还有许多的无稽的"启示"，并没有永远刑罚的论调，这些说法都不与神的话调和得来。

3、耶和华见证人（守望台）

耶和华见证人或称守望台，是这个世纪初所产生的异端。她是由一个称为罗素的美国人所倡导的。他接受了安息日会的影响，但扬弃了守律法的规条，又保留了没有永远刑罚，罪人只是完全消灭的道理，再加上一些他个人的见解，特别是迎合一般人的感情的见解，就作成守望台的异端。他自称自己是"牧人"，在他的工作以前，在世界上所传的都不是真理。我们就来看看，它是怎样称为异端的。

守望台在口头上是承认《圣经》的权威，可是却带着一个条件，就是他们只接受那些通得过人的理性的《圣经》，所以实际上，他们并没有接受《圣经》的权柄。他们以为永远的刑罚太不人道，神的爱决不允许这种永刑；所以罪人将来的刑罚只是一次的消灭，受刑的人没有感觉。若果他们的是对的，那么永死并不是可怕的事，人得救或不得救并不重要。既是这样，神的儿子为什么要替提人死呢？神的儿子不死也没有关系。事实上在他们眼中看来，神儿子的死是没有多大的价值，因为他们根本否认耶稣是神的独生子，否认他是神，说他不过是被造的，就是天使长米加勒，他降世成为人就是耶稣。既然耶稣不是神，他在神和人中间作中保的事就没有永远的作用。所以他们说，人得救（与神和好）有两部份工作，神作一部份，人也作一部份。主的死是神作的，就是除掉从亚当来的死的刑罚；主的死只给人一个永生的机会，却不保证人得永生，所以人也要努力自救，以一生顺服神的光景来决定人配不配得永生，因为他们以为人还没有败坏到不能自救的地步。他们这样作，完全把人带离神的救恩的路，不要主作救主。神的话说："你们得救是本乎恩，也因着信，这并不是出于自己，乃是神所赐的，也不是出于行为。"（以弗所书8:9）他们却叫人不完全靠主，要靠人的行为。结果人就没法活在救恩里，我们能不说他们是在传鬼魔的道理么？

4、极端的方言派

方言本是圣灵给人的一种恩赐，但是极端的方言派却因此作出一个异端来。他们以为方言是圣灵的浸的凭据，没有说方言的经历，就表明那人没有受灵浸，而灵浸是构成全备福音的因素。虽然他们口口声声说："人是因信得救"，但他们又说"属灵的祷告（方言）和得救的事大有关系。""灵的祷告（方言）和永远得救是分不开的。"（引自"我所经历的方言灵祷"33页。）说得清楚一点，他们的骨子里头是说，没有说方言的人，得救就很成问题。主的话明说：福音就是主替罪人死，埋葬和复活的事实，（参看哥林多前书 15:1~4）而他们却说：不说方言，就不是全备的福音。他们这样做就是把福音更改了。他们把方言拖到极端去，在神的儿子所完成的完全救恩上再增添条件，就落到异端里去。这些人说的话很有属灵的外壳，但是我们却要当心，别上了撒但所安排的圈套。

5、摩门教（耶稣基督末世圣徒教会）

在上一个世纪初，美国人约瑟史密夫创立了摩门教。他创立这一派异端，据说是由他得了从神来的特别启示和摩门经。他宣称说，自从使徒们离世以后，地上便没有了真教会，直到他在 1829 年先后在异象中继承了祭司的职份并列入使徒的位份，然后地上才有真的教会，所以他们又称为耶稣基督末世圣徒教会，他们宣称只有参加这一个教会的人才可以得救。

摩门教的内容十分狂妄和亵渎。他们否认《圣经》是神完全的启示，把他们自己弄出来的另外三本经典加进来，与《圣经》并列，这三本书称为"摩门经"，"圣约与教义"，及"无价珍珠全书"。特别是"摩门经"，他们有时还把它摆在《圣经》之上。他们说，亚当就是神，并且现在的人可以进步成为将来的神，因此神是多数的。他们说主耶稣降生的经过是和我们常人一样，也就是说他不是童贞女马利亚从圣灵感孕而生的。如果他们的话是对的，那么主就百分之一百是人，他没有资格作人的赎价了。事实上，他们也认为主作成的救赎不过是给人一个大的机会，让信他的人可以有更大的进步。他们不信有永刑，就是那些不肯信主的人，只不过在进到作神的地步的过程上要慢一些而已。他们讲到救恩的问题，只要人接受摩门经典的内容，就可以得救；说清楚一点，只要人参加摩门教，就是他们自称具有先知，祭司和使徒的教会，就能得着救恩的果效。他们还有许多的胡言乱语，在这里没有都写出来。但是光凭上面所列出来的，已经使我们对摩门教有了一个概念。这教门实在是一个极大的异端，他们把神的观念弄得模糊，又废弃了基督耶稣的救赎，又改变了神定规了的永远的审判和刑罚，又降低了罪的事实和内容，给人指出一条通往永死的道路。这一个异端不知道已经替撒但夺去了多少灵魂，现今他们正在东南亚一带大肆工作，我们可不能留下地步，接受他们的异端，终至害人害己。

6、不信派

谈到不信派，我们要提醒读者们特别的留意，因这这一个异端是最危险的。他们所以称为不信派，就是因为他们把基督的福音全部或大部份修改了，对于神的救赎采取不信的态度，对于《圣经》上神所作的超然事迹，也是采取不信的态度。这一个异端的历史和内容的演变比较复杂，也表现得最诡诈，所以说他们是最危险的原因就是在此。他们不像其他的异端明显的被分别在基督教外，他们却是名正言顺的混在基督教内，取得"合法"的地位，却进行败坏基督福音的工作，叫多少人受了蒙骗自己也不知道。他们起先称为"现代派"，

（Modernism）或"社会福音派"，（Social Gospel）或"自由派"（Liberalism）或"新神学派"。以后又为新兴起的"巴尔特派"，或称为"新正宗神学派"（Neo-orthodoxy）所代替。他们中间所发生的历史的兴替，并没有改变他们不信的本质。他们所有的转变都不过是限于神学思想的内容，都是人脑子里想出来的东西，而不是叫人与神的关系得着和好的调整。我们也从他们的历史和信仰内容来认识这个极危险的异端。

（1）从社会福音到新正宗神学

在十八和十九世纪期内，由于自然科学有了突击式的发展，再加上唯物的无神思想勃兴，因此那时教会的信仰受到了无情的攻击，而教会当时对这些新兴的知识又没有合宜的方法去应付，就造成了教会面临一个极其严重的局势。再继之而来的高等批评学对圣经所下的结论，说圣经并不真实，又加上进化论的学说流行，在那时如同风暴一样要摧毁神的工作，就在这样的历史背景下，新神学的思想就产生了。这些人一面要保存基督教的道德观念，另一面又要迁就科学上的发现，（其实科学并不能说是反对神的，因为是不相同的两个范围与内容。）迎合人的所谓理性，就把教会历代所相信的来一次改头换面。先是由德国的施莱尔马赫（Schleiermacher）开始，接受了当时德国的唯心主义哲学的影响，发表了新的神学意见，以后就发展成了社会福音。虽然他们中间的学说并不是统一的，但大体上他们以为耶稣不过是一个历史人物，天国就是理想社会的规模。基督教的主要任务，乃是把基督的理想——天国——建立在人间，叫世界上的人活在爱的交流里，成功一个大同的社会。当然我们不否认，在人类的立场上来说，建设一个公平合理的社会是需要的，但是要把神的儿子耶稣基督的救赎福音说成是社会福音，我们就毫不留情的反对，因为这不单是把神的恩典废弃，并且堵塞了人脱离永死的路途，又是撒但对付神与人的手段。社会制度的改革毕竟是政治范围的事，并不是"神的物应当归神，该撒的物应当归该撒"的教会的工作，因此经过了一个世纪多的时间，社会福音只不过成了唱高调的东西，流于幻想，不切实际，一点没有像他们所想的解决或减轻了世界的灾难，反倒是一些不高举神的政府，和各国的社会主义政党还能作出一点东西来，叫这些社会福音的人相形见拙。说实在的话，如果我是接受社会福音的，我就干脆扔掉这种福音，而投身到社会改革的政治运动里去。事实上，神已经肯定了人是不能改良的，人所需要的是拯救。这些人更改神的福音，又挂上基督教的招牌，要作神不要作的事，当然是作不出结果来，只有把基督教带到了虚假与伪善的地步。他们的主张经不起历史的考验，因此在第一次大战后，又有了巴尔特（Barth）出来，尖锐的反对社会福音；创立了新正宗神学思想。这种神学思想在表面上看来，好像是神学思想上的复兴，转回靠近纯正信仰，表现得有点属灵味，但骨子里头仍然对神的作为存在着极大的不信。新正宗神学的出现，表面上是结束了社会福音的历史，但却不能说是把社会福音的思想影响完全驱除。因此在新正宗神学里仍有不少人一面主张个人的宗教经验，同时又主张社会福音，这就是在新正宗神学里的一部份积极的倾向，称为实存主义（Existentialism）的主张。我们必须再郑重的重覆指明，这一切的改变，都不过是人的思想认识的内容改变，而这种改变的根据就是各时代的哲学思潮和历史的需要，跟人迫切的需要与神和好这个事实毫不相干。

"教义学（即教会信仰，作者注。）只能依照在各个时代的教会情况，来完成它的任务。……基督教的教义将永远是一种思想，一种研究，一种说明，而这一切都是相对的。永远都可能有错误。"（巴尔特着"教义学纲要"第 4 页，基督教辅侨出版社，胡簪云译。）按巴尔特先生的解释，"教义学这一门科学是考察基督教会所宣传的内容。"（见上书第 5 页。）那么从他这一段话看，我们说他们的转变只不过是思想的转变，到了时候再改转的时候，他们的神学思想还要再改变。这些改变并没有值得神的儿女鼓舞的地方，因为对人与神复和的关系一点也没有帮助，这些仍然是"世上的的智慧，……世上有权有位将要败亡之人智慧。"（哥林多前书 2:6）骨子里头仍然充满着不信的本质。作为一些当代的哲学思想家，我们很钦佩他们从事学术研究的态度。但若将他们的思想结论作为基督教会的信仰，我们只能拒绝，并明明的对他们说，"你们在传播异端了"。

（2）社会福音的内容

用明白的话来说，新神学根本就是混进基督教内的无神论。一切在人的理智上解释不来的事，他们都以为是不可信的。他们要用物质的观念去认识创造物质又超越物质的神，这一个观念根本的立足点就已经错了，如同狗要完全了解人的事一样，那可能性是不存在的。正因为他们在这样的思想基础上去了解属灵的事，结果就把神在《圣经》中启示给人的真理都加以否认，说这不可信，说那不可信，在《圣经》中所可信的，只是那些带着人生哲理的教训。因此，他们虽口口声声在说"上帝"，也虚伪的向空祷告说"上帝呀"，事实上神在他们心中并没有真实感，他们对神的观念，只不过是"相对真理"的化身，因此在其他的宗教里也有"神真理的启示"，或者说神是"真善美的总和"，诸如此类的含糊观念。神既然是如此不真实，跟着便没有了天堂和地狱，神就成了"爱"的代名词，而神的圣洁，公义和审判都给一古脑儿的扔掉了。神的独生子耶稣给他们看成是"历史上的人物"，是一个伟大的思想家，宗教家，革命家和教育家。所以主耶稣并不是神，也不是神的独生子，因为普世人都是神的儿子。这一来，人并不需要救赎，神也没有给人永远的刑罚的事实，所以主耶稣的死并不是为人赎罪，只是给人一个崇高伟大的榜样，叫人知道怎样去牺牲个人，舍己为人，表现博爱的精神。耶稣既给他们说成是历史上的一个完人，因此，主从死里身体复活的事便给他们说成是"精神不死"的"精神复活"，或是人格永存，一直影响后世的人的意思。在他们的说教里，神只有爱而没有公义，人最大的罪就是自私，所谓"得救"就是人脱离肉欲，物欲和自私，"重生"就是受耶稣的教训影响而确立舍己为人的人生观。耶稣的理想就是在这世界里建立"上帝的国"，这个"上帝的国"的基础并不是在耶稣为罪人赎罪的死和身体复活，而是在耶稣优美的人格，众人都受这优美人格的影响，就在地上建立起"上帝的国"。他们对"上帝的国"的观念就是一个宗教性的大同社会，甚至在他们中间有不少人说出"共产主义社会"就是"上帝的国"临格，如果能把一个无神的国度称为"上帝的国"，我们就看见他们的不信是何等的明显。他们给基督教的目标下了一个结论，就是要在地上建立天国，所以认定耶稣基督的救赎，再来，和圣经上的神迹都是无聊的神话。他们从不向人讲救恩，反倒攻击相信救恩的人是保守，是情感。他们向人讲的，就是人生的意义啦，牺牲自我啦，作个诚实不自私的人啦，服务人群啦，还鼓吹"服务不忘灵修，灵修不忘服务"的口号。如果单从人的物质生活需要来看，这是不错的，但是把这些说成是耶稣的工作和理想，完全把神的救赎废弃，叫人得不着得救的门路，仍然停留在罪恶过犯中，等候永远的灭亡，这不是魔鬼的工作还是什么！

（3）新正宗神学又说了些什么

新正宗神学的主张，从表面上看来，就很接近圣经的事实和纯正信仰的内容，但是实质上仍然是不信的道理。尽管他们没有社会福音那样的无稽，可是在他们属灵的说话的下面，却隐蔽着不信的事实。这一些道理比社会福音还要阴险，因为他们用着纯正信仰的字句，而改变了信仰的内容。纯正信仰的教会所相信的，他们在字句上也相信，但是在解释上就大不相同，单凭外表的说话，叫人很不容易辩认他们不信。

他们不像社会福音那样给人一个模糊的神的观念，他们说神是超越的，与人大有分别，不借着神自己的启示，人就不能认识神。他们说要回到《圣经》去，但是他们却不接受全本《圣经》是神的话，他们跟社会福音一样说，神的启示经过人的手就有人的成份，就可能有错误。所以《圣经》成为神的话，只有在神用《圣经》来启示神自己的时候，也就是说神不作启示的工作，《圣经》就不是神的话了。如果是这样，你在"启示"中看不见救赎，你就可以不需要救赎；你在"启示"中没有认识耶稣是神的儿子，那么耶稣只是一个历史上的人。既相信神是全能的，却又相信神不能让代表他说话的《圣经》没有错误，这是他们思想上的予盾。虽然他们有些道理来解释"神的全能"和"圣经有错误"的不调协，但解释也不能否定这是一个矛盾。他们中间有部份人在字句上狡猾地使人觉得他们是承认主从圣灵感孕，借着童女马利亚而生，又相信主的受死和复活，但事实上他们都是彻底的拒绝这些史实。特别是巴尔特，他指责他们中间的 Brunner 公开拒绝主借童女降生的事是作错了。他以为一个公开拒绝就等于承认主降生的神迹对基督显现的重要性，他说基督的显现与生理上的神迹完全无关。他们不承认人的始祖堕落与众人的罪有关系，因此，他们并不注意救赎的需要，也不以为救赎是人的需要。所以，对于将来的事，他们说不出所以然来。他们虽然不同意社会福音说神的国是因耶稣人格的影响而建立，但是对于主复活以后的事就很含糊，这些含糊也就是他们不信的表现。举个例来说，他们不以为将来的审判是真实的。"在《圣经》的思想界中，那审判者并非主要地是那位赏一部份人而罚一部份人的人；

他是建立秩序，而使破坏的东西复原的人。我们可以用绝对的信任向前迎接那种审判，那种复原，或者说得更确当一点，那种复原的显示。因为那个审判者是他。……而那些末日审判的图画，不能说是完全没有意义。那些不属上帝的恩典和公义的，不能存在。可能有无数人类的，及基督教中的"伟人"，被投入最外面的黑暗中。在这次审判中，真的是包括有这种神圣的否定。但当我们姑且承认如此的时候，要马上回到那个真理，即是那位把一些人放在左边，而把另一些人放在右边的审判者，事实上就是曾为我们俯首于上帝的审判之前，而把我的一切罪孽除开的那一位。"（巴尔特着"教义学纲要"205页）他把审判看作是一个"复原"，刑罚只是"可能有"并且只能"姑且承认"的事实，即便有审判，那审判人的就是曾替我们受审判的主，那也没有什么大不了的事发生。既是如此，主耶稣的救赎就成了没有意思的事，主的流血或不流血就与我们无关了，因为神的审判只是虚无的事。对于信徒在主再来时的复活，他们仍旧是含糊得很，用满有哲理的说话来把不信隐蔽起来。"基督徒在此生的前途的希望是什么呢？一种死后的生命吗？一种与死无关的东西吗？一个像蝴蝶一样，从坟墓之上飞走，而仍在某一地方被保存，使可以永久地生存的微弱的灵魂吗？这些都是异教徒对于死后的生活的展望，但却不是基督徒所希望的。……复活的意义不是这个生命的继续，而是这个生命的完成。……基督徒的希望，并不是带我们离开现在的生命，倒不如说它是把上帝对我们的生命的看法的真相显露。它是克服死亡，而不是到世外逃避。"（引自同上一书236~237页。）在这些满了哲学气味言语里，信徒复活又成了捉摸不到的东西，并且把复活的指望说成是异教徒的想法。这样的道理除了把人拘留在罪恶过犯中，等候神的审判与永刑以外，还能替人作些什么呢？

不管是新神学或是新正宗神学，他们所作的就是堵塞神恩典的路，为撒但寻找更多永远的伴侣。为了输送这些不信的道理，他们竟然有胆量去修改《圣经》，把不信的思想渗进去。在 Moffatt 的译本中，<创世纪>3:15 的"女人的后裔"这话，给他改成了"女人所乳养的"。<路加福音>23:44 提到主被钉时，遍地都黑暗了的事实，给他加一句解释的话"这是因为日蚀的缘故"。又如在称为标准新译本（Revised Standard Version）<以赛亚书>7:14"必有童女怀孕生子。"又给他们改成"必有少妇怀孕生子"。还有在最新印行的那本新译英文《圣经》（The New English Bible）更是充满了许多出于不信的修改。他们这样的作法，目的要尽量破坏耶稣基督作救赎主的资格，要人看主耶稣只不过是历史上的一个伟人，或是先知，或是哲士。如此就达成了撒但的目的。

三、怎样对待异端

凡是更改福音的，都是被咒诅的。这是我们必须要清楚认定的。不单是知道有异端，也不单是要辨认异端，也要知道异端在神眼中的可憎，我们就站到神的一边，以神对待异端的态度作我们对待异端的态度。这是马虎不得的，也不容许感情来辖制我们，叫我们对异端有一点的姑息或让步。在旧约的时候，传异端引诱以色列人离开神的，都要用石头打死。（参看申命记18:20~22）。因为异端是出于魔鬼，又使人灭亡。我们今天作信徒的，又该用什么态度来对待异端呢？

1、绝对的分别

"你们和不信的原不相配，不可同负一轭。义和不义有什么相交呢！光明和黑暗有什么相通呢！基督和彼列有什么相和呢！信的和不信的有什么相干呢！神的殿和偶像有什么相同呢！因为我们是永生神的殿。……你们务要从他们中间出来，与他们分别，不要沾不洁净的物。"（哥林多后书 6:14~17）神的话很明显的告诉我们，要与假先知和他们的团体分别，绝对的分别，弃绝他们的道理，脱离他们的团体组织。没有什么理由可以叫我们不与他们分别，因为我们不能"作恶以成善"。（罗马书 3:8）要与异端分别，也不要把财物献给他们，更不要接待他们的传道人，"也不要问他的安，因为问他安的，就在他的恶行上有份。"（约翰二书 10~11）现今有些信徒和教会不按着主的话去与假先知分别，反与他们合作，助长了他们的工作，也模糊了另外一些信徒的认识。我们凭着主的心意对他们说，"这样作是很不应该。"回顾教会的历史，又一直看到现在，那些假先知们，尤其是不信派，不单传叫人灭亡的道，也在教会遇上危难的日子里帮着敌挡神的人践踏神的儿女。神命令我们与他们分别，我们就毫不迟疑的与他们分别。

2、求主救异端的人脱离撒但的手

异端是可憎的，但传异端的人也是怪可怜的。他们落在撒但的蒙骗和辖制里，心思行动由不得自己。我们一面绝对的与他们分别，另一面又求主给他们拯救，好脱离撒但的手，不再作撒但的工具去害人。"有些人你们要存惧怕的心怜悯他们。"（犹大书 23）我们虽然为这些人求告主，但不等于我们可以和他们有交通。我们不可自己骗自己。若真有悔改归向主的，我们也就待他如弟兄。

为了保守我们自己，我们就更当好好追求长进，"认识神的儿子，得以长大成人，满有基督长成的身量。使我们不再作小孩子，中了人的诡计，和欺骗的法术，被一切异教之风摇动，飘来飘去，就随从各样的异端。惟有用爱心说诚实话，凡事长进，连于元首基督。

全身都靠他联络得合式，百节各按各职，照着各体的功用，彼此相助，便叫身体渐渐增长，在爱中建立自己。"（以弗所书 4:13~16）

向读者们说几句话

从开始写这一本书起，一直到写成为止，明明的经历了主的信实。因着他不断的供应，叫我在感到里面枯竭的时候有了滋润，在感到身灵疲乏的时候又重新得力。是他自己的工作，他就负责到底。愿一切感恩和荣耀都归给他。

离开了主的恩典，人就算不得甚么，因此，我在这里不得不向读者们再说几句话。属灵的知识可以引领我们进入属灵的经历里，真实的认识主是借着真理去经历主。离开了真理，经历就没有属灵的意义，反会发生属灵上的危险；但是只有属灵的知识，而欠缺属灵的实际，那么这些知识就没有给我们增加甚么。经历是需要借着时间来累积的。我们看完了一本书，我们肯定说我们会增加了一些知识，可是我们千万别忘记，知道了并不等于得着了。比方说，我知道了顺服的真理并不等于我已经顺服了；知道了得胜生活的途径并不等于我已经走上了得胜的路。所以，当读者们看完了这一本书以后，我切盼读者们更在主面前谦卑俯伏；一面承认我们离主的心意很远，一面求主加给我们属灵的恩典，叫我们能实际的走上这荣耀的道路。该用信心去接受的，就用信心去接受；该用信心去奔跑的，就用信心去奔跑，存着指望走进神荣耀的丰富里。

本书所涉及的，并未包括全部神所要我们知道和学习的，只能说是属灵功课的初阶。所以，我愿意和读者们一同存着这样的心等候在他面前："弟兄们，我不是以为自己已经得着了，我只有一件事，就是忘记背后努力面前的，向着标竿直跑，要得神在基督耶稣里从上面召我来得的奖赏。"（腓立比书 3:13~14）

中国大陆文字事工

我们的历史：中国大陆文字事工作为 AFC 的资源部门始于近 30 年前，为造就世界各地的来自中国大陆的知识分子，至今已发行了 4 百多万册的策略性文字材料和多媒体资料。 **我们的异象：**帮助神的子民在属天的呼召下到中国大陆，尤其是到那些知识分子中间，向他们传播改变生命的基督福音，并以最有效的事工资源装备他们。**我们的使命：**成为神子民的同伴，为中国大陆提供最低成本，最高质量，最具影响力的福音传道以及基督徒成长的资源。**我们的模式：**依靠神，以及从神而来的义工和捐助者慷慨的帮助，我们提供尽可能最低，并且常常是没有任何成本的资源，以便最大限度地扩大基督福音的影响。

我们提供超过 500 种的策略性书籍，小册子，DVD 和其它视听资料，分类如下：《圣经》和圣经单卷；护教学；福音传道和证道；见证和传记；研经和释经；灵命增长；家庭生活和人际关系。所有文献都是简体字，并且视听资料都是普通话（许多资料还有三种语言）。策略性地选择和使用来自世界各地的资料，对我们本部门的发行物也是如此。

我们希望这本书对你的灵命有益处。若需更多帮助你与主同行的资源，请查询我们的网站：**www.AFCinc.org/MClit**

The Mainland Chinese Literature Ministry of Ambassadors for Christ

Our History: The Mainland Chinese Literature Ministry began almost 30 years ago as a resource ministry of AFC, and has since distributed more than 4 million pieces of strategic literature and media items worldwide for ministry to Mainland Chinese intellectuals. **Our Vision:** is to impact and transform Mainland Chinese worldwide, especially intellectuals, with the life-changing Gospel of Jesus Christ, and equip them to grow in the Lord and multiply their faith. **Our Mission:** is to partner with God's people to provide the most effective evangelistic and Christian growth resources for Mainland Chinese, at the lowest cost and highest quality. **Our Model:** We rely upon God and the generous help of volunteers and donations from God's people to give us the ability to provide resources at the lowest possible cost, and often at no cost, for maximum impact for the Gospel of the Lord Jesus.

We offer more than 500 strategic books, booklets, DVDs and other audio-visual items in the following categories: Bibles and Bible portions (many Bilingual), Apologetics, Evangelism and Gospel Presentation, Testimonies and Biographies, Bible Study and Exposition, Basic Christian Growth, Relationships, and Family Life. All literature is Simplified Script and audio-visual items are Mandarin (many also include Cantonese). Each piece is carefully chosen and brought from various parts of the world, as well as many produced by our ministry.

Our hope is that this book has been spiritually beneficial to your life. For further resources to help your walk with God: **www.AFCinc.org/MClit**